La heredera

La heredera

Kiera Cass

Traducción de María Angulo Fernández

Rocaeditorial

La heredera
Título original: *The heir*

Primera edición en España: junio de 2015
Primera edición en México: agosto de 2015
Primera reimpresión: octubre de 2015

Av. Marquès de l'Argentera, 17, pral.
08003 Barcelona
info@rocaeditorial.com
www.rocaeditorial.com

ISBN: 978-84-1630-649-7

Impreso en México / *Printed in Mexico*

A Jim y Jennie Cass,
por un montón de razones,
pero sobre todo por crear Callaway.

Capítulo 1

No era capaz de aguantar la respiración durante siete minutos seguidos. De hecho, no podía llegar ni a uno. En cierta ocasión, traté de correr un kilómetro y medio en siete minutos, después de enterarme de que algunos atletas lo hacían en cuatro, pero a medio camino un tremendo pinchazo en el abdomen me paralizó y, por supuesto, no alcancé mi objetivo.

Sin embargo, sí hubo algo que conseguí hacer en siete minutos y que muchos tildarían de impresionante: me convertí en reina.

En siete insignificantes minutos, vencí a mi hermano Ahren, que acababa de nacer, así que el trono que supuestamente iba a ocupar él fue mío. De haber nacido una generación antes, no habría importado. Ahren era el varón y solo por eso debería haber sido el heredero.

Mamá y papá se negaban a aceptar que a su primer vástago se le despojara de un título por culpa de un desafortunado pero a la vez hermoso par de pechos. Y ese fue el motivo por el que cambiaron la ley. El pueblo lo celebró por todo lo alto, y yo, poco a poco, fui formándome para ser la próxima soberana de Illéa.

Sin embargo, nadie entendía que sus intentos para hacer que mi vida fuera más justa eran, en mi opinión, muy injustos.

Intentaba no quejarme demasiado porque, en el fondo, sabía que era una afortunada. Pero había días, a veces incluso meses, en que sentía que el peso con el que cargaba era demasiado para una sola persona.

Eché una ojeada al periódico y leí que se había producido otro disturbio, esta vez en Zuni. Veinte años atrás, el mismo día en que papá fue proclamado rey, tomó una decisión: disolver las castas. Y con ello, el viejo sistema social fue desapareciendo de forma gradual. Todavía me seguía pareciendo disparatado que hubiera existido una época en que la gente viviera según esas etiquetas tan restrictivas y arbitrarias. Mamá era una Cinco; papá, un Uno. Me costaba creerlo, ya que apenas había indicios evidentes de tales divisiones. ¿Cómo se suponía que sabría si estaba caminando junto a un Seis o al lado de un Tres? ¿Y qué importancia tenía?

Cuando papá decretó la eliminación de las castas, los habitantes de todos los rincones del país se mostraron de acuerdo.

Mi padre albergaba la esperanza de que los cambios que entonces había introducido en Illéa se notarían pasada una generación, es decir, ahora.

Pero, a decir verdad, eso no estaba ocurriendo, y ese nuevo problema era tan solo una muestra del malestar y la inquietud de nuestra población.

—Café, alteza —anunció Neena, y dejó la taza sobre la mesa.

—Gracias. Puedes llevarte los platos.

Decidí leer el artículo de principio a fin. En esta ocasión habían incendiado un restaurante porque el propietario se había negado a ascender a uno de sus empleados. Pretendían que nombrara *chef* a un camarero. El trabajador aseguró que su jefe le había prometido el ascenso, pero este jamás cumplió con su palabra. Y el camarero estaba convencido de que todo era por su pasado familiar.

Tras mirar la fotografía del restaurante carbonizado, lo cierto era que no sabía en qué bando posicionarme. El propietario tenía todo el derecho a ascender o a despedir a quien quisiera, pero el trabajador también tenía derecho a que no le consideraran como algo que, en términos técnicos, ya no existía.

Cerré el periódico, lo dejé a un lado y cogí la taza de café. A papá le iba a afectar muchísimo. Seguro que a estas alturas ya le estaba dando vueltas al asunto, tratando de encontrar un modo de compensar a los afectados. El problema radicaba en que, aunque solucionáramos un problema, no disponíamos de las armas necesarias para frenar todos los casos de discriminación por casta. Realizar un seguimiento exhaustivo de cada caso era demasiado complicado, ya que sucedían con más frecuencia de lo deseado.

Me acabé el café y abrí el armario de par en par. Ya iba siendo hora de empezar el día.

—Neena —llamé—, ¿sabes dónde está el vestido de color ciruela? ¿El que tiene un fajín?

Entornó los ojos con un gesto de concentración y se acercó para echarme una mano.

Neena era relativamente nueva en palacio. Tan solo llevaba seis meses trabajando para mí, después de que mi última doncella cayera enferma. A pesar de que se había recuperado, lo cierto era que Neena siempre se adelantaba a mis necesidades y me resultaba muy agradable tenerla cerca, así que decidí mantenerla conmigo. También la admiraba porque tenía muy buen ojo para la moda.

Neena se quedó observando mi inmenso vestidor.

—Quizá deberíamos reorganizar la ropa.

—Si tienes tiempo, adelante. No es un proyecto que despierte mi interés.

—Claro, porque soy yo quien selecciono y coloco toda su ropa —bromeó.

—¡Has dado en el clavo!

Se tomaba mi humor con filosofía, y eso me gustaba. Se puso a rebuscar entre la infinidad de vestidos y pantalones que abarrotaban el armario.

—Me gusta cómo te has peinado hoy —observé.

—Gracias.

Todas las doncellas llevaban gorro, pero, aun así, Neena se las arreglaba para ser creativa con sus peinados. A veces lucía una cabellera rizada envidiable y otras se recogía todo el pelo en un moño precioso. Ese día se había hecho unas trenzas que después había enrollado alrededor de la cabeza. Me fascinaba que siempre encontrara una manera de darle un toque personal a su uniforme.

—¡Ah! Aquí está.

Neena sacó el vestido, con la falda hasta la rodilla, y me lo mostró. Para ser sincera, el color resaltaba su tez oscura.

—¡Genial! ¿Sabes dónde está el *blazer* gris? ¿El de manga tres cuartos?

Me miró detenidamente, con cara de póquer.

—Reorganizaré el armario, decidido.

Solté una risita.

—Mientras lo buscas, empezaré a vestirme.

Me puse el vestido, me cepillé el pelo y me preparé para enfrentarme a un nuevo día como el futuro rostro de la monarquía.

El modelito era lo bastante femenino como para dulcificar mi imagen, pero lo bastante atrevido como para que me tomaran en serio. Cada día me esforzaba más para conseguir ese equilibrio.

Clavé la mirada en el espejo y me dirigí a mi propio reflejo.

—Eres Eadlyn Schreave. Según la línea sucesoria, serás la próxima gobernante de este país. Además, serás la primera reina que lo hace sola. Nadie sobre la faz de la Tierra —me dije— es más poderoso que tú.

Papá ya estaba en su despacho, con el ceño fruncido y el gesto torcido por las noticias. Salvo en los ojos, no me parecía en nada a él. Ni a mamá tampoco, todo sea dicho.

Había heredado todos mis rasgos, cabello oscuro, cara ovalada y una piel ligeramente bronceada, de mi abuela. En el pasillo del cuarto piso había un retrato suyo, del día de su coronación. Cuando era niña, solía estudiar el cuadro e imaginar en qué me parecería a ella cuando creciera. A juzgar por la fecha, mi abuela debía de tener más o menos mi misma edad cuando la retrataron. Y, aunque no éramos como dos gotas de agua, a veces sentía que yo era su eco.

Atravesé la estancia y le di un beso a mi padre en la mejilla.

—Buenos días.

—Buenos días. ¿Has leído los periódicos? —preguntó.

—Sí. Al menos esta vez no ha muerto nadie.

—Y doy gracias a Dios por ello.

Esos sucesos eran los peores. Cada vez que me enteraba de que alguien había muerto o desaparecido en una revuelta, se me encogía el corazón. Leer que algunos jóvenes habían muerto asesinados tan solo por mudarse a un vecindario mejor, o que algunas mujeres sufrían ataques violentos por tratar de conseguir un empleo que, en el pasado, hubiera sido inalcanzable por la casta a la que pertenecían, me parecía terrible.

A veces, la policía averiguaba el motivo y la persona que se escondían tras los crímenes en un periquete, pero, a menudo, nos topábamos con varios dedos acusatorios que no apuntaban a ninguna respuesta concluyente. Aquellas injusticias me dejaban exhausta, y sabía que papá lo pasaba peor.

—No lo entiendo —murmuró. Se quitó las gafas de lectura y se frotó las sienes—. Querían eliminar el sistema de castas. Invertimos tiempo y esfuerzos para erradicarlo y para que todos pudieran adaptarse. Y ahora están quemando edificios enteros.

—¿Hay algún modo de regularlo? ¿Podríamos crear una junta que supervisara este tipo de agravios? —propuse, y eché otro vistazo a la fotografía. En la esquina se veía al joven hijo del propietario del restaurante, que lloraba desconsolado: lo había perdido todo.

En el fondo sabía que las quejas no tardarían en llegar, pero también era consciente de que papá no soportaba quedarse de brazos cruzados y no hacer nada al respecto.

Me miró.

—¿Eso harías tú?

Esbocé una sonrisa.

—No, yo le pediría consejo a mi padre.

Soltó un suspiro.

—Esa no siempre será una opción, Eadlyn. Debes ser fuerte, decidida. ¿Qué solución propondrías para este incidente en particular?

Vacilé.

—No creo que la haya. No tenemos forma de demostrar que el camarero no consiguió el ascenso por la casta a la que pertenecía su familia en el pasado. Lo único que podemos hacer es abrir una investigación para averiguar quién provocó el incendio. Esa familia ha perdido su negocio, su única fuente de ingresos. Alguien debe asumir la responsabilidad. Un incendio provocado exige justicia.

Sacudió la cabeza.

—Creo que tienes razón. Me gustaría ayudarlos. Pero, además de eso, deberíamos encontrar un modo de evitar que algo así volviera a ocurrir. Los disturbios cada vez son más incontrolables, y eso me asusta.

Papá tiró el periódico a la papelera, se levantó y caminó hacia el ventanal. Sus andares denotaban su estrés, su angustia. A veces, su labor le proporcionaba grandes alegrías, como comprobar que las escuelas que él mismo había ayudado a construir mejoraban día a día, o ver cómo ciertas comunidades prosperaban en aquel ambiente libre de guerra que él, como rey, había propiciado. Sin embargo, esas visitas cada vez eran menos frecuentes. La mayoría de los días parecía preocupado por el estado del país; siempre que se acercaban los periodistas, fingía una sonrisa con la esperanza de que su ademán transmitiera tranquilidad a toda la sociedad. Mamá trataba de ayudarle, pero, al final del día, el destino del país dependía solo de él. Y, algún día, lo haría de mí.

A pesar de ser una preocupación egoísta y vanidosa, no quería que me crecieran canas antes de tiempo.

—Apunta esto, Eadlyn. Recuérdame que debo escribir al gobernador Harpen, de Zuni. Ah, y, por favor, anota que la carta debe estar dirigida a Joshua Harpen, no a su padre. Cada dos por tres olvido que fue él quien ganó las últimas elecciones.

Escribí todas sus instrucciones con esa caligrafía cursiva y elegante que a papá tanto le gustaba. Cuando era niña, siempre insistía en la importancia de tener una bonita caligrafía.

Estaba orgullosa de mí misma, pero, cuando miré a mi padre, la sonrisa se me borró de inmediato. Estaba rascándose la frente, estrujándose los sesos para encontrar una solución a todos esos problemas.

—¿Papá?

Se giró y, de forma casi instintiva, cuadró los hombros, como si se viera obligado a aparentar fortaleza incluso delante de su propia hija.

—¿Por qué crees que ocurren estas cosas? El país no siempre fue así.

Arqueó las cejas.

—Desde luego que no —murmuró—. Al principio, todos parecían satisfechos. Cada vez que eliminábamos una nueva casta, era una fiesta. Los disturbios son muy recientes. Empezaron en cuanto retiramos todas las etiquetas de forma oficial. A partir de entonces, aumentaron los incidentes.

Fijó la mirada en la ventana.

—Sin embargo, las personas que se criaron en el antiguo sistema de castas deben ser conscientes de cuánto ha mejorado la sociedad. En términos comparativos, es más fácil casarse..., o conseguir un empleo. La economía familiar ya no está limitada a una única profesión. Y, en lo referente a la educación, tienen más opciones. Sin embargo, los que han nacido en esta nueva era, sin ninguna etiqueta, van en dirección contraria... Supongo que no saben qué más hacer.

Me miró y encogió los hombros.

—Necesito tiempo —farfulló—. Debo poner el sistema en modo «pausa», arreglar ciertos asuntos y, después, pulsar el «*play*» de nuevo.

No pude evitar fijarme en cómo arrugaba la frente.

—Papá, creo que eso es imposible.

Se rio entre dientes.

—Ya lo hemos hecho antes. Todavía recuerdo...

De pronto, algo en su mirada cambió. Me observó durante unos segundos, como si estuviera haciéndome una pregunta, pero sin articular palabra.

—¿Papá?

—Dime.

—¿Estás bien?

Parpadeó varias veces.

—Sí, cariño. Estoy bien. ¿Por qué no empiezas a trabajar en esos recortes de presupuesto? Comentaremos tus sugerencias por la tarde. Ahora necesito charlar con tu madre.

—Por supuesto.

No tenía un talento natural para las matemáticas, por lo que tenía que invertir muchas horas para elaborar propuestas de recortes de presupuesto o planes financieros. Pero me negaba en rotundo a que alguno de los consejeros de papá me echara una mano con su calculadora mágica e hiciera el trabajo por mí. Aunque tuviera que trabajar día y noche en ello, siempre procuraba entregar un trabajo excelente.

A Ahren, en cambio, las matemáticas se le daban de maravilla, pero nunca le obligaban a asistir a reuniones sobre presupuestos, recalificaciones o salud pública. Por siete estúpidos minutos, se libró de esos engorros y se fue de rositas.

Papá me dio una palmadita en la espalda antes de irse del despacho. Tardé más de lo habitual en centrarme en aquel baile de números. No podía dejar de pensar en lo preocupado y angustiado que había visto a papá. Algún día, esa responsabilidad recaería en mí.

Capítulo 2

Después de varias horas trabajando en el informe presupuestario, decidí que merecía un descanso, así que me retiré a mi habitación dispuesta a pedirle a Neena que me diera un masaje en las manos. Me encantaba poder disfrutar de esos pequeños lujos durante el día. Trajes y vestidos hechos a medida, postres exóticos que podía degustar un jueves cualquiera y un sinfín de cosas preciosas eran algunas de las ventajas; y esos detalles eran, sin lugar a dudas, lo mejor de mi trabajo.

Mi habitación tenía vistas a los jardines. A medida que pasaba el día, la luz que se filtraba por los ventanales iba cambiando. Ahora la estancia de techos altos estaba iluminada por una luz cálida y preciosa de color miel. Me concentré en esa calidez tan especial y en los dedos de Neena.

—El caso es que le cambió el rostro de repente. En cierto modo, fue como si, por un momento, desapareciera por completo.

Intentaba explicarle el extraño comportamiento que había tenido papá esa misma mañana, pero me costaba una barbaridad encontrar las palabras para hacerlo. Ni siquiera sabía si había podido hablar con mamá, ya que no volvió a aparecer por el despacho.

—¿Cree que está enfermo? Últimamente parece cansado —dijo Neena, mientras hacía magia con sus manos.

—¿Tú crees? —pregunté. Cansado no era la palabra exacta—. Lo más probable es que esté estresado. ¿Cómo no estarlo con todas las decisiones que debe tomar?

—Y algún día será usted quien se ocupe de eso —comentó con una mezcla de preocupación genuina y diversión juguetona.

—Lo que significa que necesitaré el doble de masajes.

—Quién sabe —dijo—. Quizá dentro de unos años quiera probar algo nuevo.

Torcí el gesto.

—¿Y a qué te dedicarías? Dudo que encuentres un empleo mejor que este.

Alguien llamó a la puerta, así que no pudo responder. Me levanté, me ajusté el *blazer* para estar más presentable y asentí con la cabeza a Neena, indicándole que podía abrir la puerta.

Mamá apareció tras la puerta, con una sonrisa de oreja a oreja y con papá en la retaguardia. Las cosas siempre funcionaban así. En los eventos estatales o cenas importantes, mamá siempre se colocaba junto a papá, o incluso detrás de él. Pero cuando estaban en palacio como marido y mujer, y no como rey y reina, era él quien la seguía a todas partes.

—Hola, mamá —saludé, y le di un abrazo.

Mamá me retiró un mechón detrás de la oreja y me regaló otra sonrisa.

—Me gusta cómo te queda este conjunto.

Di un paso atrás y me alisé la falda del vestido con las manos.

—Las pulseras son el complemento ideal, ¿no crees?

Soltó unas risitas.

—Veo que te fijas en los detalles, excelente.

Muy de vez en cuando, mamá me dejaba escoger algunas joyas y zapatos para su colección, pero lo cierto era que a ella no le parecía tan divertido como a mí. No consideraba la moda como algo básico para resaltar su belleza, aunque, en su caso, no lo necesitaba. Prefería un estilo clásico, y eso me gustaba.

Mamá se volvió y tocó el hombro de Neena.

—Te puedes retirar —dijo en voz baja, y casi de inmediato Neena hizo una reverencia y nos dejó a solas.

—¿Algo anda mal? —pregunté.

—No, cielo. Tan solo queríamos hablar en privado —respondió papá, y me invitó a sentarme junto a la mesa.

—Se nos ha presentado una oportunidad y nos gustaría comentarla contigo.

—¿Oportunidad? ¿Nos vamos de viaje? —Adoraba viajar—. Por favor, decidme que nos vamos a la playa. ¿Podemos ir solo los seis?

—No exactamente. No podemos hacer las maletas, porque esperamos visita —explicó mamá.

—¡Oh! ¡Compañía! ¿Quién viene?

Intercambiaron una mirada cómplice, y mamá tomó las riendas de la conversación.

—Ya sabes que la situación ahora mismo es bastante inestable, frágil. El pueblo se muestra inquieto, insatisfecho, y no sabemos qué más hacer para relajar las tensiones.

Suspiré.

—Lo sé.

—Estamos buscando la manera de levantar la moral de la gente —añadió papá.

Me animé al instante. Levantar la moral era sinónimo de celebración. Y yo era de las que me apuntaba a todas las fiestas.

—¿Qué tenéis *in mente*? —pregunté mientras, en mi cabeza, ya estaba diseñando un nuevo vestido para la ocasión, pero preferí centrarme y posponer el diseño para más tarde. Ahora mismo debía prestar toda mi atención a mis padres.

—Bueno —empezó papá—, el público siempre responde bien a las noticias positivas relacionadas con nuestra familia. Cuando tu madre y yo nos casamos fue una de las mejores épocas del país. ¿Recuerdas cuántas fiestas se organizaron en la calle cuando se enteraron de que Osten estaba en camino?

Sonreí. Yo tenía ocho años cuando Osten nació; jamás olvidaría cuánto emocionó el anuncio al pueblo. Desde mi habitación oía música de celebración hasta el amanecer.

—Fue maravilloso.

—La verdad es que sí. Ahora, el pueblo tiene los ojos puestos en ti. No tardarás mucho en convertirte en reina. —Papá hizo una breve pausa—. Consideramos que quizá te apetecería hacer algo públicamente, algo que sea interesante para la gente, pero también beneficioso para ti.

Entrecerré los ojos. No entendía el rumbo que estaba tomando la conversación.

—Soy toda oídos.

Mamá se aclaró la garganta.

—Sabes que, en el pasado, las princesas se casaban con príncipes de otros países para consolidar las relaciones internacionales.

—Te has dado cuenta de que has utilizado un tiempo verbal en pasado, ¿verdad?

Ella se rio, pero a mí no me hizo ni una pizca de gracia.

—Sí.

—Perfecto, porque el príncipe Nathaniel parece un muerto viviente, el príncipe Hector baila fatal, y si el príncipe de la Federación Alemana no aprende a seguir una higiene personal más rigurosa antes de la fiesta de Navidad, no deberíamos invitarle.

Mamá se acarició las sienes, frustrada.

—Eadlyn, siempre has sido muy quisquillosa.

Papá se encogió de hombros.

—Eso no tiene por qué ser algo malo —apuntó, y miró de reojo a mamá.

Fruncí el ceño.

—¿De qué diablos estáis hablando?

—Ya conoces la historia de cómo nos conocimos tu madre y yo —empezó papá.

Puse los ojos en blanco.

—Como todo el mundo. Vuestra historia es como un cuento de hadas.

Al oír esa comparación, los dos suavizaron el gesto y no pudieron ocultar una sonrisa. Se miraron y, de forma casi instintiva, se acercaron unos centímetros. Papá se mordió el labio.

—Perdonad. Vuestra hija está delante, ¿os importa?

A mamá se le sonrojaron las mejillas; papá se aclaró la garganta antes de proseguir.

—El proceso de la Selección fue todo un éxito en nuestro caso. Y, aunque mis padres tenían ciertas desavenencias, lo cierto es que también les funcionó. Así que… esperábamos que… —vaciló, y me miró a los ojos.

Fui lenta y no pillé la indirecta enseguida. Sabía en qué consistía la Selección, pero jamás, en ninguna ocasión, se nos había ofrecido tal opción, ni a mis hermanos ni a mí.

—No.

Mamá alzó las manos en un intento de advertirme.

—Tan solo escúchanos…

—¿Una Selección? —exclamé—. ¡Es de locos!

—Eadlyn, estás siendo muy irracional.

Le fulminé con la mirada.

—Me prometisteis, me jurasteis, que nunca me obligaríais a casarme con alguien para establecer alianzas. ¿No es eso lo que me estáis pidiendo ahora?

—Atiende a razones, por favor —rogó.

—¡No! —grité—. No pienso hacerlo.

—Cálmate, cariño.

—No me hables así. ¡No soy una cría!

Mamá suspiró.

—Pero estás actuando como tal.

—¡Me queréis arruinar la vida!

Me pasé los dedos por el pelo y respiré hondo varias veces. Necesitaba pensar con claridad. Eso no podía estar ocurriendo. Y menos a mí.

—Es una gran oportunidad —insistió papá.

—¡Estáis intentando encadenarme a un desconocido!

—Ya te dije que es demasiado cabezota —le susurró mamá a papá.

—Me pregunto de quién lo habrá heredado —replicó con una sonrisa socarrona.

—¡No habléis de mí como si no estuviera escuchándoos!

—Lo siento —se disculpó papá—. Pero considéralo, por favor.

—¿Y Ahren? ¿Por qué no lo hace él?

—Ahren no será el futuro rey del país. Además, tiene a Camille.

La princesa Camille era la heredera del trono de Francia. Unos años atrás, hizo una caída de ojos a mi hermano y él se enamoró perdidamente.

—¡Entonces organiza su boda! —supliqué.

—Camille será nombrada reina a su tiempo, y ella, al igual que tú, tendrá que pedirle matrimonio a su pareja. Si Ahren pudiera escoger, se lo propondríamos; pero las cosas no son así.

—¿Y qué hay de Kaden? ¿No podéis convencerle a él?

Mamá se rio sin gracia alguna.

—¡Tiene catorce años! No tenemos tanto tiempo. El pueblo necesita algo que le entusiasme, y lo necesita ya. —Me lanzó una mirada casi asesina—. Y, para ser sinceros, ¿no crees que ya va siendo hora de que busques a alguien que gobierne a tu lado?

Papá asintió.

—Es verdad. No es una labor que deberías desempeñar sola.

—¡Pero yo no quiero casarme! —protesté—. Por favor, no me obliguéis a hacerlo. Acabo de cumplir los dieciocho.

—La misma edad que yo tenía cuando me casé con tu padre —sentenció mamá.

—No estoy preparada —añadí—. No quiero un marido. Os lo ruego, no me hagáis esto.

Mamá alargó el brazo y me acarició la mano.

—Nadie te obligará a hacer nada que no quieras, pero deberías sacrificarte por tu pueblo y ofrecerles un regalo.

—¿Te refieres a fingir una sonrisa cuando lo que quiero es llorar?

Mamá arrugó el ceño.

—Eso forma parte de nuestro trabajo.

La miré detenidamente, exigiéndole en silencio una mejor respuesta.

—Eadlyn, ¿por qué no te tomas unos días para pensártelo? —propuso papá con tono calmado—. Soy consciente de que te estamos pidiendo mucho.

—¿Acaso tengo otra opción?

Papá cogió aire y meditó la respuesta.

—En realidad, cariño, tienes treinta y cinco opciones.

Me levanté de la silla de un brinco y señalé la puerta con un dedo.

—¡Fuera! —ordené—. ¡Fuera de aquí!

Y, sin mediar palabra, salieron de mi habitación.

¿Acaso no me conocían? ¿Para qué me habían preparado? Era Eadlyn Schreave. Nadie sobre la faz de la Tierra era más poderoso que yo.

Si creían que me iba a rendir sin luchar, estaban muy equivocados.

Capítulo 3

Decidí cenar en mi habitación. No me apetecía ver a nadie de mi familia. Estaba furiosa con todos ellos; con mis padres por ser la pareja feliz, con Ahren por no haber cumplido la mayoría de edad antes que yo, y con Kaden y Osten por ser todavía unos críos.

Neena se inclinó para llenarme la copa.

—¿Cree que tendrá que claudicar, alteza?

—Encontraré un modo de librarme de eso.

—¿Por qué no les ha dicho que estaba enamorada de alguien?

Meneé la cabeza y clavé el tenedor en el salmón.

—Insulté a los mejores candidatos en sus narices.

Dejó una bandejita con bombones en el centro de la mesa. Me adivinó el pensamiento. Prefería el chocolate antes que el salmón con guarnición de caviar.

—¿Y un guardia de seguridad? La mayoría de las criadas caen rendidas a sus pies —sugirió con una sonrisilla.

Me zampé un bombón.

—Quizá ellas se conformen con eso. Pero yo no estoy tan necesitada.

Su sonrisa se desvaneció enseguida.

De inmediato me percaté de que la había ofendido, pero era la pura y cruda realidad. No me resignaría a casarme con cualquiera, y mucho menos con un guardia de seguridad. Además, no quería perder el tiempo pensando en eso. Necesitaba encontrar una solución rápida al problema.

—No me malinterpretes, Neena. Pero el pueblo espera ciertas cosas de mí.

—Desde luego.

—Ya he acabado. Puedes irte. Dejaré el carrito en el pasillo.

Asintió con la cabeza y se marchó sin pronunciar ni una palabra.

Picoteé algunos bombones, pero no quise comer nada más. Me puse el pijama, dispuesta a meterme en la cama. En aquel instante no podía mantener una charla razonable con mis padres, y Neena no me comprendía. Necesitaba hablar de ese tema con la única persona que compartiría mi punto de vista, la persona que, a veces, sentía que era mi media mitad: Ahren.

—¿Estás ocupado? —pregunté al abrir la puerta.

Estaba sentado frente a su escritorio, escribiendo. Tenía su cabellera rubia algo alborotada después de un largo día de trabajo y una mirada cansada. Era clavadito a papá de joven, lo cual me ponía los pelos de punta.

Todavía llevaba el traje de la cena, aunque se había quitado la chaqueta y la corbata.

—Llama antes de entrar, por el amor de Dios.

—Lo sé, lo sé, pero es una emergencia.

—Entonces busca a un guardia —espetó, y volvió a centrarse en los papeles que abarrotaban la mesa.

—No eres el primero que lo sugiere —murmuré para mí—. Hablo en serio, Ahren, necesito tu ayuda.

Me miró por encima del hombro e intuí que acabaría por rendirse. De repente, empujó una silla que había a su lado, invitándome a sentarme.

—Pasa a mi despacho.

Me senté y resoplé.

—¿A quién escribes?

Recogió todos los papeles y los apiló sobre la carta que estaba redactando, para impedirme verla.

—A Camille.

—Sabes que puedes llamarla por teléfono, ¿verdad?

Él dibujó una amplia sonrisa.

—Oh, y lo haré. Pero también le enviaré la carta.

—Es absurdo. ¿Se puede saber qué tienes que contarle como para emplear una carta y una llamada telefónica?

Ladeó la cabeza.

—Para tu información, la carta y la llamada tienen propósitos muy distintos. El teléfono sirve para ponernos al día y explicarnos cosas más superficiales. En cambio, en las cartas escribo cosas que no siempre digo en voz alta.

—Oh, ¿de veras? —dije, y me incliné sobre el escritorio para buscar la carta en cuestión.

Pero, antes de que pudiera acercarme a ella, Ahren me agarró por la muñeca.

—Te mataré —juró.

—Bien —contesté—, así tú serás el heredero y tendrás que someterte a la Selección, lo que te obligará a despedirte de tu querida y amada Camille.

Mi hermano arrugó la frente.

—¿Qué?

Me dejé caer sobre la silla.

—Mamá y papá necesitan levantar el ánimo de la gente, así que han decidido, por el bien de Illéa, por supuesto —dije con fingido patriotismo—, que debo pasar por la Selección.

Esperaba que mi hermano se horrorizara. Quizás incluso apoyaría su mano en mi hombro como gesto de consuelo. Pero Ahren echó la cabeza hacia atrás y empezó a reírse a carcajadas.

—¡Ahren!

Él continuó desternillándose de risa, golpeándose la rodilla y balanceándose hacia delante y atrás.

—Vas a arrugarte el traje —le advertí, pero solo sirvió para que se riera todavía más—. Madre mía, ¡para ya! ¿Qué se supone que debo hacer?

—¡Ni que yo lo supiera! No puedo creer que nuestros padres piensen que eso funcionará —añadió todavía con una sonrisa.

—¿A qué te refieres?

Se encogió de hombros.

—No sé. Desde siempre creí que, si alguna vez te casabas,

sería más adelante. Y, la verdad, pensaba que todos lo habían asumido.

—¿Y qué significa eso exactamente?

Ese gesto amable y familiar que, en realidad, había venido a buscar por fin llegó. Me cogió de la mano y, con tono cariñoso, dijo:

—Vamos, Eady. Tú siempre has sido muy independiente. Por eso eres perfecta para ser reina. Te gusta tener la sartén por el mango, hacer las cosas a tu manera. Y por eso nunca creí que te emparejarías con alguien hasta después de haber gobernado el país durante unos años.

—No me han dado esa opción, la verdad —balbuceé, y bajé la cabeza.

Ahren hizo un mohín.

—Pobre princesita. ¿Es que no quieres dirigir el mundo?

Le aparté la mano con brusquedad.

—Siete minutos... y habrías sido tú. En ese caso, me dedicaría a garabatear cartas de amor, en lugar de ocuparme de todo ese estúpido papeleo financiero. ¡Y encima esa estúpida Selección! ¿No te das cuenta de lo espantoso que es esto?

—¿Se puede saber cómo te han embaucado para hacerlo? Por lo que tenía entendido, ese proceso fue eliminado.

Puse los ojos en blanco otra vez.

—Ni siquiera me han pedido mi opinión. Y eso es lo peor de todo. Papá se enfrenta a la oposición pública y pretende distraer a los ciudadanos —expliqué, y negué con la cabeza—. Las cosas se están poniendo muy feas, Ahren. La gente destroza hogares, negocios. Incluso ha habido muertos. Papá no está muy seguro de dónde surge esa insatisfacción, pero sospecha que se trata de gente joven, de nuestra edad. Cree que el pueblo que creció sin castas está provocando la mayoría de los disturbios.

Hizo una mueca.

—Pero eso no tiene sentido. ¿Cómo es posible que crecer en un país sin restricciones sea algo negativo?

Hice una pausa para meditar la respuesta. ¿Cómo explicar algo que tan solo intuíamos?

—Bueno, yo crecí con la certeza de que, algún día, sería

reina. Nunca me ofrecieron una alternativa. Tú, en cambio, creciste sabiendo que tenías varias opciones. Podías hacer la carrera militar, ser nombrado embajador, viajar de aquí para allá. Pero ¿y si esa no fuera la verdad? ¿Y si, en realidad, no has tenido todas esas oportunidades?

—Ajá —murmuró—. Entonces, ¿no tienen las mismas oportunidades laborales?

—Ni laborales, ni académicas, ni económicas. He oído que hay quien prohíbe a sus hijos casarse por la casta a la que pertenecían. Está ocurriendo lo que papá jamás creyó que podría suceder, y es casi incontrolable. ¿Se puede obligar a la gente a ser justa y sensata?

—¿Y eso es lo que papá está intentando arreglar? —preguntó con tono escéptico.

—Sí, y yo soy la cortina de humo que pretende utilizar para desviar su atención, al menos hasta que se le ocurra un plan.

Se rio por lo bajo.

—Eso cuadra más. Que de la noche a la mañana te conviertas en una romanticona no te pega nada.

Incliné la cabeza de nuevo.

—Déjalo ya, Ahren. El matrimonio no me interesa. Además, ¿qué importa? Hay mujeres que pueden permitirse el lujo de seguir siendo solteras.

—Pero nadie espera que esas mujeres den a luz a un heredero.

Le solté un bofetón cariñoso.

—¡Ayúdame! ¿Qué hago?

Me levantó la barbilla y me miró directamente a los ojos. Con Ahren no había secretos: nos conocíamos tanto que, al igual que podía leer cualquier emoción en sus ojos, él adivinó que estaba aterrorizada. No estaba molesta ni enfadada. Tampoco ofendida o disgustada.

Estaba asustada.

Muchos esperaban de mí que fuera reina, que sostuviera el peso de millones de personas sobre mi espalda. En eso consistía mi trabajo. Podía tachar tareas de una lista, delegar. Pero lo que me estaban exigiendo ahora era algo mucho más personal, un pedazo de mi vida que, en teoría, debía ser solo mío, pero que, al parecer, no lo era.

Su sonrisa juguetona se desvaneció. Ahren acercó su silla a la mía.

—Si lo que pretenden es distraer al pueblo, quizá deberías sugerir otras... posibilidades. Una posible boda no es la única opción. Ahora bien, dicho esto, si mamá y papá han llegado a esta conclusión, es porque han descartado cualquier otra opción.

Enterré la cara entre mis manos. No quería confesarle que había intentado ofrecerle a él como una alternativa, ni que había propuesto a Kaden como posible candidato. Algo me decía que mi hermano llevaba razón, que la Selección era su última esperanza.

—Seamos sinceros, Eady. Serás la primera chica que se siente en ese trono por derecho propio. Y la gente tiene muchas esperanzas puestas en ti.

—Lo dices como si no lo supiera.

—Pero —continuó— eso también te otorga un poder de negociación inmenso.

Levanté la cabeza, algo confundida.

—¿Qué quieres decir?

—Si es verdad que necesitan que hagas eso, negocia.

Me reacomodé en la silla y empecé a darle vueltas a esa idea, a qué podía pedir a cambio. Debía de haber algún modo rápido de pasar por ello, sin ni siquiera acabar con una petición formal.

¡Sin una petición de matrimonio!

Si me adelantaba a los acontecimientos, lo más seguro era que convenciera a papá de casi cualquier cosa, siempre y cuando él consiguiera su ridícula Selección.

—¡Negociar! —murmuré.

—Eso mismo.

Me puse en pie, cogí a Ahren por las orejas y le planté un beso en la frente.

—¡Eres mi héroe!

No pudo ocultar una sonrisa.

—A tu servicio, mi reina.

Me reí y le empujé con ternura.

—Gracias, Ahren.

—A trabajar se ha dicho —dijo, y me acompañó hasta la puerta, aunque sospechaba que, en realidad, estaba más impaciente y entusiasmado por acabar su carta de amor que por que yo elaborara un plan.

Salí disparada hacia mi habitación. Necesitaba pensar, volcar todas mis ideas. Al doblar la esquina, choqué con alguien y me caí de bruces sobre la alfombra.

—¡Au! —me quejé.

Cuando levanté la mirada vi a Kile Woodwork, el hijo de la señorita Marlee.

Los aposentos de Kile y del resto de la familia Woodwork estaban en el mismo piso que los de nuestra familia, un honor excepcional. O irritante, dependiendo de la relación que uno mantuviera con los Woodwork.

—¿Te importa? —le solté.

—No era yo quien corría por el pasillo —respondió él mientras recogía unos libros del suelo—. Uno debe mirar por dónde va.

—Un caballero ofrecería su mano ahora mismo —le recordé.

Unos mechones de cabello se deslizaron sobre sus ojos. Necesitaba desesperadamente un corte de pelo... y afeitarse. Además, la camisa le iba demasiado grande. No sabía qué me avergonzaba más: si él por parecer un tipo desaliñado y descuidado, o si mi propia familia por estar obligada a codearse con un desastre como ese.

Lo que más me fastidiaba del asunto era que él no siempre iba hecho un desastre. ¿Tanto le costaba pasarse un cepillo por el pelo?

—Eadlyn, tú nunca me has considerado un caballero.

—Cierto —murmuré.

Me incorporé sin su ayuda y me sacudí el vestido.

Por suerte, durante los últimos seis meses, me había librado de la apasionante compañía de Kile. Se había mudado a Fennley para realizar un curso intensivo..., o algo así; su madre lamentó su ausencia desde el mismo día en que se marchó. No sabía qué había estado estudiando y, a decir verdad, me importaba bien poco. Pero ahora había vuelto y su presencia era otro factor estresante de una lista que no paraba de crecer.

—¿Y qué asunto empujaría a una dama como tú a correr de ese modo por los pasillos?

—Asuntos que un mentecato como tú no lograría comprender.

Se rio.

—Claro, porque soy un simplón. Es un milagro que sea capaz de ducharme solito.

Estuve a punto de preguntarle si realmente se duchaba, pues, por su aspecto, habría jurado que era alérgico al jabón.

—Espero que alguno de esos libros sea un manual básico sobre protocolo. Necesitas un repaso, en serio.

—Todavía no eres reina, Eadlyn. Que no se te suban los humos a la cabeza —dijo, y se marchó.

Me puse furiosa. ¿Qué quería decir con eso?

Decidí dejarlo pasar. Ahora mismo tenía problemas mucho más importantes que la falta de modales de Kile. No podía perder el tiempo discutiendo por nimiedades ni preocupándome por asuntos que no pusieran en grave peligro la Selección.

Capítulo 4

—Quiero dejar bien claro —dije después de tomar asiento en el despacho de papá— que no tengo ningún deseo de casarme.

Él asintió con la cabeza.

—Entiendo que no quieras casarte hoy mismo, pero no olvides que algún día deberás hacerlo, Eadlyn. Estás obligada a continuar la estirpe real.

Odiaba que mi padre hablara así de mi futuro; por su culpa consideraba el amor, el sexo y la descendencia como obligaciones con las que debía cumplir para que el país siguiera adelante. Así pues, la perspectiva no era en absoluto atractiva.

¿Acaso esos no eran los verdaderos placeres de la vida? ¿Lo más valioso? Deseché ese desasosiego y me centré en el asunto que tenía entre manos.

—Soy consciente de ello. Y estoy de acuerdo en que es importante —respondí con diplomacia—. Pero respóndeme a esto: durante tu Selección, ¿en ningún momento te preocupó que no hubiera nadie que encajara contigo? ¿No dudaste del verdadero motivo que llevó a esas chicas a presentarse?

Esbozó una tímida sonrisa.

—Todos los días. Incluso cuando dormía.

Relató un puñado de anécdotas bastante difusas sobre una chica tan dócil y sumisa que apenas podía soportarla, y sobre otra jovencita que había intentado manipular el proceso en varias ocasiones. No recordaba la mayoría de los nombres, ni todos los detalles, pero no me importaba. Nunca me gustó imaginarme a papá enamorándose de otra mujer que no fuera mamá.

—¿Y no crees que, al ser la primera mujer en ocupar el trono, deberíamos establecer... una serie de normas para aquel que gobierne a mi lado?

Él ladeó la cabeza.

—Continúa.

—Supongo, y espero no equivocarme, que se lleva a cabo un estudio exhaustivo y riguroso de los candidatos para cerciorarnos de que un psicópata no se cuele en palacio, ¿verdad?

—Desde luego —contestó, y me regaló una sonrisa para tranquilizarme.

—Aun así, no me fiaría de nadie para hacer este trabajo conmigo. Y por eso —inspiré hondo— doy mi brazo a torcer. Estoy dispuesta a pasar por esta ridiculez siempre y cuando tú cumplas con unas promesas sin importancia.

—No es ninguna ridiculez. La historia nos demuestra que es un éxito asegurado. Pero, por favor, cariño, dime cuáles son tus condiciones.

—Primero, quiero que los participantes tengan plena libertad para abandonar la Selección. Detestaría que alguien se sintiera obligado a seguir si yo o la vida que les espera a mi lado en palacio, les importamos un comino.

—En eso estamos completamente de acuerdo —dijo con contundencia. Aunque la sensación fue que había tocado un punto sensible.

—Excelente. Y, aunque sé de antemano que esto no te va a gustar nada de nada, te pido que, si al final no logro encontrar a alguien que encaje conmigo, suspendamos la Selección. Ni príncipe ni boda.

—¡Ah! —exclamó. Se inclinó sobre el escritorio y me señaló con un dedo acusador—. Si acepto esa condición, darás calabazas a todos los pretendientes el primer día. ¡Ni siquiera lo intentarás!

Me quedé callada, pensando.

—¿Y si te garantizo un tiempo? Alargaré la Selección durante unos tres meses, por ejemplo. Después, sopesaré mis opciones durante otros tres meses, como mínimo. Luego, si no he encontrado a la persona idónea, todos los concursantes podrán irse.

Se pasó la mano por la boca y se revolvió en la silla.

—Eadlyn, sabes lo importante que es esto, ¿verdad?

—Claro que sí —respondí de inmediato; era un tema muy serio. Presentía que cualquier movimiento en falso podía cambiar el rumbo de mi vida para siempre.

—Tienes que hacer esto, y hacerlo bien. Por el bien de todos. Nuestras vidas, las de toda nuestra familia, están al servicio del pueblo.

Aparté la mirada. Me daba la sensación de que mamá, papá y yo representábamos la trinidad del sacrificio, mientras que el resto del mundo podía hacer lo que le viniera en gana.

—No te decepcionaré —prometí—. Haz lo que debas hacer. Organízate, encuentra el modo de apaciguar a nuestro pueblo; te ofrezco varios meses de distracción para idear un buen plan.

Desvió la mirada hacia el techo.

—¿Tres meses? ¿Y me juras que lo intentarás?

Alcé la mano derecha.

—Tienes mi palabra. Incluso firmaré un contrato si quieres, pero no puedo prometerte que me enamoraré.

—Yo en tu lugar no estaría tan segura —añadió por experiencia.

Sin embargo, yo no era ni mi padre ni mi madre. Por mucho que insistieran en el romanticismo de la situación, solo podía pensar en los treinta y cinco chicos gritones, repulsivos y malolientes que estaban a punto de invadir mi casa. Y eso no tenía nada de mágico.

—Trato hecho.

Me levanté; los pies prácticamente me bailaban solos.

—¿De veras?

—¿De veras?

Extendí la mano y sellé mi futuro con un solo apretón.

—Gracias, papá.

Salí del despacho antes de que él pudiera percatarse de mi sonrisa. Mi cabeza ya había empezado a funcionar; necesitaba idear diversas fórmulas para conseguir que la mayoría de los chicos decidiera irse por voluntad propia. Podía adoptar una actitud amenazante o intimidatoria, o incluso convertir el palacio en un lugar hostil y despreciable. También contaba con un arma secreta, Osten, el más travieso de todos los hermanos. No me costaría persuadirle para que me ayudara.

Admiraba que un muchacho que no hubiera crecido en palacio tuviera el coraje necesario como para afrontar el desafío de ser el próximo príncipe del país.

Sin embargo, no iba a dejar que nadie me encadenara de por vida hasta que estuviera preparada, y pensaba encargarme yo misma de que esos pobres incautos supieran muy bien qué les esperaba…

Intentaban mantener el estudio frío, pero, cuando encendían las luces, la sala se convertía en un horno. Ya de muy pequeña aprendí a elegir una vestimenta un tanto vaporosa y ligera para el *Report*. Por tal motivo, esa noche me había decantado por un vestido que me dejaba los hombros al aire. Lucía un estilo clásico, como siempre, pero poco abrigado, pues no quería sufrir un golpe de calor delante de todo el mundo.

—Has elegido el vestido perfecto —observó mamá, y pasó el dedo por encima de los pliegues de las mangas—. Estás preciosa.

—Gracias. Tú también.

Esbozó una sonrisa y me alisó el vestido.

—Gracias, cariño. Sé que todo este asunto te ha abrumado un poco, pero créeme: la Selección nos beneficiará a todos, empezando por ti. Pasas mucho tiempo sola y el matrimonio es algo que, un día u otro, te habrías planteado…

—Y la gente se pondrá como loca de contenta. Ya lo sé.

Traté de disimular lo triste que estaba. En términos técnicos, las familias reales actuales no subastaban a sus hijas, a las sucesoras de la corona, aunque… para mí eso no era muy distinto. ¿Por qué mi madre no lo entendía?

Mamá dejó de admirar el vestido y me miró a los ojos. Fue entonces cuando me di cuenta de que también estaba apenada.

—Sé que crees que estás haciendo un gran sacrificio; es cierto que cuando uno lleva una vida dedicada a su pueblo debe hacer cosas no por placer, sino por obligación. —Hizo una pausa—. Pero así fue como encontré a tu padre y a mis mejores amigas. Gracias a la Selección aprendí a ser más fuerte. Me he enterado del acuerdo al que has llegado con papá; si al final del proceso, no has conocido a nadie especial, no pondré objeciones, lo prometo. Pero, por favor, disfruta de la experiencia. Supérate, aprende algo. E intenta no odiarnos por habértelo pedido.

—No os odio.

—Cuanto te lo propusimos, no te gustó nada —dijo con una sonrisa—. ¿Me equivoco?

—Tengo dieciocho años. Estoy genéticamente programada para discutir con mis padres.

—Una buena discusión merece la pena si, al final, no olvidas cuánto te quiero.

La abracé.

—Yo también te quiero, mamá. Te lo prometo.

El abrazo apenas duró un suspiro. Se apartó para arreglarme el vestido y asegurarse de que estuviera impecable; luego fue a buscar a papá. Me senté junto a Ahren, quien, al verme, arqueó las cejas en un gesto cómico.

—Qué guapa estás, hermanita. De aquí al altar.

Me recogí un poco la falda y, con elegancia, me senté.

—Una palabra más y te afeitaré la cabeza mientras duermes.

—Yo también te quiero.

Intenté contener la risa, pero me resultó imposible. Me conocía demasiado bien.

La estancia se fue llenando poco a poco. La señorita Lucy estaba sola, ya que el general Leger estaba haciendo su ronda habitual, y el señor y la señora Woodwork se acomodaron detrás de las cámaras, junto con Kile y Josie, sus hijos. Sabía que mamá apreciaba muchísimo a la señorita Marlee, así que preferí guardarme lo que pensaba de sus hijos. Kile no era tan estirado y odioso como Josie, pero, en todos los años que llevaba viviendo en palacio, jamás habíamos mantenido una conversación interesante. Aunque podría serme de gran ayuda: si algún día sufría insomnio, le contrataría para sentarse a los pies de mi cama y hablarme. Problema solucionado. Y Josie... No tenía palabras para describir lo mezquina que era esa chica.

Los consejeros de papá entraron en fila india y le saludaron con una cordial reverencia. En el gabinete de papá solo había una mujer, la señorita Bryce Mannor. Era una persona encantadora y menuda. Me sorprendía que alguien tan modesto y recatado lograra sobrevivir en aquel circo político. Nunca le había oído alzar la voz ni la había visto enfadarse, pero la gente siempre le prestaba atención. A mí, en cambio, los hombres no me escuchaban, a menos que diera un golpe sobre la mesa.

Su presencia despertó mi curiosidad. ¿Qué pasaría si, una vez proclamada reina, decidiera que todo el consejo estuviera formado por mujeres?

Podría ser un experimento interesante.

Los consejeros explicaron las últimas noticias y las decisiones que se habían tomado. Al acabar, Gavril se giró hacia mí.

Gavril Fadaye siempre se engominaba la cabellera plateada hacia atrás, pero me parecía guapo. Llevaba meses insinuando que quería jubilarse, pero algo me decía que, cuando escuchara lo que iba a anunciar, se quedaría rondando por palacio un tiempo más.

—Esta noche, Illéa, acabaremos el programa con una gran noticia. Y quién mejor para darla que nuestra futura reina, la bellísima princesa Eadlyn Schreave.

Hizo un gesto un tanto pomposo y solemne hacia mí. De inmediato, dibujé una amplia sonrisa y me encaminé hacia el escenario alfombrado, rodeada de aplausos de cortesía.

Gavril me saludó con un abrazo muy casto y un beso en cada mejilla.

—Princesa Eadlyn, bienvenida.

—Gracias, Gavril.

—Debo confesar que me parece que fue ayer cuando anuncié que su hermano Ahren y su alteza habían nacido. ¡No puedo creer que ya hayan pasado dieciocho años!

—Tienes razón: los años no pasan en vano —comenté, y regalé una mirada llena de cariño a toda mi familia.

—Está a punto de hacer historia. Creo que todo el país está impaciente por saber qué hará dentro de unos años, cuando sea reina.

—No me cabe la menor duda de que serán tiempos apasionantes, pero no sé si quiero esperar tanto tiempo para hacer historia —añadí y, con ademán bromista, le asesté un suave codazo, a lo que él respondió con un gesto dramático un tanto exagerado.

—¿Por qué no nos cuenta qué tiene *in mente*, alteza?

Cuadré los hombros, erguí la espalda, me dirigí a la cámara C y sonreí.

—A lo largo de los últimos años, Illéa ha pasado por muchos cambios. De hecho, durante el reinado de mis padres, todos hemos presenciado la casi extinción de las fuerzas rebeldes, y, aunque todavía se producen ciertas hostilidades, el sistema de castas ya no divide a nuestro pueblo con límites imaginarios. Estamos viviendo una era de libertad extraordinaria y nos sentimos ansiosos por ver a nuestra nación crecer y prosperar como nunca antes lo ha hecho.

No me olvidé de sonreír ni de hablar con claridad y fluidez. Hacía ya muchos años que recibía clases para aprender a dirigirme al gran público. A decir verdad, había desarrollado una buena técnica. Así pues, durante mi discurso, no ignoré ningún detalle, por insignificante que fuera.

—Y eso es fabuloso…. Pero me gustaría recalcar que acabo de cumplir la mayoría de edad —proseguí, y los invitados y consejeros que conformaban el público se rieron—. Tengo que admitir que me resulta un poco aburrido pasar la mayor parte del día encerrada en un despacho con mi padre. Sin ánimo de ofender, majestad —añadí, y me volví hacia papá.

—Tranquila —respondió él.

—Y por ello he tomado una decisión. Ha llegado el momento de cambiar esa rutina. Pretendo encontrar a alguien con quien no solo compartir este trabajo tan exigente, sino que sea un compañero de vida. Y, para ello, espero que Illéa me conceda mi deseo más anhelado: tener una Selección.

Los consejeros presentes ahogaron un grito y empezaron a cuchichear. Me percaté de la cara de asombro del personal de palacio. Era evidente que la única persona que estaba al corriente de esa decisión era Gavril, lo cual me sorprendió mucho.

—Mañana mismo, los candidatos elegibles de Illéa recibirán una carta. Tendrán dos semanas para decidir si quieren competir por mi mano. Soy plenamente consciente de que nos adentramos en un territorio inexplorado. Nunca antes se ha celebrado una Selección masculina. Sin embargo, aunque tengo tres hermanos, estoy impaciente por conocer al próximo príncipe de Illéa. Y albergo la esperanza de que todo el país lo celebre conmigo.

Hice una pequeña reverencia y me retiré a mi asiento. Papá y mamá me sonreían con orgullo. Aunque no esperaba otra reacción, sentía que la sangre se me había helado. Tenía el presentimiento de que había olvidado algo, que la red que había tendido para sostenerme, en realidad, tenía un agujero.

Pero no había nada que pudiera hacer. Acababa de lanzarme al abismo.

Capítulo 5

Sabía que en palacio trabajaba un arsenal de empleados, pero habría jurado que, hasta ese día, había permanecido oculto en algún tipo de escondrijo. En cuanto anuncié esa Selección tan inesperada, los pasillos se llenaron de las doncellas y los mayordomos de siempre, pero también de decenas de personas que jamás había visto.

Mi trabajo diario, que básicamente consistía en leer informes y asistir a infinidad de reuniones, cambió de forma radical, puesto que, de la noche a la mañana, me convertí en el centro de atención de todas las preparaciones de la Selección.

—Esta es un pelín menos cara, alteza, pero es increíblemente cómoda y encajaría a la perfección con la decoración actual —anunció el tipo que había extendido una gigantesca muestra de tela sobre las dos opciones previas.

Acaricié la tela; me encantaba palpar la textura de la ropa, aunque ese retal no estaba destinado a confeccionar ningún traje.

—No acabo de entender el porqué de todo esto —confesé.

Aquel hombre, uno de los decoradores de palacio, apretó los labios.

—Se ha insinuado que algunas de las habitaciones de invitados son algo femeninas, por lo que sus pretendientes se sentirán más cómodos con algo así —contestó, y desplegó otra opción—. Una simple colcha puede cambiar por completo una habitación —aseguró.

—De acuerdo —dije. Seguía pensando que era innecesario

dar tantas vueltas a la elección de unas sábanas—. Pero ¿debo ser yo quien tome estas decisiones?

Esbozó una amable sonrisa.

—Esta Selección, alteza, llevará su sello personal. Aunque no sea usted quien elija los detalles, la gente pensará que sí. De todos modos, necesitamos su visto bueno para todo.

Observé las distintas telas; me agobiaba un poco pensar que todas esas nimiedades estúpidas dependían únicamente de mí.

—Esta —dije, y me decanté por la opción más económica. Era de color verde oscuro, más que aceptable para una estancia de tres meses.

—Sabia elección, alteza —me felicitó el decorador—. Y ahora pasemos al siguiente paso. Cambiar los cuadros. —Dio una palmada y, de repente, empezaron a desfilar varias doncellas con cuadros.

Suspiré: toda una tarde perdida.

Al día siguiente, a primera hora de la mañana, me convocaron en el salón. Mamá me acompañó, pero papá no podía descuidar su trabajo.

Un tipo, que asumí que era el chef principal de las cocinas, hizo una reverencia, aunque su tripón le impedía inclinarse demasiado. Tenía la cara más bien roja, aunque no estaba sudando, lo que me hizo pensar que tantos años en la cocina le habían cocido un poco.

—Gracias por venir, majestad, alteza. El personal de cocina lleva día y noche trabajando en la elaboración de una cena perfecta para la primera noche de los candidatos en palacio. Pretendemos servir siete platos, obviamente.

—¡Desde luego! —respondió mamá.

El chef sonrió.

—Como es natural, nos gustaría que aprobarais el menú final.

Gruñí para mis adentros. Una cena de siete platos se alargaría al menos seis horas, desde el primer sorbo del cóctel de bienvenida hasta el último bocado de chocolate. ¿Cuánto tardaríamos en probar las distintas opciones de cada plato?

Al final duró ocho horas, nada más y nada menos. Tuve el estómago revuelto durante el resto del día, así que, cuando se me acercó un tipo a pedirme la selección musical para la primera cena, no me entusiasmé.

Los pasillos de palacio se convirtieron en callejuelas concurridas. En cada rincón se celebraban reuniones espontáneas para adelantar preparativos.

Sobreviví lo mejor que pude a todo ese sinfín de decisiones, hasta que un día papá me pilló desprevenida en mitad del pasillo.

—Nos hemos planteado diseñar una habitación especial para los seleccionados. ¿Qué te parecería...?

—¡Basta! —exclamé, exasperada—. Me da igual. No tengo ni la más remota idea de cómo es el espacio perfecto para un joven de hoy en día, así que te sugiero que se lo preguntes a alguien con testosterona. Si me necesitan, estaré en el jardín.

Papá se percató de que estaba a punto de perder los estribos, así que me dejó marchar sin discutir. Me moría por tomarme un respiro.

Decidí ponerme el bikini y tomar un poco el sol en la parte más alejada del jardín, justo en el lindero del bosque. Siempre
había querido tener una piscina, y ahora más que nunca. Ya de muy pequeña solía salirme con la mía, pero nunca conseguí que papá incluyera una piscina en el presupuesto de palacio. Pero cuando fuera mío, eso sería lo primero que pediría.

Dibujé un par de bocetos de vestidos en una libreta, para intentar relajarme. A medida que pasaban los minutos, el sol me iba calentando la piel y el trazo rápido del lápiz se fue mezclando con el sonido de las hojas, lo que provocaba un tono sosegado y encantador. Añoraba la paz que, hasta entonces, había reinado en mi vida. Tres meses, pensé. Tres meses, y luego todo volverá a la normalidad.

De pronto, una risa aguda estropeó la quietud del jardín.

—Josie —murmuré.

Me giré y vi que venía hacia mí. Estaba con una de sus amigas, una chica de clase alta con quien había hecho buenas migas porque, en su opinión, la compañía en palacio era insuficiente.

Cerré la libreta, pues no quería compartir mis diseños con ellas y me tumbé boca arriba.

—Será una experiencia positiva para todos —dijo Josie—. La verdad es que aquí no tengo oportunidad de hablar con muchos chicos; ahora, al menos, podré conocer a alguno. Así, el día en que se organice mi boda, habré aprendido a entablar conversación.

Puse los ojos en blanco. Si hubiera tenido la más mínima ilusión por conocer a esos muchachos, me habría molestado muchísimo que Josie creyera que habían venido por ella. Era tan típico de esa chica. Josie siempre se creía el ombligo del mundo. Y la idea de que se considerara tan importante como para que su boda tuviera que organizarse en su nombre me parecía cómica. Podía casarse con cualquier muchacho de la calle y a nadie le importaría.

—Ojalá pueda venir a visitarte durante la Selección —respondió su amiga—. ¡Será tan divertido!

—¡Por supuesto, Shannon! Ya me encargaré de que todas mis amigas vengan de visita. Tú también podrás sacar provecho de la situación.

Qué considerado por su parte era ofrecer mi casa y mi agenda a todas sus amiguitas. Respiré hondo. Necesitaba centrarme y relajarme.

—¡Eadlyn! —gritó Josie al verme.

Solté un gruñido y levanté la mano con la esperanza de que el silencio bastara para que adivinaran que no me apetecía tener compañía.

—¿Estás emocionada por la Selección? —chilló.

No quería ponerme a gritar como una verdulera, así que opté por el silencio. Pero Josie y su amiga no se dieron por vencidas y se acercaron hasta mí, tapándome el sol por completo.

—¿No me has oído, Eadlyn? ¿No estás loca de alegría por la Selección?

Josie nunca había brillado por sus buenos modales.

—Claro que sí.

—¡Yo también! Estoy deseando tener compañía.

—Pero no serás tú quien tenga compañía —recalqué—. Esos chicos serán mis invitados.

Inclinó la cabeza, como si lo que acababa de decir fuera una obviedad.

—¡Ya lo sé! Pero la idea de que haya más gente rondando por palacio me tiene eufórica.

—Josie, ¿cuántos años tienes?

—Quince —respondió orgullosa.

—Eso imaginaba. Estoy segura de que con esa edad, si quisieras, podrías salir y conocer a gente por tu propia cuenta.

Sonrió.

—Creo que no. Eso no sería apropiado.

No quería enzarzarme en esa discusión otra vez. Yo era la única persona en todo el país que no podía hacer las maletas y salir de palacio sin avisar. Antes incluso de que pudiera plantear la idea, se activaba un protocolo que incluía declaraciones y un despliegue de seguridad exhaustivo.

Además, debía ser muy cuidadosa con la compañía que elegía. No podía dejarme ver con cualquiera. No solo podían tomar una fotografía poco favorecedora, sino que además la documentarían, la guardarían y la sacarían a la luz en todos los medios de comunicación cuando quisieran criticarme. No podía permitirme el lujo de despistarme. Debía de tener los pies siempre en la tierra y evitar cualquier cosa, o persona, que pudiera empañar mi imagen, la de mi familia o la de toda la nación.

Josie era una plebeya y, como tal, no tenía tales restricciones.

Sin embargo, ella actuaba como si las tuviera.

—Bueno, al menos hoy tienes compañía. Si no os importa, me gustaría descansar.

—Desde luego, alteza —susurró su amiga, y bajó la cabeza. Al fin y al cabo, no lo hizo tan mal.

—¡Nos vemos en la cena! —se despidió Josie con tono demasiado entusiasta.

Intenté serenarme, pero seguía oyendo la voz de pito de Josie a lo lejos. Al final, me harté, recogí la toalla y mis esbozos, y me metí en casa. Si no podía disfrutar de unos momentos de calma ahí fuera, lo mejor sería aprovechar lo que quedaba de tarde.

Después de ese ratito expuesta al brillante sol de Angeles, entrar en palacio fue como meterme en la boca del lobo. Tuve que esperar unos instantes a que mis ojos se ajustaran a la oscuridad. Parpadeé varias veces hasta reconocer a la persona que venía hacia mí a toda prisa. Era Osten.

Me entregó un par de libretas.

—Escóndelas en tu habitación, ¿vale? Y, si alguien te pregunta, no me has visto.

Y se esfumó. Solté un suspiro exasperado, a sabiendas de que intentar comprender lo que acababa de ocurrir sería absurdo. A veces no soportaba la presión a la que estaba sometida por ser la hermana mayor, pero, por el amor de Dios, menos mal que fui yo y no Osten. Cada vez que le imaginaba al timón del barco me entraba dolor de cabeza.

Hojeé las libretas; no pude resistir la tentación. ¿Qué estaría tramando esta vez? No tardé en averiguar que las libretas no eran suyas, sino de Josie. Reconocí su caligrafía infantil de inmediato y, aunque la letra no la hubiera traicionado, lo habría adivinado por los corazones que había dibujado con su nombre y el de Ahren escritos en el interior. Las páginas del final delataban que estaba enamorada de los cuatro miembros de Choosing Yesterday, una banda de música muy famosa, y en la última confesaba que se había prendado de un actor. Por lo visto, Josie caía rendida a los pies de cualquiera con un poco de carisma.

Dejé las libretas en el suelo, junto a las puertas que daban al jardín. Fuese lo que fuese lo que Osten hubiera planeado, sin duda alguna no sería más divertido que ver a Josie topándose con sus propios diarios al volver a palacio. Se volvería loca pensando en cómo habrían llegado hasta allí y en qué manos habrían caído.

Alguien que fanfarroneaba tanto por estar tan cerca de la familia real debería haber aprendido una o dos lecciones sobre discreción a estas alturas.

Cuando entré en mi habitación, Neena ya estaba preparada. Enseguida cogió la toalla para ponerla a lavar. Me puse cualquier cosa; no estaba de humor para poner mi armario patas arriba. Cuando me senté para arreglarme el pelo, me fijé en la pila de archivos que había sobre el escritorio.

—La señorita Bryce los ha dejado para usted —explicó Neena.

Miré de reojo las carpetas. No podía enfadarme porque, en realidad, era el único trabajo serio que me habían encargado en toda la semana.

—Me ocuparé de eso después —prometí, aunque en el fondo sabía que no lo haría. Quizá le echara un vistazo al día siguiente. Ese día quería dedicármelo solo a mí.

Opté por un recogido sencillo, me retoqué el maquillaje un par de veces y salí en busca de mamá. Me apetecía estar con ella y, más importante aún, confiaba en que no me pediría que escogiera muebles o comida.

La encontré sola en la Sala de las Mujeres. La placa que colgaba junto a la puerta aseguraba que aquella estancia, en realidad, se había bautizado como Biblioteca Newsome, pero nunca había oído a nadie referirse a ella como tal, salvo a mamá en ciertas ocasiones. Era un espacio donde solían congregarse las mujeres, por lo que la etiqueta original me parecía más adecuada.

Supe que mamá estaba allí incluso antes de abrir la puerta, pues alguien estaba tocando el piano, y su forma de hacerlo era inconfundible. A mamá le encantaba narrar la historia de cómo papá le hizo comprar cuatro pianos nuevos, cada uno con características distintas, después de casarse. Los repartieron por todo el palacio. Uno estaba en su habitación; otro, en los aposentos de papá; un tercero, aquí; y el último, en un salón del cuarto piso que apenas se utilizaba. Envidiaba la facilidad con qué movía las manos por encima de las teclas. Todavía recordaba el día en que me dijo que el tiempo acabaría por robarle la destreza. Entonces solo podría pulsar una o dos teclas al mismo tiempo. Hasta el momento, le había ganado la batalla al tiempo.

Intenté no hacer ruido, pero me oyó nada más entrar.

—Hola, cariño —dijo, y apartó los dedos del teclado—. Ven, siéntate aquí, conmigo.

—No pretendía interrumpirte —me disculpé, y atravesé la habitación para sentarme en el banco.

—No lo has hecho. Necesitaba desconectar. Ahora me siento mucho mejor.

—¿Algo anda mal?

Sonrió algo distraída y me acarició la espalda.

—No. El día a día en palacio desgasta, ya lo sabes.

—Sé a qué te refieres —comenté, y acaricié las teclas del piano, pero sin pulsar ninguna.

—Cada día me levanto pensando que ya lo he visto todo, que he aprendido todo lo necesario para ser reina. Pero luego todo cambia. Hay… Da lo mismo, no quiero abrumarte con mis preocupaciones, ya has tenido bastante por hoy. Hablemos de otra cosa.

Le costó Dios y ayuda esbozar una sonrisa y, aunque me apetecía saber qué asunto le preocupaba tanto —porque, al final, todos esos problemas también me afectaban a mí—, llevaba razón. Ese día no podría lidiar con ello.

Y, al parecer, ella tampoco.

—¿Alguna vez te has arrepentido? —pregunté. A pesar de sus esfuerzos, mi madre no logró ocultar su tristeza—. De entrar en la Selección y acabar siendo reina, quiero decir.

Agradecí que, en lugar de responder sí o no de inmediato, se tomara unos segundos para meditar la pregunta.

—No me arrepiento de haberme casado con tu padre. No te negaré que, a veces, me pregunto qué vida habría tenido si no hubiera entrado en la Selección, o si hubiera perdido. Creo que habría salido adelante. No sería infeliz, pero tampoco sería consciente de qué más podría haber conseguido. Reconozco que el camino que me llevó hasta tu padre fue duro, sobre todo porque, en un principio, me opuse a ello.

—¿Te opusiste?

Ella negó con la cabeza.

—Entrar en la Selección no fue idea mía.

Me quedé boquiabierta. Mamá jamás me lo había dicho.

—Y entonces, ¿de quién fue?

—Eso no importa —se apresuró a decir—. Por eso entiendo tus reservas. Creo que el proceso te enseñará aspectos de ti misma que desconoces. Confía en mí.

—Me resultaría mucho más fácil confiar en ti si hiciera esto por voluntad propia, y no para daros a papá y a ti unos meses de paz en el país.

Las palabras salieron de mi boca más afiladas de lo que pretendía.

Mamá respiró hondo.

—Sé que crees que es un acto egoísta, pero algún día nos darás la razón. En cuestión de años, el bienestar del país dependerá únicamente de ti, y entonces te darás cuenta de hasta dónde eres capaz de llegar para evitar que se desmorone. Nunca pensé que volveríamos a celebrar otra Selección, pero los planes pueden cambiar si así lo exige la situación.

—Pues esta situación me está exigiendo demasiado —solté.

—Uno, vigila el tono —advirtió—. Y dos, tú solo te fijas en una parte del trabajo, la parte que te incumbe, y punto. No imaginas la presión que está soportando tu padre.

Permanecí ahí sentada, en silencio. Quería huir de allí. Si no le gustaba mi tono, ¿por qué me presionaba tanto?

—Eadlyn —empezó con tono conciliador—, sé que quizá no es el momento más oportuno para esto. Pero, con el corazón en la mano, tarde o temprano te habría dado un toque de atención.

—¿A qué te refieres?

—En cierto modo, me da la sensación de que estás desconectada de tu propio pueblo. Sé que te preocupan las exigencias que conlleva ser reina, pero ya va siendo hora de que también valores las necesidades de los demás.

—¿Y crees que no lo hago? —repliqué. ¿Acaso no sabía lo que había estado haciendo durante todo el día?

Ella apretó la mandíbula.

—No, cielo. Nunca lo antepones a tu propia comodidad.

Deseaba gritarle, a ella y a papá. Era evidente que, a veces, me refugiaba en mi habitación; podía pasarme horas en la bañera o acompañar la cena con una copita de vino. Esos pequeños caprichos no me parecían en absoluto exagerados, teniendo en cuenta el sacrificio que me estaban obligando a hacer.

—Me sorprende que veas tantos defectos en mí —sentencié.

Después me levanté, dispuesta a marcharme de la sala.

—Eadlyn, yo no he dicho eso.

—Lo has insinuado. No pasa nada —murmuré, y empecé a caminar hacia la puerta. Aquella acusación me enfureció hasta límites insospechados.

—Eadlyn, cariño, lo único que queremos es que te conviertas en una gran reina, eso es todo —suplicó.

—Y lo seré —respondí, con un pie ya en el pasillo—. Y, por descontado, no necesito que ningún tipo me enseñe a hacer el trabajo.

Traté de calmarme antes de cerrar la puerta. Sentía que todo el mundo estaba en mi contra, que el mismísimo universo había preparado una conspiración para hundirme... Y entonces oí a alguien llorar.

—¿Estás segura?

Por el tono de voz sospeché que se trataba del general Leger.

—He hablado con ella esta misma mañana. Ha decidido quedárselo —respondió la señorita Lucy, con voz entrecortada.

—¿Le has dicho que podríamos darle a ese bebé todo lo que pudiera necesitar? ¿Que tenemos más dinero del que seremos capaces de gastar en toda una vida? ¿Que lo querríamos incondicionalmente? —bisbiseó el general.

—Eso y más —insistió la señorita Lucy—. Sabía que las probabilidades de que el bebé naciera con trastornos mentales eran altas. Le prometí que la ayudaríamos en todo, que la mismísima reina se aseguraría de que no le faltara de nada. Me contestó que ya había hablado con su familia, que estaban dispuestos a ayudarla y que jamás había considerado la opción de entregar al bebé. Tan solo valoró la adopción porque creyó que estaría sola. Pidió disculpas, como si con eso arreglara algo.

La señorita Lucy estaba llorando. Me acerqué con sigilo hacia la esquina del pasillo para seguir la conversación.

—Lo siento mucho, Lucy.

—No tienes por qué sentirlo. No es culpa tuya —respondió con voz amable y valiente—. Creo que ha llegado el momento de aceptarlo. Años de tratamientos, infinidad de abortos naturales, tres adopciones frustradas... Necesitamos pasar página.

Se produjo un largo silencio antes de que el general Leger volviera hablar.

—Si crees que eso es lo mejor.

—Sí —dijo ella con decisión, y luego volvió a romper a llorar—. No puedo creer que nunca seré madre.

Un segundo más tarde, oí que el sonido del llanto quedaba amortiguado. Su marido la sostenía entre sus brazos, consolándola lo mejor que podía.

Durante todos estos años había creído que los Leger eran una pareja que habían elegido no tener descendencia. Los problemas de Lucy jamás habían salido a relucir en ninguna conversación; a decir verdad, cuando éramos niños, siempre parecía dispuesta a jugar con nosotros en lugar de enviarnos a freír espárragos. Por eso nunca sospeché que estuviera sufriendo una circunstancia tan desafortunada.

¿Tenía mi madre razón? ¿No era tan observadora ni solidaria como creía? La señorita Lucy era una de las personas que más apreciaba en el mundo. ¿No debería haber sido capaz de percatarme de lo triste que estaba?

Capítulo 6

En el despacho habían dejado treinta y cinco cestas distintas, repletas de los datos personales de diez mil personas distintas. Los sobres estaban bien sellados para así proteger el anonimato de los caballeros. Traté de aparentar emoción por el bien de las cámaras, pero sentía que, en cualquier momento, vomitaría en alguna de aquellas cestas.

Sería una buena forma de reducir el número de pretendientes.

Papá apoyó una mano sobre mi hombro.

—De acuerdo, Eady. Ahora acércate a cada cesta y coge un sobre. Estaré a tu lado. A medida que los vayas escogiendo, dámelos. Los abriremos en el *Report* de esta noche, en vivo y en directo. Así de fácil.

Para ser algo tan sencillo, me estaba resultando sobrecogedor. Desde el mismo momento en que anunciamos la Selección, me sentía abrumada, así que no debería haberme sorprendido.

Me coloqué bien mi tiara preferida y me atusé la falda del vestido gris iridiscente. Quería cerciorarme de que estaba radiante. Al observar mi reflejo antes de bajar al salón, debo reconocer que la muchacha que me miraba me intimidó.

—Así pues, ¿elijo cada sobre? —murmuré, confiando en que las cámaras no estuvieran grabando en ese momento.

Él me dedicó una minúscula sonrisa y habló en voz baja:

—Es un privilegio que yo no tuve. Adelante, cariño.

—¿Qué quieres decir?

—Luego. Ahora, ve —susurró y, con la mano, me invitó a entrar en aquel salón abarrotado de pilas y pilas de inscripciones.

Cogí aliento. Podía hacerlo. Las expectativas de la gente me traían sin cuidado; yo había elaborado un plan. Un plan a prueba de bombas. Saldría de ese aprieto ilesa. Un puñado de meses no era nada. Y después, nuevamente, podría centrarme en la labor de convertirme en reina. Y sola.

Entonces, ¿por qué me estaba ahogando?

«Cierra el pico», pensé.

Me aproximé a la primera cesta en cuya etiqueta leí que todos los participantes eran de Clermont. Saqué un sobre, los flashes de las cámaras me cegaron y las pocas personas que estaban en el salón aplaudieron. Mamá abrazó a Ahren, emocionada; me hizo una mueca sin que nadie más se diera cuenta. La señorita Marlee suspiró aliviada. Fue entonces cuando reparé en que la señorita Lucy no estaba. Osten tampoco había venido, lo cual no fue ninguna sorpresa. Kaden sí había aparecido y observaba aquel paripé con interés.

Utilicé una técnica distinta con cada cesta. De una, escogí el sobre de la parte superior. En la siguiente enterré el brazo y pesqué otro sobre. Los testigos se entusiasmaron cuando llegué a Carolina, la provincia donde mamá había crecido; cogí dos sobres, los sostuve durante unos segundos y luego devolví uno al azar a su correspondiente cesta.

Entregué la última inscripción a mi padre y, acto seguido, recibí otra avalancha de aplausos y flashes. Fingí una sonrisa de felicidad antes de que los reporteros se escabulleran de la sala para redactar sus artículos. Ahren y Kaden abandonaron la estancia entre bromas, y mamá se despidió con un beso en la frente antes de irse. Papá y yo empezamos a hablar, aunque no tenía mucho que decir.

—Lo has hecho de fábula —me felicitó cuando nos quedamos a solas. Su asombro era genuino—. Hablo en serio. Entiendo mejor que nadie que esto puede ser estresante, pero has estado maravillosa.

—¿Y cómo lo sabes? —cuestioné, y apoyé las manos sobre las caderas—. ¿Cómo lo sabes si no fuiste tú quien escogió las inscripciones?

Él tragó saliva.

—Ya conoces, a grandes rasgos, la historia de cómo conocí a tu madre. Sin embargo, hay detalles que hemos preferido guardar en un cajón. Te cuento esto porque creo que te ayudará a darte cuenta de la suerte que tienes.

Asentí, aunque no sabía qué dirección tomaría la conversación.

Él respiró profundo.

—Mi Selección no fue una farsa, pero no estuvo lejos de serlo. Mi padre se encargó de elegir a dedo a todas las participantes; seleccionó a jovencitas con quienes se podían establecer alianzas políticas, familias influyentes o con un encanto natural capaces de hacer que todo el país besara el suelo por donde andaban. El rey sabía que la Selección debía ser variada para parecer legítima, así que añadió tres Cincos para disimular. Las Cincos se consideraban candidatas que eran para hacer bulto, que caerían enseguida, pero así la gente no sospecharía que todo era una pantomima.

Me quedé de piedra.

—¿Mamá?

—Se suponía que debía descartarla casi de inmediato. Te seré sincero. Mi padre trató de persuadirme por todos los medios para que la eliminara enseguida. Y fíjate en ella ahora. —De pronto, su expresión cambió—. Aunque jamás lo hubiera imaginado, el pueblo la adora como reina, incluso más que a mi madre. Ha dado a luz a cuatro hijos fuertes, hermosos e inteligentes. He sido feliz gracias a ella.

De forma distraída, jugueteó con los sobres.

—No sé si el destino existe o no. Pero, a veces, aquello que llevas años anhelando aparece por la puerta, decidido a eludirte, a huir de ti. Y, sin embargo, al final te das cuenta de que siempre hay alguien para ti.

Hasta entonces jamás había tenido motivos para dudar de la historia de amor de mis padres. Pero después de oír a mi padre confesar que mamá ni siquiera era una opción, y a mi madre revelar que no pretendía entrar a formar parte de la Selección, me pregunté cómo se las habían ingeniado para encontrarse el uno al otro.

Por la expresión de mi padre, intuí que ni siquiera él se explicaba cómo se habían enamorado.

—Lo vas a hacer muy bien —dijo con orgullo.

—¿Y qué te hace pensar eso?

—Eres clavadita a tu madre… y a la mía. Eres una chica decidida. Y, más importante todavía, detestas el fracaso. Sé que esto funcionará, a menos que tú lo impidas.

Estuve a punto de contárselo, de confesarle que había llenado páginas enteras con ideas para ahuyentar a todos esos chicos. Había dado en el clavo: no quería fracasar. Pero, para mí, el fracaso significaba permitir que otra persona dirigiera mi vida.

—Estoy segura de que todo saldrá bien —dije, con una pizca de arrepentimiento en mi voz.

Papá me acarició la mejilla con los dedos.

—Como siempre.

Capítulo 7

Cuando entré en el estudio, me di cuenta de que el plató había sufrido algunos cambios. Normalmente, Ahren y yo éramos los únicos que nos sentábamos frente a la cámara, junto a nuestros padres, pero esa noche Kaden y Osten también estaban sobre el escenario.

Los oficiales de papá se habían apiñado al otro lado del cuadrilátero; el centro estaba reservado a un recipiente con todos los sobres que había seleccionado esa misma tarde. Junto a él, un cuenco vacío en el que debía depositar las inscripciones después de abrir los sobres. Leer los nombres en voz alta era una tradición. No quería meter la pata, así que me propuse hacerlo con mucha cautela; quería dar la impresión de que controlaba la situación. Y eso me gustaba.

Tras las cámaras se habían acomodado otros miembros del personal de palacio. Distinguí al general Leger; besó a la señorita Lucy en la frente y después le susurró algo al oído. Ya habían pasado varios días desde aquella conversación que oí a escondidas en mitad del pasillo, pero seguía sintiéndome fatal por ella. No se me ocurría nadie mejor que los Leger para ser padres. Por otro lado, los Schreave habían demostrado ser las personas más diestras para solucionar problemas.

Estaba perdida. No tenía ni la más remota idea de cómo ayudarlos.

La señorita Marlee instaba a Josie a callarse de una vez por todas, seguramente porque se reía de un chiste que ella misma había soltado y que carecía de gracia. Nunca entendería cómo alguien tan maravilloso había podido traer al mundo a gente tan despreciable. ¿Mi tiara favorita? ¿La que llevaba puesta? Pues bien, no siempre fue mi favorita. Josie torció la primera tiara de la que me enamoré y perdió dos piedras preciosas de la segunda. Nadie le había dado permiso ni para acercarse a ellas. Y mucho menos para tocarlas.

A su lado estaba Kile. Estaba leyendo un libro porque, cómo no, todo lo que pasaba en nuestro país era demasiado aburrido para él. Qué ingrato.

Levantó la vista del libro y me pilló observándole. Hizo una mueca y volvió a pegar los ojos en la página. ¿Para qué había venido?

—¿Cómo estás? —preguntó mamá, que apareció de repente a mi lado. Después me rodeó el hombro con el brazo.

—Bien.

Dibujó una sonrisa.

—Es imposible que estés bien. Esto es aterrador.

—Bueno, pues ya que lo dices, sí, sí lo es. Todo un detalle obligarme a pasar por este calvario.

Se rio por lo bajo para ver si se me había pasado el enfado.

—Cariño, no creo que tengas tantos defectos —susurró—. Tus virtudes son infinitas y, algún día, sabrás cuánto se sufre por los hijos. Me preocupo por ti, incluso más que por tus hermanos. No eres una chica cualquiera, Eadlyn. Eres la chica. Y solo quiero lo mejor para ti.

No supe qué contestar. Lo último que quería era ponerme a discutir en mitad del escenario. Ella seguía abrazándome, así que le devolví el gesto y ella me besó en la cabeza.

—Me siento muy incómoda —admití.

—No olvides cómo se deben de estar sintiendo esos muchachos. Para ellos, esto también es importantísimo. El país os lo agradecerá.

Me concentré en la respiración para no delatarme. Tres meses. La libertad. Pan comido.

—Estoy muy orgullosa de ti —murmuró, y me dio un último achuchón—. Buena suerte.

Se fue a saludar a papá. Ahren aprovechó ese momento para acercarse a mí.

—No puedo creer que esto esté ocurriendo de verdad —comentó con emoción—. Me muero de ganas por tener compañía.

—¿Qué pasa? ¿Kile no es suficiente para ti? —espeté.

Miré a Kile de nuevo. Seguía con la nariz metida en aquel dichoso libro.

—No sé qué tienes contra Kile. Es un tipo muy listo.

—¿Es un eufemismo de aburrido?

—¡No! Pero me apetece conocer a gente distinta.

—Pues a mí no —farfullé. Me crucé de brazos, en parte por impotencia, en parte para protegerme.

—Oh, vamos, hermanita. Esto será muy divertido —me animó. Escudriñó toda la sala y susurró—: Estoy impaciente por ver qué has planeado para esos pobres diablos.

Traté de aguantar la risa. Nadie me conocía mejor que mi hermano.

Cogió uno de los sobres y me dio un suave golpecito en la nariz.

—Y ahora prepárate. Si dominas el idioma, esta parte te resultará bastante fácil.

—Eres como un dolor de muelas —murmuré, y le asesté un golpe en el brazo—, pero te quiero.

—Lo sé. No te preocupes. Lo harás genial.

Nos indicaron que ocupáramos nuestros asientos, así que Ahren dejó el sobre en el lugar que le correspondía, me cogió de la mano y me acompañó hasta mi sitio. Las cámaras empezaron a filmar. Papá inauguró el *Report* del día anunciando un posible acuerdo comercial con Nueva Asia. Trabajábamos codo con codo con ese país, por lo que me costaba imaginar que, antaño, habíamos estado en guerra. Mencionó las leyes de inmigración y todos sus consejeros hicieron sus discursos, incluida la señorita Bryce. Aquellos minutos me parecieron eternos a la vez que efímeros.

Cuando Gavril pronunció mi nombre, tardé unos segundos en recordar qué debía hacer exactamente. Sin embargo, me levanté, crucé el escenario y me coloqué delante del micrófono.

Esbocé una tímida sonrisa y miré directamente a cámara. Sabía que esa noche toda Illéa estaba sentada frente a su televisor.

—Estoy convencida de que todos estáis tan emocionados como yo, así que por qué no nos saltamos el protocolo y vamos al grano. Damas y caballeros, aquí están los treinta y cinco jóvenes invitados a participar en esta revolucionaria Selección.

Metí la mano en el recipiente y extraje el primer sobre.

—Desde Likely —leí, e hice una pausa mientras lo abría—, el señor Mackendrick Shepard.

Mostré la fotografía del joven candidato y todos los presentes aplaudieron. Deposité el contenido del sobre en el recipiente vacío y cogí otro sobre.

—Y procedente de Zuni…, el señor Winslow Fields.

Tras cada nombre que pronunciaba, la sala estallaba en aplausos.

Holden Messenger. Kesley Timber. Hale Garner. Edwin Bishop.

Al final, cuando alcancé el último sobre del recipiente, creí haber abierto al menos un centenar de ellos. Me dolían las mejillas de tanto sonreír. Esperaba que mamá no se llevara una decepción cuando le dijera que prefería cenar a solas en mi habitación. En mi opinión, era lo mínimo que me merecía.

—¡Ah! Y desde Angeles —anuncié; rasgué el sobre y saqué la última inscripción. Esta vez mi sonrisa no fue capaz de ocultar mi desasosiego, y todo el mundo se percató de ello—, el señor Kile Woodwork.

Las reacciones no se hicieron esperar. Varios gritos ahogados, un puñado de carcajadas…, pero la que más me impactó fue la del propio Kile. Dejó caer el libro al suelo.

Apenas podía respirar.

—Pues bien, eso es todo. Mañana los consejeros iniciarán todos los preparativos para formar a estos treinta y cinco candidatos para la aventura que les espera. Y, dentro de menos de una semana, se instalarán en palacio. Hasta entonces, mi más sincera enhorabuena.

Empecé a aplaudir y toda la sala me siguió. Regresé a mi asiento y traté de disimular lo molesta que estaba.

Ver el nombre de Kile escrito en la solicitud no debería haberme afectado tanto. Al fin y al cabo, ninguno de esos chicos tenía posibilidades de ganar. Pero había algo que no encajaba.

En cuanto Gavril cerró la transmisión, muchos fueron los que entraron en cólera. Mamá y papá se dirigieron hacia los Woodwork de inmediato. Decidí unirme a ellos para aclarar el asunto. Josie, que no paraba de reírse como una boba, me pisaba los talones.

—¡Yo no he sido! —insistió Kile.

En cuanto le miré a los ojos, adiviné que estaba tan furioso como yo.

—¿Qué importa eso? —dijo mamá—. Todo aquel que haya cumplido la mayoría de edad puede poner su nombre en la inscripción.

Papá asintió con la cabeza.

—Es cierto. Y, aunque reconozco que la situación es un tanto extraña, no tiene nada de ilegal.

—Pero yo no quiero formar parte de esto —le suplicó Kile a papá.

—¿Quién escribió tu nombre? —pregunté.

Kile sacudió la cabeza.

—No lo sé. Tiene que ser un error. ¿Por qué iba a inscribirme si ni siquiera quiero competir?

Mamá miró al general Leger y, por un instante, creí que estaban sonriéndose. Me negaba a creerlo, pues aquella situación no era para nada divertida.

—¡Perdonad! —protesté—. Esto es inaceptable. ¿Nadie piensa hacer algo al respecto?

—Escoge a otro candidato —sugirió Kile.

El general Leger negó con la cabeza.

—Eadlyn anunció tu nombre delante de todo el país. Tú eres el candidato de Angeles.

—Es verdad —coincidió papá—. Al leer los nombres públicamente, ya es oficial. No podemos encontrarte un sustituto.

Kile puso los ojos en blanco, algo que hacía muy a menudo, por cierto.

—Bueno, Eadlyn puede eliminarme el primer día.

—¿Y enviarte adónde? —cuestioné—. Tú vives aquí.

Ahren se rio por lo bajo.

—Perdón —murmuró al percatarse de mi mirada asesina.

—Eso no sentaría bien al resto de los participantes.

—Échame —propuso Kile.

—Por enésima vez, Kile, ¡no te irás de aquí! —gritó la señorita Marlee.

Era la primera vez que la oía utilizar un tono tan estricto. Se llevó una mano a la sien y el señor Carter trató de consolarla. Le susurró al oído algo que no fui capaz de comprender.

—¿Prefieres vivir en otro lugar? —pregunté incrédula—. ¿Acaso un palacio no es lo bastante bueno para ti?

—No es mío —dijo, alzando el tono de voz—. Y, francamente, ya no lo soporto más. Estoy harto de las normas, harto de sentirme un huésped en esta casa. Y, sobre todo, estoy harto de tu actitud de niña malcriada y consentida.

Resollé y, acto seguido, la señorita Marlee le soltó una colleja a su hijo.

—¡Discúlpate! —ordenó.

Kile apretó la mandíbula y clavó la mirada en el suelo. Me crucé de brazos, indignada. No estaba dispuesta a permitir que se fuera de rositas. Me debía una disculpa. Y pensaba obtenerla por las buenas o por las malas.

Al final, tras sacudir la cabeza, murmuró un «lo siento» apenas comprensible.

Miré hacia otro lado. Podía haberse esforzado un poco más.

—Seguiremos adelante según lo planeado —sentenció papá—. Esto es una Selección, y todos conocemos el proceso. Se trata de elegir. Hoy por hoy, Kile es uno de los pretendientes. Desde luego, Eadlyn lo haría mucho peor.

«Gracias, papá.» Comprobé la expresión de Kile. Seguía con la mirada pegada en el suelo; estaba avergonzado y enfadado.

—Y ahora deberíamos comer algo y celebrarlo. Hoy es un día muy especial.

—Tienes razón —añadió el general Leger—. Cenemos juntos.

—Estoy cansada —dije, y me di media vuelta—. Estaré en mi habitación.

Ni siquiera esperé a que me dieran permiso. No debía nada a nadie. Había hecho todo lo que me habían pedido.

Capítulo 8

Durante el fin de semana evité toda compañía, pero, por lo visto, a nadie le importó, ni siquiera a mamá. Una vez anunciados los nombres, la Selección ya era una realidad. Sabía que se acercaban días de soledad absoluta, y eso me entristecía.

El lunes antes de que aterrizaran los candidatos en palacio, por fin me reencontré con la humanidad. Hice de tripas corazón y entré en la Sala de las Mujeres. La señorita Lucy estaba ahí; igual que siempre, alegre y sonriente. Me habría encantado poder ayudarla. Obviamente, un cachorro no era un bebé, pero regalarle una mascota era la única idea que se me había ocurrido.

Mamá conversaba con la señorita Marlee; en cuanto crucé el umbral, las dos me saludaron y me invitaron a unirme a ellas.

Me senté y la señorita Marlee me cogió de la mano.

—Quiero explicarme. La razón por la que Kile quiere marcharse no eres tú. Lleva mucho tiempo sopesando la idea de mudarse y, con el corazón en la mano, pensé que pasar un trimestre fuera de casa bastaría para quitarle esa idea de la cabeza. No soportaría vivir lejos de él.

—Tarde o temprano, él tomará una decisión y no te quedará más opción que aceptarla —aconsejó mamá, lo cual me pareció hasta gracioso teniendo en cuenta que ella era quien pretendía casar a su propia hija con un completo desconocido.

—Pero no lo entiendo. Josie, en cambio, nunca se ha planteado irse.

Puse los ojos en blanco. Desde luego que no.

—Pero ¿qué puedes hacer? No puedes obligarle a quedarse aquí —insistió mamá. Después sirvió una taza de té y la dejó frente a mí.

—Ya he contratado a otro tutor. Tiene muchísima experiencia. Kile aprenderá más de él que de un libro. Así ganaré un poco de tiempo. No quiero perder la esperanza...

La tía May apareció de repente en la sala; parecía recién sacada de una revista de moda. Salí disparada hacia ella y le di un abrazo de oso.

—Alteza —saludó.

—Cierra el pico.

Soltó una carcajada, me agarró por los hombros y me miró directamente a los ojos.

—Quiero saberlo todo sobre la Selección. ¿Cómo estás? Me fijé en las fotografías. Algunos son bastante monos. ¿Ya te has enamorado?

—Qué va —respondí con una risotada.

—Bueno, dales unos días.

La tía May era así. Cada vez que venía a palacio tenía un nuevo amor. Puesto que nunca había sentado la cabeza para formar una familia, solía tratarnos, a los cuatro hermanos y a nuestros primos, Astra y Leo, como si fuéramos sus hijos. Y, a decir verdad, sus visitas hacían que vivir en palacio fuera mucho más emocionante.

—¿Cuánto tiempo estarás por aquí? —preguntó mamá.

La tía May me cogió la mano y, juntas, cruzamos la estancia.

—Me marcho el jueves.

Ahogué un grito.

—Ya lo sé. ¡Me voy a perder lo más divertido! —Lloriqueó haciendo pucheros—. Pero Leo tiene un partido el viernes por la tarde y el recital de danza de Astra es el sábado. Les prometí que estaría allí. Está haciendo grandes progresos —le comentó a mamá—. Se nota que es hija de una artista.

Compartieron una sonrisa.

—Ojalá pudiera asistir —se lamentó mamá.

—¿Y por qué no vamos? —sugerí, y cogí unas galletitas para acompañar el té.

La tía May me miró perpleja.

—Eres consciente de que este fin de semana tienes planes, ¿verdad? ¿Grandes planes? ¿Planes que te cambiarán la vida?

Me encogí de hombros.

—No me preocupa perdérmelos.

—Eadlyn —me reprendió mamá.

—¡Lo siento! Pero es que esto es agobiante. Prefiero las cosas tal y como están ahora.

—¿Dónde están las fotografías? —preguntó May.

—En mi habitación, sobre el escritorio. Llevo días tratando de memorizar los nombres, pero todavía no me los he aprendido.

May alzó la mano y llamó a una de las doncellas.

—Querida, ¿te importaría subir al dormitorio de la princesa y traernos los formularios de los candidatos a la Selección? Están en su escritorio.

La doncella sonrió e hizo una reverencia. Presentía que, en cuanto los tuviera entre las manos, caería en la tentación y les echaría un vistazo.

Mamá se inclinó hacia su hermana.

—Permíteme que te recuerde un par de cosas. Uno, esos formularios son confidenciales; y, dos, aunque no lo fueran, les doblas la edad.

Marlee y yo nos echamos a reír, mientras que la señorita Lucy se limitó a sonreír. Era mucho más indulgente con la tía May que nosotras.

—No le tomen el pelo —protestó la señorita Lucy—. Estoy convencida de que lo hace con la mejor intención.

—Gracias, Lucy. No lo hago por mí, ¡sino por Eadlyn! —juró—. Entre todas la ayudaremos a adelantar un poco el trabajo.

—No es así como funciona —se quejó mamá, y dio un sorbo a su té con cierto aire de superioridad.

La señorita Marlee soltó una tremenda y ruidosa carcajada.

—¡Mira quién habla! ¿Acaso debemos refrescarte la memoria?

—¿Qué? —pregunté, atónita. ¿Cuántos detalles de su historia de amor habían omitido mis padres?—. ¿A qué se refiere?

Mamá dejó la taza sobre la mesita y levantó una mano para defenderse.

—La noche antes de que empezara la Selección, me topé con tu padre por accidente y, para vuestra información —dijo, aunque miró a la señorita Marlee—, podrían haberme echado por ello. No es precisamente la primera impresión que pretendía causar.

Me quedé helada.

—Mamá, ¿puede saberse cuántas normas te saltaste a la torera?

Miró hacia el techo y guiñó un ojo, como si estuviera contándolas mentalmente.

—De acuerdo, ¿sabéis qué?, mirad las fotografías cuanto queráis. Me rindo.

Mi tía sonrió con satisfacción. Intenté grabar aquel gesto en mi memoria: con una elegancia innata, ladeó la cabeza y, de pronto, percibí un brillo embaucador en sus ojos. Todo en ella era glamuroso, natural. Adoraba a aquella mujer, el amor que

despertaba en mí era parecido al que sentía por mi madre. Si bien Josie, mi compañera de juegos durante mi infancia y adolescencia, había sido un verdadero incordio, el círculo de amistades de mamá no tenía precio. Sin lugar a dudas, eran las mujeres más maravillosas del mundo.

La doncella regresó con la pila de formularios y fotografías, y las dejó sobre la mesa. La señorita Marlee no esperó ni dos segundos a coger un primer puñado de solicitudes, lo cual me sorprendió bastante. La segunda en echar un vistazo a los candidatos fue la tía May; aunque mamá no se atrevió a tocar ni una sola fotografía, sí asomó la cabeza por encima del hombro de la señorita Marlee para conocer a los muchachos. Al principio, la señorita Lucy hizo como si no sintiera curiosidad alguna, pero al final también acabó con una pila de papeles sobre el regazo.

—Ah, este promete —comentó la tía May, y me mostró una fotografía.

Contemplé al joven de mirada penetrante y oscura, de tez de ébano. Tenía el pelo rapado y mostraba una sonrisa brillante.

—Baden Trains, diecinueve años, de Sumner.

—Es guapo —dijo mamá con demasiado entusiasmo.

—Bueno, a la vista está —añadió May—. Y con un apellido como Trains, apuesto a que su familia es de Sevens. Según lo que dice aquí, está estudiando primero de Publicidad. Eso significa que él, o alguien de su familia, es de ideas fijas.

—Cierto —coincidió la señorita Marlee—. Toda una hazaña.

Aparté un par de formularios para echar un vistazo.

—Y bien, ¿cómo estás? —preguntó la tía May—. ¿Ya está todo listo?

—Eso creo —murmuré, y leí por encima una de las solicitudes. Escaneé toda la información en busca de algo que pudiera resultarme remotamente interesante. Pero no encontré nada que llamara mi atención—. Al principio, la gente estaba muy alborotada, al borde de un ataque de nervios. Pensé que nunca acabaría. Por lo que tengo entendido, las habitaciones de los candidatos ya están dispuestas, los cocineros ya han elaborado cada menú. Si no me equivoco, ahora que la lista ya es oficial, mañana mismo se reservarán los viajes.

—Se te ve emocionadísima —bromeó May, y me dio un suave golpecito con el codo.

Suspiré y luego lancé una mirada acusatoria a mamá.

—Supongo que también estaréis al corriente de que todo este asunto no ha sido idea mía.

—¿Qué quiere decir, querida? —preguntó la señorita Lucy. Dejó su pila de solicitudes sobre el regazo y me miró consternada.

—Por descontado, todos tenemos los dedos cruzados; queremos que Eadlyn encuentre a alguien especial, a un chico que merezca la pena —empezó mamá con perspicacia—. Pero, mientras eso ocurre, aprovecharemos estos meses para elaborar un plan que calme el malestar de la población por la eliminación de castas.

—¡Ames! —exclamó May—. ¿Tu hija es un señuelo?

—¡No!

—Sí —mascullé.

La tía May me acarició la espalda para consolarme; saber que estaba ahí me tranquilizaba.

—Tarde o temprano habríamos tenido que buscar el pretendiente adecuado. Además, la Selección no es vinculante. Eadlyn llegó a un acuerdo con Maxon: si no se enamora, adiós muy buenas al proceso. Dicho esto, Eadlyn, como miembro de la familia real, está cumpliendo con su cometido, creando un poco de… diversión. Así se calmarán un poco los ánimos y nosotros podremos tantear el terreno. Y me atrevo a decir que ya está funcionando.

—¿Ah, sí? —pregunté.

—¿No has leído los periódicos? Te has convertido en la estrella del país. Los medios locales ya han empezando a entrevistar a sus candidatos, y muchas son las provincias que ya han organizado una fiesta con la esperanza de que su pretendiente sea el elegido. Las revistas han comenzado a hacer sus apuestas con los favoritos. Anoche vi un reportaje en la televisión sobre jovencitas que han formado clubs de fans y llevan camisetas con los nombres de sus pretendientes predilectos. Todo el país tiene los ojos puestos en la Selección.

—Es verdad —confirmó la señorita Marlee—. Que Kile vive en palacio ya ha dejado de ser un secreto.

—¿También se han enterado de que no tiene intención alguna de participar? —pregunté, aunque soné más irritada de lo que pretendía.

La señorita Marlee no tenía la culpa de aquella debacle.

—No —contestó entre risas—. Puedes estar tranquila, no es por ti.

Le devolví la sonrisa.

—Marlee, ya has oído a mamá. No tiene de qué preocuparse. Tanto Kile como yo sabemos de sobra que no estamos hechos el uno para el otro. Además, existe la posibilidad de que pueda librarme de este enredo sin un prometido. —Un cien por cien de posibilidades para ser más exacta—. No sufras, no me romperá el corazón —contesté. Ya me había acostumbrado a la idea de tener un montón de chicos dispuestos a pedir mi mano—. No estoy molesta.

—Pero tú misma has dicho que la Selección se ha convertido en el foco de atención —recordó May, algo alarmada—. ¿Crees que durará mucho?

—Creo que mantendrá a la gente ocupada el tiempo suficiente como para que el malestar y las protestas que copan todas las portadas pasen a un segundo plano y nosotros encontremos un modo de abordar los problemas si vuelven a surgir —respondió mamá con seguridad.

—Cuando vuelvan a surgir —corregí—. Puede que mi vida les entretenga un rato, pero ten por seguro que, en algún momento, volverán a centrarse en su propia vida.

Miré de reojo las fotografías; compadecía a esos muchachos. Estaban condenados a perder y ni sospechaban que formaban parte de un teatro montado para distraer al público.

—Qué raro —observé al leer una de las solicitudes—. No pretendo parecer crítica, pero fijaos en esto. He encontrado tres faltas de ortografía en el formulario.

Mamá me lo arrebató de las manos.

—Quizá estaba nervioso.

—O es un idiota —propuse.

May se rio entre dientes.

—No seas tan dura, cariño. Ellos también deben de estar asustados. —Mamá me devolvió el formulario y lo sujeté con un clip a la fotografía de un tipo con cara de inocente y una cabellera rubia de rizos salvajes.

—Un segundo, ¿estás asustada? —preguntó la tía May con la voz entrecortada.

—No, desde luego que no.

Relajó la expresión y volvió a adoptar ese ademán bello y despreocupado.

—No concibo que algo pueda darte miedo. —Me guiñó un ojo.

Me tranquilizaba saber que al menos una de las dos lo creyera.

Capítulo 9

Cuando me enteré de que habían empezado a llegar a palacio, hui despavorida a mis aposentos y me puse a garabatear bocetos en el balcón, a la luz del sol. Demasiadas risas escandalosas y saludos excesivamente entusiastas. Me pregunté cuánto tiempo duraría esa camaradería. Después de todo, se trataba de una competición. Tomé una nota mental de inmediato: «añadir "encontrar formas de enemistarles" a mi lista de objetivos».

—Creo que deberíamos dar más volumen al pelo, Neena. Hoy quiero parecer una chica madura.

—Excelente elección, alteza —comentó mientras me arreglaba las uñas—. ¿Alguna idea para el vestido de esta noche?

—He pensado en un vestido de gala. Negro, a poder ser.

Soltó una risita.

—¿Intenta asustarlos?

No pude contener la sonrisa.

—Solo un poquito.

Ambas nos reímos. Me alegré de tenerla a mi lado. Se avecinaban semanas difíciles en las que necesitaría sus mensajes reconfortantes.

Después de secarme el pelo, lo trenzó y lo sujetó con horquillas formando una especie de corona para que así la tiara destacara todavía más. Conseguí encontrar el vestido negro que había lucido en la última fiesta de Año Nuevo. Era un traje de encaje precioso que marcaba mi silueta hasta la rodilla. A partir de ahí, la tela era más vaporosa y caía hasta el suelo. Tenía la espalda descubierta, formando un óvalo, y mangas murciélago que me rozaban los hombros. Para ser honesta, el vestido era más bonito a plena luz del día que a la luz de las velas.

El reloj marcó la una, hora de bajar las escaleras. Habíamos convertido una de las bibliotecas del cuarto piso en un Salón de Hombres, de modo que los seleccionados pudieran reunirse y relajarse durante su estancia en palacio. Era, más o menos, del mismo tamaño que la Sala de las Mujeres y tenía varios sofás y sillones donde sentarse, infinidad de libros y dos televisores.

Ahora mismo me dirigía a esa zona de palacio. Habíamos acordado que los pretendientes irían entrando de uno en uno para presentarse y que después los escoltarían hasta el Salón de Hombres para así poder conocerse entre ellos. Advertí un grupito de gente al fondo del pasillo entre el que reconocí a mis padres y al general Leger, y me encaminé hacia ellos. Traté de que nadie notara que tenía los nervios a flor de piel. Al verme, papá se quedó estupefacto y mamá se llevó una mano a la boca.

—Eadlyn…, pareces tan mayor —exclamó mamá. Suspiró y luego me acarició la mejilla, el hombro y el cabello. Todo estaba en orden.

—Seguramente porque lo soy.

Asintió en silencio y se le llenaron los ojos de lágrimas.

—Estás divina. En mi opinión, nunca parecí una reina, pero tú… estás perfecta.

—Déjalo ya, mamá. El pueblo te adora. Vosotros trajisteis la paz al país. Yo no he hecho nada en absoluto.

Me alzó la barbilla con un dedo.

—Todavía. Pero eres demasiado lista y terca como para no conseguir nada.

Y antes de que pudiera replicar, papá se acercó a nosotras y nos interrumpió.

—¿Preparada?

—Sí —contesté, y me puse seria. Aquel no había sido el discursito motivacional que había imaginado—. No tengo intención de eliminar a ningún candidato, al menos por ahora. En mi opinión, todo el mundo merece una oportunidad.

Papá esbozó una sonrisa.

—Muy sabio por tu parte.

Cogí aire.

—De acuerdo. Empecemos.

—¿Prefieres que nos quedemos o te dejamos sola? —preguntó mamá.

Sopesé ambas opciones.

—Podéis iros.

—Como desees —murmuró papá—. El general Leger y varios guardias estarán vigilando las puertas. Si necesitas algo, cualquier cosa, no dudes en decirlo. Queremos que pases un día maravilloso.

—Gracias, papá.

—No —susurró, y me estrechó entre sus brazos—. Gracias a ti.

Después, ofreció el brazo a mamá y se marcharon. Tan solo mirando sus andares intuí que estaban dichosos, felices.

—Alteza —dijo el general Leger en voz baja. Al girarme, vi que estaba sonriente—. ¿Nerviosa?

Negué con la cabeza, en parte para convencerme a mí misma.

—Que entre el primero.

Inclinó la cabeza y luego lanzó una mirada a un mayordomo que había frente a una de las puertas del salón. De repente, de detrás de una estantería repleta de libros, surgió un chico. Comprobó que se había colocado bien los gemelos, estiró los puños de la camisa y se acercó a mí. Era delgaducho y más bien bajito, pero tenía cara de simpático.

Se detuvo frente a mí e hizo una reverencia.

—Fox Wesley, alteza.

Ladeé la cabeza a modo de saludo.

—Un placer.

Respiró hondo antes de continuar.

—Qué hermosa.

—Eso me han dicho. Ya puedes retirarte —añadí, y le señalé el Salón de Hombres con la mano.

Fox arrugó el entrecejo antes de volver a inclinarse y se marchó.

Un segundo más tarde, apareció otro muchacho ante mí. Este, en lugar de una reverencia, optó por bajar la cabeza.

—Garner, alteza.

—Bienvenido.

—Muchas gracias por habernos invitado a su casa, alteza. Espero demostrarle que soy merecedor de su mano día tras día.

Incliné la cabeza, mostrando así mi curiosidad.

—¿De veras? ¿Y cómo piensas hacerlo hoy?

Sonrió.

—Pues bien, hoy me gustaría contarle que provengo de una familia excelente. Mi padre solía ser un Dos.

—¿Eso es todo?

Aquel comentario no bastó para disuadirle y continuó:

—En mi opinión, es bastante impactante.

—No tan impactante como tener un padre que solía ser un Uno.

Creí que se iba a desmayar.

—Puedes irte.

Esta vez sí hizo una reverencia y se dispuso a marcharse. Tras varios pasos, miró atrás.

—Siento haberla ofendido, alteza.

Parecía tan triste y arrepentido que a punto estuve de decirle que no lo había hecho, pero eso no formaba parte de mi plan del día.

Ante mí desfiló un sinfín de jóvenes indignos de ser recordados. Ya había conocido a la mitad de mis pretendientes cuando Kile se plantó ante mí. Por una vez en su vida se había peinado de tal forma que podía verle los ojos.

—Alteza —saludó.

—Caballero, tú puedes llamarme «incordio real».

Él se rio entre dientes.

—Y bien, ¿cómo te han tratado? Tu madre me ha contado que varios periódicos han desvelado que vives en palacio.

Sacudió la cabeza, asombrado por tal revelación.

—Creí que, al descubrirlo, ese puñado de cabezas de chorlito me daría una paliza memorable, pero resulta que la mayoría de ellos me consideran un recurso necesario.

—¿Cómo?

—Suponen que ya lo sé todo sobre ti. Se han pasado toda la mañana bombardeándome a preguntas.

—¿Y se puede saber qué les has contado?

Kile dibujó una sonrisa de superioridad.

—Que eres un encanto, por supuesto.

—Sí, claro —contesté. Obviamente, no le creí—. Puedes seguir…

—Por cierto, quería pedirte disculpas otra vez. Por haberte llamado malcriada y consentida.

Encogí los hombros.

—Estabas enfadado.

Asintió, aceptando así esa excusa.

—Pero, aun así, fui injusto. A ver, no me malinterpretes, te considero una princesa muy mimada —recalcó—, pero eres fuerte. Vas a ser reina y, aunque he sido testigo de muchos cambios y decisiones tomadas en palacio, lo cierto es que nunca he cargado con el peso de tu trabajo sobre mis hombros. Así que no soy nadie para juzgarte.

Suspiré. Lo correcto, y educado, habría sido agradecerle el gesto, así que, muy a mi pesar, hice gala de mi educación.

—Gracias.

—De nada.

Se produjo un silencio incómodo.

—Bueno…, el Salón de Hombres está por ahí —dije, y señalé una puerta.

—Muy bien. Hasta luego, supongo.

Al volverse, me percaté de que llevaba una libreta escondida tras la espalda y esbocé una sonrisa. Gracias a ese cambio radical, que, por cierto, le hacía falta, había mejorado su aspecto, pero seguía siendo una molesta rata de biblioteca.

El candidato que apareció después era todo lo contrario.

Se había peinado el cabello color caramelo hacia atrás y caminaba con las manos en los bolsillos, como si llevara toda la vida paseando por los salones de palacio. Sus andares me dejaron sin palabras. ¿Quién había venido a conocer a quién?

—Majestad —saludó con voz de seda, a la vez que realizaba una elegante reverencia.

—Alteza —le corregí.

—No, no. Puede llamarme Ean.

Y dibujó una sonrisa socarrona.

—Qué chiste tan malo —dije tras soltar una carcajada.

—Era un riesgo que debía correr. Compito contra treinta y cuatro pretendientes más. ¿Cómo, si no, iba a conseguir que me recordara?

Tenía una mirada profunda; de no haberme codeado con tantos políticos a lo largo de mi vida, habría caído rendida a sus pies.

—Encantada de conocerle, señor.

—Lo mismo digo, alteza. Espero volverla a ver muy pronto.

A Ean le siguió un chico que apenas articulaba las palabras y a quien me costó Dios y ayuda entender lo que decía. Otro me preguntó cuándo recibiría el cheque con el dinero. Hubo uno que sudó de tal manera que, tras despedirme, tuve que pedir a un mayordomo que me trajera una toalla para secarme la mano. Y cómo olvidar al descarado que me estuvo mirando el pecho durante toda la entrevista. Fue una procesión de desastres.

El general Leger entró en el salón.

—Por si ha perdido la cuenta, este es el último.

Eché la cabeza hacia atrás, aliviada.

—Gracias. ¡Por el amor de Dios!

—No creo que sus padres pretendan pedirle un exhaustivo informe de cada candidato, pero le aconsejo que vaya a verlos cuando acabe.

Le lancé una mirada asesina.

—Si insistes.

Se rio por lo bajo.

—Tenga paciencia con ellos. Su padre está en una situación muy delicada ahora mismo.

—¿Él está en una situación delicada? ¿Acaso no has visto al tipo que sudaba?

—¿Y le culpa? Alteza, es usted la princesa. Si quisiera, podría condenarlo a muerte.

El general Leger tenía los ojos verdes de un pillo. Era uno de esos hombres que, a medida que pasaba el tiempo, se volvía más atractivo. Y lo sabía de buena tinta porque, en una ocasión, la señorita Lucy me mostró una fotografía de su boda. Aquel hombre era como el vino, mejoraba con los años. A veces, cuando estaba cansado o hacía mal tiempo, cojeaba un poco, pero eso no le impedía moverse de un lado para otro. Quizá fuera porque sabía cuánto le amaba su esposa, pero lo cierto era que el general transmitía seguridad. Si no se hubiera posicionado del lado de papá y mamá, le habría pedido consejo para conseguir que esos chicos suplicaran volver a casa. Había algo en su mirada que me hacía pensar que él sabría cómo hacerlo.

—Algunos de esos chicos me hacen sentir incómoda —confesé. Tanta palabrería barata, esas miradas lascivas. Aunque había crecido sabiendo que era especial, no me gustaba que me vieran como un trofeo.

Su expresión se volvió compasiva.

—Es una situación un tanto extraña, ya lo sé. Pero nunca debe quedarse a solas con alguien que desprecia; tiene todo el derecho a echar a uno de esos muchachos, no tiene ni que inventarse un motivo. Además, ni el más estúpido de todos ellos se atrevería a hacerle daño. Créame: si alguien le pusiera una mano encima, yo mismo me encargaría de que no volviera a caminar nunca más.

Me guiñó un ojo y después indicó a sus guardias que trajeran al último participante.

El hecho de no ver a una persona, sino a dos, me confundió un poco. El primero iba vestido con traje y corbata, pero el segundo tan solo se había puesto una camisa. Caminaba con los ojos clavados en el suelo, a unos metros por detrás de su compañero. El primero se dedicó a regalarme todo tipo de sonrisas. Daba la sensación de que alguien había intentado domar aquella salvaje cabellera, pero era más que evidente que no lo había conseguido.

—Hola, alteza —saludó con un acento que no logré identificar—. ¿Cómo está?

Confundida pero a la vez desarmada por aquella bonita sonrisa, respondí:

—Bien. Ha sido un día muy largo. Seguro que para vosotros también.

A su espalda, el otro muchacho se inclinó hacia delante y murmuró algo que no fui capaz de comprender.

El primero asintió.

—Ah, sí, sí, pero… *ees* un placer conocer tú —dijo. Utilizaba las manos mientras hablaba, como si los gestos le ayudaran a expresarse mejor.

Me eché hacia delante, pues apenas le entendía. Pensé que, si me acercaba un poco, captaría mejor el acento.

—¿Perdón?

El chico que se había mantenido en segundo plano por fin habló alto y claro.

—Dice que es un placer conocerla.

Entorné los ojos, aún desconcertada.

—*Mee* llamo Henri —se presentó y realizó una reverencia. A juzgar por su expresión, adiviné que, a pesar de haberse preparado la presentación, había olvidado decirla al entrar.

No quería ser grosera, así que asentí con la cabeza.

—Hola, Henri.

Al oír su nombre se le iluminó el rostro. Después se quedó en silencio mirando al caballero que seguía detrás de él.

—Lo siento, pero no he podido evitar fijarme en tu acento —dije con tono amistoso—. ¿De dónde vienes?

—Umm… Swend…. —empezó, y luego se volvió hacia su acompañante.

Este asintió con la cabeza y continuó en nombre de Henri.

—El señor Henri nació en Swendway. Por eso tiene un acento finlandés muy marcado.

—Ah —contesté—. ¿Y entiende el inglés?

Henri intercedió.

—Inglés, no, no. —Aunque, por lo visto, no se avergonzaba de ello. De hecho, parecía divertirle.

—¿Y cómo se supone que vamos a conocernos?

El intérprete se giró hacia Henri.

—*Miten saat tuntemaan toisensa?*

Henri señaló al traductor con el dedo.

—A través de mí, o eso parece.

—De acuerdo. Bien. Vaya.

No estaba preparada para eso. ¿Habría sido desconsiderado

por mi parte echarle de buenas a primeras? Interactuar con cada uno de los candidatos ya era raro de por sí. No estaba dispuesta a incluir a una tercera persona en el proceso.

En ese instante, la solicitud de Henri me vino a la cabeza. Por eso había escrito palabras con errores ortográficos.

—Gracias. Para mí también es un placer conocerte, Henri.

Sonrió al reconocer su nombre y sentí que sobraban las palabras. No fui capaz de enviarle a su casa.

—El Salón de Hombres está justo ahí.

Henri se inclinó mientras su intérprete balbuceaba las indicaciones y se marcharon juntos.

—General Leger —llamé, y hundí la cara en mis manos.

—Sí, alteza.

—Dile a papá que le pondré al corriente dentro de una hora. Ahora necesito despejarme un poco.

Capítulo 10

Sobrevivimos al primer día, a la primera cena y a la primera noche sin incidentes. Las cámaras ya habían empezado a rodar en el comedor y los operarios bostezaban de aburrimiento. No le dirigí la palabra a nadie del grupo. Hasta los propios candidatos estaban tan nerviosos que no se atrevían a charlar entre ellos.

Intuí lo que papá podía estar pensando: «¡Esto es soporífero! ¡Nadie querrá ver esto! Si no conseguimos distraerles ni un segundo, ¿cómo vamos a hacerlo durante tres meses?».

Me miró de reojo varias veces, rogándome que hiciera algo, cualquier cosa, para alegrar un poco el ambiente. Tenía sentimientos encontrados. Por un lado, no quería fallarle, pero si mostraba un ápice de cordialidad, sentaría un mal precedente. Quería que todos ellos supieran que no pensaba bailarles el agua.

Traté de convencerme de que no tenía de qué preocuparme. Por la mañana, todo cambiaría.

Al día siguiente, todos los chicos se pusieron sus mejores galas, listos para el desfile. Un ejército de guardias y mayordomos pululaban por el jardín principal esperando ansiosos el momento de abrir las puertas.

Papá estaba muy orgulloso de mi ingeniosa idea, que, dicho sea de paso, había sido mi mayor contribución a la Selección hasta el momento. Creí que sería interesante hacer un pequeño desfile, algo que jamás antes se había hecho. Estaba segura de que sería la comidilla durante al menos un par de días.

—Buenos días, alteza —saludó uno de los muchachos.

Me acordé de Ean al instante. Después de su curiosa presentación, no era de extrañar que fuera el primero en dirigirse a mí.

—Buenos días —respondí, sin dejar de caminar, sin ni siquiera aminorar el paso.

Tampoco me detuve cuando vi a otros hacer reverencias ante mí o decir mi nombre. Tan solo paré cuando uno de los guardias, el encargado de liderar el proceso, se acercó a mi lado.

—Es una vuelta muy corta, alteza. A unos quince kilómetros por hora, calculo que tardaremos entre veinte y treinta minutos. Los guardias están marcando la ruta para asegurarnos, pero todo el mundo está emocionadísimo. Será divertido.

Entrelacé las manos con gesto calmado.

—Gracias, oficial. No sabe cuánto valoro el trabajo que estás haciendo para que esto salga adelante.

Él apretó los labios en un intento de disimular una sonrisa de satisfacción.

—Estoy a su disposición, alteza.

Se dio media vuelta, dispuesto a marcharse, pero le pedí que se quedara. El oficial estaba tan contento de que le necesitara que hinchó el pecho. Eché un fugaz vistazo a aquella plaga de hombrecitos. Todavía no daba crédito a que hubiera tantos.

Advertí la melena desgreñada de Henri y no pude evitar sonreír. Estaba junto a un grupo de chicos, escuchando atentamente lo que decían y asintiendo, aunque habría jurado que no estaba entendiendo ni una sola palabra. No vi a su intérprete por ningún lado y me pregunté si Henri le habría dado el día libre.

Escudriñé al resto de los pretendientes… y por fin encontré a uno que sí sabía cómo lucir un traje. No era modelo, obviamente, pero entendía que la costura era todo un arte y había ordenado a su mayordomo arreglarle el traje para que le quedara como un guante. Tampoco me pasaron desapercibidos sus zapatos bicolor. Gracias a Dios, recordé su nombre.

—Cuando me suba ahí, me gustaría tener al señor Garner a un lado y al señor Jaakoppi al otro, por favor.

—Por supuesto, alteza. Me ocuparé de ello.

Me giré y observé la carroza. Habían aprovechado la estructura de una de las carrozas de Navidad y la habían adornado con millones de flores veraniegas. Simbolizaba la festividad, la belleza. El perfume de las flores impregnaba el aire y, cuando respiré hondo, aquel aroma dulce y limpio calmó todos mis nervios.

Al otro lado de los muros de palacio se oían los gritos de aquellos que se habían agolpado alrededor de palacio para presenciarlo todo. Después de hoy, olvidarían cualquier error que hubiera cometido la noche antes.

—De acuerdo, caballeros. —La voz del general Leger retumbó en el jardín—. Necesito que formen una fila siguiendo el camino. Después, irán subiendo uno a uno.

Mamá estaba en la parte de atrás, escoltada por papá. Había cogido unas cuantas flores que se habían caído de la carroza por culpa del viento y se las había colocado entre el pelo. Cuando él sacó la cámara y se levantó, le miró con absoluta admiración. Papá rodeó al grupo y empezó a disparar fotografías. Retrató a los chicos, tomó un par de instantáneas de la fuente y, cómo no, también me fotografió a mí.

—¡Papá! —murmuré, un tanto abochornada.

—Alteza —interrumpió el general Leger, y apoyó una mano sobre mi espalda—. Será la última en subir. Me han comentado que quiere a Henri y a Hale a su lado, ¿es eso cierto?

—Sí.

—Buena elección. Son dos chicos educados. De acuerdo, estaremos listos dentro de un momento.

Se acercó a mi madre y le comunicó algo. Ella pareció incomodarse, pero el general Leger empezó a mover las manos para intentar tranquilizarla. Desde mi posición, me costó mucho más interpretar la reacción de papá. O la información no le había molestado en absoluto, o lo disimulaba muy bien.

Los candidatos desaparecieron por una escalerilla escondida. Estaba histérica y no podía dejar de caminar de un lado para otro. De pronto, entre el tumulto de guardias y huéspedes, apoyado sobre el muro, advertí al intérprete de Henri. Ahí estaba, de brazos cruzados, contemplando la escena mientras se mordía las uñas. Sacudí la cabeza y traté de concentrarme.

—No hagas eso —empecé. Pretendía ser firme, sin resultar desagradable—. No querrás que las cámaras te pillen con los dedos en la boca, ¿verdad?

De inmediato, bajó la mano.

—Perdón, alteza.

—¿No subirás ahí? —pregunté refiriéndome a la gigantesca carroza.

Él sonrió.

—No, alteza. Creo que Henri puede saludar con la mano a la multitud sin necesidad de un intérprete. —Sin embargo, presentía que todavía seguía nervioso.

—Estará a mi lado —informé—. Me encargaré de que sepa qué está pasando.

El intérprete dejó escapar un suspiro de alivio.

—Bueno, entonces no tengo por qué preocuparme. Y él estará más que encantado. No deja de hablar de usted.

Me reí.

—Apenas lleváis aquí un día. Ya se le pasará.

—Permítame que lo dude. Está anonadado con usted; con todo, en realidad. La experiencia ya es todo un mundo para él. Su familia ha tenido que trabajar muy duro para llegar hasta aquí, y ahora él se encuentra en un lugar donde puede robarle un segundo de su tiempo... Se siente como un niño con zapatos nuevos.

Alcé la mirada y busqué a Henri. Estaba arreglándose la corbata, esperándome en la carroza.

—¿Eso es lo que te ha dicho?

—No con estas palabras. Es consciente de lo afortunado que es y solo ve virtudes en usted. La verdad es que no calla.

Dibujé una sonrisa triste. Me habría gustado que él mismo me hubiera dicho todo eso en persona.

—¿Tú también naciste en Swendway?

Él negó con la cabeza.

—No. Fui la primera generación que nació en Illéa. Pero mis padres han querido mantener nuestras costumbres, así que vivimos en una pequeña comunidad rodeados de gentes de Swendway, en Kent.

—¿Como Henri?

—Sí. Cada vez son más habituales. Cuando Henri fue seleccionado, su familia publicó un anuncio en el que solicitaban los servicios de un intérprete con experiencia, así que envié el currículo, volé hasta Sota y ahora tengo un trabajo nuevo.

—¿Así que conoces a Henri desde…?

—Hace una semana. Pero hemos pasado la mayor parte del tiempo juntos y, a decir verdad, nos llevamos tan bien que me da la sensación de que le conozco de toda la vida —explicó. Hablaba con mucho cariño de Henri, casi como si fuera un hermano.

—Qué grosera…, ni siquiera sé cómo te llamas.

Se inclinó.

—Soy Erik.

—¿Erik?

—Sí.

—Ah. Esperaba algo distinto.

Encogió los hombros.

—Bueno, esa es la traducción más fiel.

—¿Alteza? —dijo el general Leger. Había llegado mi turno.

—No le quitaré ojo de encima —prometí, y me escabullí hacia la carroza.

La escalera representaba todo un desafío. Llevaba unos tacones de aguja altísimos y, para subir cada peldaño, tenía que remangar un poco la falda del vestido con una mano. Así que no tuve más remedio que ir ascendiendo escalón a escalón. Lograr esa hazaña sin ayuda me hizo sentir muy orgullosa de mí misma.

Comprobé que seguía impecable antes de tomar asiento. Henri se giró hacia mí de inmediato.

—Hola hoy, alteza —saludó con una sonrisa de oreja a oreja. La brisa le alborotaba aquellos rizos dorados.

Posé una mano sobre su hombro.

—Buenos días, Henri. Puedes llamarme Eadlyn.

Torció el gesto, un tanto confundido.

—¿Decirle Eadlyn?

—Sí.

Alzó el pulgar, así que asumí que lo había entendido. No me había equivocado al elegirle como acompañante. Apenas había tardado unos segundos en sacarme una sonrisa. Me quedé detrás de Henri y busqué entre la muchedumbre a Erik. Cuando le avisté, le hice un gesto con la barbilla. Él sonrió y se colocó una mano sobre el corazón, como si eso le hubiera aliviado.

Después me dirigí a Hale.

—¿Qué tal estás hoy?

—Bien —respondió un tanto indeciso—. Alteza, quería volver a pedirle perdón por lo de ayer. No pretendía...

Levanté la mano para silenciarle.

—No, no. Como supongo que podrás imaginar, esto es un poco estresante para mí.

—Sí. No querría estar en sus zapatos.

—¡A mí me encantaría estar en los tuyos! —exclamé, y bajé la mirada—. ¡Me encantan!

—Gracias. ¿Cree que combinan bien con la corbata? Me gusta experimentar, pero no me convencen.

—No. Conjuntan a la perfección.

Hale suspiró, contento por haber causado una buena primera y segunda impresión.

—Bueno, fuiste tú quien aseguró que intentarías ganarte mi mano día a día, ¿me equivoco?

—Tiene toda la razón —contestó, satisfecho de que me acordara de ese detalle.

—¿Y cómo piensas hacerlo hoy?

Él meditó la respuesta.

—Si por un momento cree que va a perder el equilibrio, le ofrezco mi mano. Le prometo que no dejaré que se caiga.

—Eso me gusta. Si crees que te has equivocado de calzado, te sugiero que te calces estos tacones.

—¡Abrimos puertas! —gritó alguien—. ¡Agarraos!

Me despedí de mamá y de papá, y luego me aferré a la barra que rodeaba la parte superior de la carroza. No era demasiado alta, así que, aunque alguien resbalara y se cayera, seguramente se levantaría con un par de rasguños y varios moratones. Sin embargo, los cinco que estábamos en la parte delantera corríamos el riesgo de caer y ser atropellados por la propia carroza. Hale y Henri permanecían serios y tranquilos, pero, en cuanto hice mi aparición estelar, casi todos los demás pretendientes empezaron a aplaudir y a gritarme palabras de ánimo. Burke, por mencionar a uno, no dejaba de chillar:

—¡Vamos, podemos hacerlo!

Aunque, en realidad, lo único que debía hacer era estar ahí y saludar a los espectadores con la mano.

En cuanto abrieron las puertas, el público gritó. Al rodear la esquina, distinguí el primer sector de cámaras. Lo estaban grabando todo. Algunos mostraban carteles para apoyar a su seleccionado favorito y otros ondeaban la bandera de Illéa.

—¡Henri, mira! —dije, y le señalé un cartel con su nombre escrito.

Tardó unos instantes en comprenderlo y, cuando al fin reconoció su nombre, ahogó un grito.

—¡Ala!

Estaba emocionadísimo. De pronto, me cogió de la mano y la besó. Si cualquier otro pretendiente se hubiera atrevido a hacer algo así, me habría fastidiado, y mucho, pero viniendo de él, el gesto me resultó de lo más inocente.

—¡La queremos, princesa Eadlyn! —gritó alguien, y saludé con la mano.

—¡Larga vida al rey!

—¡Que dios la bendiga, princesa!

Articulé varias veces la palabra «gracias». No me esperaba tantas muestras de apoyo. Me sentía pletórica. De hecho, hasta ese día, nunca había tenido la oportunidad de mirar cara a cara a mi pueblo, de oír sus voces. Jamás imaginé que nos necesitaran tanto. Desde luego, sabía que me apreciaban porque, al fin y al cabo, algún día sería su reina. Pero, hasta entonces, siempre que había salido de palacio, quienes habían acaparado todas las miradas habían sido mamá y papá. Ver tantas muestras de cariño dedicadas a mi persona me conmocionó. Quizás algún día me querrían tanto como a papá.

El desfile fue avanzando; la gente ovacionaba nuestros

nombres y arrojaba flores a la carroza. Por lo visto, había logrado mi cometido: dar un auténtico espectáculo. Aquella exhibición estaba yendo mejor de lo previsto, hasta que llegamos al último tramo de la ruta.

Algo me golpeó y, claramente, no fue una flor. Advertí una cáscara de huevo y una tremenda mancha en el vestido. Después recibí el impacto de un tomate. Y luego alguien me arrojó un objeto que no logré identificar.

Me agaché y me cubrí con los brazos.

—¡Necesitamos trabajar! —exclamó alguien.

—¡Las castas no han desaparecido!

Alargué el cuello y vi a un grupo de personas que protestaban a la vez que lanzaban comida podrida a la carroza. Algunos se las habían ingeniado para entrar carteles con mensajes ofensivos sin que los guardias se dieran cuenta. Otros me dedicaban palabras desagradables, llamándome cosas que jamás me habría figurado.

Hale se inclinó a mi lado y me rodeó el hombro.

—No se preocupe, la tengo.

—No lo entiendo —farfullé.

Henri se arrodilló e hizo de escudo humano, protegiéndome de cualquier objeto volador que amenazara con caer sobre mí. A Hale tampoco le tembló el pulso y se convirtió en un escolta. De repente, le oí gruñir y doblarse de dolor cuando algo grande y pesado le golpeó.

Reconocí la voz del general Leger enseguida. Estaba ordenando a los seleccionados que se agacharan. En cuanto todo el mundo estuviera a cubierto, la carroza aceleraría y, probablemente, avanzaría a más velocidad de la permitida. Los espectadores que se habían acercado a disfrutar del desfile empezaron a abuchearnos. Les estábamos arrebatando la oportunidad de ver en vivo y en directo a todo el séquito real.

En cuanto la carroza empezó a rodar por la gravilla de la entrada de palacio, me tranquilicé; cuando el conductor echó el freno, aparté a Hale y me puse de pie de un brinco. Corrí hacia la escalerilla y bajé a toda prisa.

—¡Eadlyn! —gritó mamá.

—Estoy bien.

Papá estaba pálido.

—Cariño, ¿qué ha pasado?

—Ojalá lo supiera —contesté, y me marché echando humo por las orejas, humillada. Lo que acababa de suceder había sido bochornoso, pero las miradas de pena y lástima que veía a mi alrededor todavía me hicieron sentir peor.

Todas sus expresiones parecían gritar «pobrecita». Detestaba su compasión incluso más que a los que creían que aquello era aceptable.

Eché a correr por los pasillos de palacio, con la cabeza gacha y la esperanza de que nadie me detuviera. No era mi día de suerte, desde luego, porque, en cuanto llegué al rellano del segundo piso, me topé con Josie.

—¡*Ecs!* ¿Qué te ha pasado?

No le contesté. Aceleré aún más el paso. ¿Por qué? ¿Qué había hecho para merecer eso?

Neena estaba limpiando la habitación cuando entré.

—¿Señorita?

—Ayúdame —gimoteé, y luego rompí a llorar.

La muchacha vino corriendo y me abrazó con fuerza; sin querer, le manché su prístino e impoluto uniforme de criada.

—Ahora, tranquilícese. Entre las dos arreglaremos este desaguisado. Mientras se desviste, iré preparando el baño.

—¿Por qué querrían hacerme esto?

—¿Quiénes?

—¡Mi propia gente! —respondí, frustrada—. Mis súbditos. ¿Por qué?

Neena tragó saliva.

—No lo sé.

Me pasé una toalla por la cara. Se me corrió todo el maquillaje y, de repente, advertí algo verde en la mano. Las lágrimas volvieron a brotar.

—En unos segundos la bañera estará lista.

Neena se escabulló hacia el cuarto de baño; yo me quedé ahí quieta, sintiéndome impotente y desamparada.

Sabía que el agua se llevaría toda la mugre, el hedor de podredumbre de las verduras que me habían arrojado, pero no había jabón en el mundo capaz de borrar ese recuerdo.

Y

Horas más tarde, me acomodé en una de las sillas de la sala de estar de papá; me había abrigado con el jersey más suave y cómodo que tenía. A pesar del calor, la ropa era mi única armadura, de modo que llevar varias capas de ropa me hacía sentir más segura. Papá y mamá se habían servido una copa; el licor era fuerte, sin lugar a dudas. Podía contar con los dedos de una mano las veces que había visto a mis padres tomarse una copa. Sin embargo, aquel licor tampoco estaba calmando sus nervios.

Ahren llamó a la puerta y entró sin esperar una respuesta. En cuanto cruzamos las miradas, atravesé corriendo la sala y me lancé a sus brazos.

—Lo siento mucho, Eady —susurró, y me dio un beso.

—Gracias.

—Me alegro de que estés aquí, Ahren —comentó papá, que estaba mirando algunas instantáneas del desfile que los fotógrafos le habían entregado. Después, las dejó sobre los periódicos del día.

—Desde luego —contestó mi hermano, que me rodeó el hombro con el brazo y me acompañó hasta mi asiento. Me enrosqué como un gato y él se colocó junto a papá.

—Todavía no doy crédito a lo ocurrido —murmuró mamá, y se acercó la copa a la boca. Titubeó y, al final, decidió no tomar otro sorbo de licor.

—Yo tampoco —farfullé; seguía dolida por aquel arrebato de odio de mi propio pueblo hacia mi persona—. ¿Qué he hecho?

—Nada —aseguró mamá, y se sentó a mi lado—. Están furiosos con la monarquía, no contigo. Hoy, el único rostro que han visto es el tuyo, y por eso te han atacado. Podríamos haber sido cualquiera de la familia.

—Estaba convencido de que una Selección calmaría los ánimos. Pensé que estarían encantados de presenciar algo así —añadió papá, con la mirada aún clavada en las fotografías.

Todos nos quedamos en silencio durante unos instantes. Era evidente que papá había cometido un error de cálculo.

—En fin —empezó Ahren—. Quizá lo estarían si Eadlyn no fuera la protagonista.

Todos le miramos boquiabiertos.

—¿Disculpa? —musité. Aquellas palabras tan crueles me habían llegado al corazón. Estaba a punto de romper a llorar por tercera vez en un día—. Mamá acaba de decir que podría haber sido cualquiera de la familia. ¿Por qué me culpas a mí?

Apretó los labios y miró a su alrededor.

—De acuerdo. Hablemos de esto alto y claro. Si Eadlyn fuera una chica normal, una jovencita que no se crio aprendiendo a controlar cada emoción, cada gesto, cada palabra, esto, probablemente, sería distinto. Pero abre cualquiera de esos periódicos —dijo, señalando la mesilla. Papá obedeció sin rechistar—. No nos engañemos. Muestra una personalidad distante. Mirar las fotografías de la cena de anoche resulta hasta incómodo. Fíjate bien: los miras enfurruñada, como si te molestara su mera presencia.

—Si estuvieras en mi lugar, sabrías lo difícil que es esto para mí.

Ahren puso los ojos en blanco. Él mejor que nadie sabía que mi intención no era, ni de lejos, conocer al hombre de mi vida.

Mamá se levantó y echó un vistazo a las fotografías.

—Tiene razón. Has levantado un muro entre tú y los pretendientes. Es evidente que no hay química... ni romanticismo.

—Escuchadme bien: no pienso hacer un papel. Me niego en redondo a actuar como una petarda delante de un grupo de chicos para entretener a la gente —sentencié, y me crucé de brazos.

Tan solo habían pasado dos días desde el pistoletazo de salida, y ya era un desastre. Supe desde del principio que no funcionaría y, para colmo, me sentía humillada. ¿Se atreverían a pedirme que pasara otra vez por una situación tan bochornosa por el bien de la monarquía cuando era evidente que no iba a ayudar?

El salón volvió a enmudecer. Ilusa de mí, por un momento creí que había ganado la batalla.

—Eadlyn —dijo papá; le miré e intenté que aquella mirada

suplicante no me conmoviera—. Me prometiste tres meses. Estamos sopesando las diversas vías que tenemos para redirigir el país, pero no podemos centrarnos en apagar un fuego si cada dos por tres aparecen más. Necesito que lo intentes.

En ese instante, me percaté de algo que jamás antes me había planteado: su edad. Papá no era viejo, en el significado literal de la palabra, pero a lo largo de su vida había realizado más proezas que la mayoría de la gente que le doblaba la edad. Siempre se había sacrificado, por mamá, por nosotros, por su país, y estaba agotado.

Agaché la cabeza. Debía encontrar un modo de dar a entender que la Selección me importaba, aunque solo fuera por el bien de mi padre.

—Supongo que tienes tus contactos en la prensa, ¿verdad?

Él asintió.

—Contamos con fotógrafos y periodistas de confianza.

—Que haya varias cámaras a primera hora de la mañana en el Salón de Hombres. Yo me ocupo de esto.

Capítulo 11

Al día siguiente, decidí no tomar el desayuno junto a mi familia para evitar ponerme nerviosa. No quería que nadie se percatara de que la conversación de anoche me había dejado completamente desarmada; sentía que, con cada respiración, estaba construyendo una especie de armadura a mi alrededor.

Neena canturreaba una melodía mientras ordenaba el dormitorio. Era otra de sus virtudes. Cuando me retiré a mis aposentos la noche anterior, no solo fue dulce y cariñosa conmigo, sino que además no hizo ninguna pregunta ni volvió a sacar el tema. No tenía que preocuparme por ella y, justamente por eso, la pobre no podía abandonar el palacio ni un solo día. ¿Y yo?

—Hoy es un día para llevar pantalones, Neena —dije.

Ella dejó de tatarear la canción.

—¿Negro otra vez?

—Al menos un poco.

Compartimos una sonrisa y buscó un par de pantalones negros muy ajustados que combiné con unos tacones de infarto. Sabía que, al mediodía, ya no podría dar un paso, pero me dio lo mismo. Me puse una camisa un tanto vaporosa y un chaleco. Encontré una tiara con piedras preciosas que conjuntaba con la camisa perfectamente. Ya estaba lista.

Tomé una decisión: seguir los pasos de papá. Él también había vivido una Selección. El primer día, envió a seis chicas a su casa. Mi plan, para empezar, era eliminar al doble. Pretendía hacer un poco de limpieza y despedir a los candidatos a los que jamás besaría. En cierto modo, demostraría cuán en serio me tomaba el proceso y que el resultado me importaba.

Recé por que existiera una manera de hacerlo sin cámaras delante, pero eran un mal necesario. Tenía una lista mental preparada y, vagamente, sabía qué iba a decir; pero si cometía algún error con todos los reporteros ahí delante, dudaba de que pudiera enmendarlo..., lo que significaba que debía salir a la perfección.

Puesto que la Sala de las Mujeres se consideraba propiedad de la reina, todo hombre que quisiera entrar estaba obligado a pedir permiso. El Salón de Hombres se había improvisado porque así lo había pedido yo, y, por lo tanto, no existía tal formalidad. Fue una entrada triunfal: empujé las puertas dobles y una ráfaga de viento me alborotó el cabello.

Todos los candidatos me miraron, algunos se pusieron de pie al instante, otros dejaron a los reporteros con los que charlaban con la palabra en la boca.

Pasé junto a Paisley Fisher y le oí tragar saliva. Me detuve, dibujé una sonrisa encantadora y apoyé una mano en su hombro.

—Ya puedes irte.

Miró de reojo a todos los que le rodeaban.

—¿Irme?

—Sí, irte. Muchas gracias por haber participado, pero tu presencia en palacio ya no es necesaria.

El muchacho se resistía a marcharse, así que me acerqué y le susurré las instrucciones al oído.

—Cuánto más tiempo te quedes merodeando por aquí, más embarazoso se volverá. Deberías marcharte.

Me aparté y, casi a cámara lenta, el joven se fue alejando hacia la puerta de la sala, con los ojos inyectados en sangre.

No lograba entender por qué se había enojado tanto. No se lo había dicho gritando ni le había echado a patadas. Me felicité por haberme librado de alguien tan infantil y traté de recordar la lista. ¿Quién era el siguiente? Ah..., este se lo merecía.

—Blakely, ¿verdad?

—Sí..., sí —tartamudeó. Se aclaró la garganta, y volvió a hablar—: Sí, alteza.

—Cuando nos conocimos, no dejaste de mirarme el pecho. —Se quedó pálido. Al parecer, creyó que había sido muy sutil y que no me había dado cuenta—. No te olvides de mirarme el culo al irte.

Me aseguré de hablarle lo bastante alto como para que las cámaras y el resto de los pretendientes pudieran oírlo. Con suerte, su humillación serviría para que los demás aprendieran la lección y no se comportaran igual. Blakely bajó la cabeza y se marchó con el rabo entre las piernas.

Continué con mi decapitación particular y me paré frente a Jamal.

—Puedes irte.

A su lado, Connor empezó a sudar.

—Y tú puedes acompañarle.

Se miraron un tanto confundidos y después, sacudiendo la cabeza, se marcharon juntos.

Me crucé con Kile. A diferencia de los demás, no esquivó mi mirada, sino todo lo contrario; me miró fijamente a los ojos y me rogó que pusiera punto final a esa tortura y le expulsara de inmediato.

Le habría eliminado si no hubiera sabido que su madre me habría matado (además, le estaría invitando a dejar el palacio y mudarse a otro sitio) y porque el día anterior, durante el desfile, había leído su nombre en la mayoría de los carteles. Kile era el candidato de la ciudad, y quizá por eso el pueblo se había posicionado a su favor. No podía librarme de él. Al menos por ahora.

A su lado, Hale tenía un nudo en la garganta. Recordé cómo me había protegido durante el alboroto del desfile, recibiendo los golpes de verduras podridas que estaban destinadas a mí.

Me acerqué y, en voz baja, le dije:

—Muchas gracias por lo de ayer. Fuiste muy valiente.

—No fue nada —aseguró—. Aunque el traje no se ha salvado.

Lo dijo de broma, para quitarle hierro al asunto.

—Qué lástima.

Desvié la mirada y seguí mi camino. No creía que las cámaras hubieran grabado la conversación, pero estaba convencida de que habrían captado nuestras sonrisas. Me pregunté si, a raíz de eso, se inventarían todo tipo de historias.

—Issir —llamé. Iba como siempre: desgarbado y con el pelo engominado hacia atrás—. No. Gracias.

Ni siquiera lo cuestionó. Se sonrojó y huyó a toda prisa del salón.

Oí cuchicheos y me pregunté quién sería tan poco cauto como para hablar justo en aquel momento. Me giré y advertí al intérprete de Henri, explicándole a Henri qué estaba sucediendo en el salón. El muchacho parecía inquieto, nervioso, pero, cuando el traductor acabó de hablar, alzó la mirada y me regaló una sonrisa. Era una sonrisa divertida, cómica. Daba la sensación de que, a pesar de estar inmóvil, estuviera jugando a algo.

Puf. Había pensado acabar con su sufrimiento y enviarle a casa, pero parecía encantado de estar ahí. Al fin y al cabo, no podía eliminar a todos los pretendientes, y Henri era inofensivo.

Al pasar junto a Nolan, tan solo di un capirotazo con la mano para echarle. Busqué a Jamie y le anuncié que exigir sus honorarios había sido el modo más ofensivo de presentarse.

Di otra vuelta por el salón para cerciorarme de que no me había dejado a nadie de la lista. Las reacciones de los candidatos que se habían salvado de aquella escabechina iban de interesantes a estrafalarias. Holden seguía histérico, como si creyera que la bomba fuera a caerle en cualquier momento. Jack sonreía de una forma extraña; al parecer, todo aquello le parecía entretenido y emocionante. Al final me crucé con Ean, que, en lugar de apartar la mirada, me guiñó un ojo.

Me llamó la atención que estuviera solo, con un diario encuadernado en cuero y un bolígrafo como única compañía. Por lo visto, no había venido aquí a hacer amigos.

—Guiñar el ojo es un gesto audaz, ¿no crees? —pregunté en voz baja.

—¿Qué princesa no querría a un hombre a su lado que fuera audaz?

Arqueé una ceja.

—¿Y no te preocupa quedar como un arrogante?

—No. Yo soy así. Y no pretendo ocultar nada.

Su presencia me intimidaba un poco, pero me gustaba que tuviera las agallas de ser tal y como era. Me di cuenta de que una cámara nos seguía para capturar mi expresión. Miré hacia otro lado y me aguanté la risa. Seguí adelante y añadí a Arizona, a Brady, a Pauly y a MacKendrick a la lista de desahuciados. Si los cálculos no me habían fallado, había eliminado a once.

Esperé a que todos los descartados hubieran desaparecido. Luego, me encaminé hacia la puerta, me volví y me dirigí a los candidatos restantes.

—Si seguís aquí, es porque habéis hecho algo entre nuestra primera reunión y hoy para impresionarme o porque, al menos, habéis tenido el sentido común de no ofenderme —anuncié. Algunos sonrieron, probablemente pensando en Blakely, y otros se quedaron pasmados—. Quiero pediros a todos que seáis prudentes, porque yo me tomo este asunto muy en serio. Esto no es un juego, caballeros. Es mi vida.

Cerré las puertas y escuché un frenesí de actividad en la sala. Algunos soltaban carcajadas nerviosas, otros suspiraban aliviados y hubo alguien que no dejaba de repetir una y otra vez:

—Oh, Dios mío. Oh, Dios mío.

Las voces de los reporteros se oían sobre las demás; los animaban a relatar sus sensaciones tras la primera eliminación. Solté un suspiró y me alejé muy segura de mí misma. Había dado un paso decisivo. Ahora podía dormir tranquila, pues la Selección seguía su rumbo y yo no iba a defraudarle.

Para compensar el desastre de la primera noche y la completa falta de interacción después del desfile, invitamos a los pretendientes a un té antes de cenar para que así pudieran conocer a todo el servicio y, por descontado, hablar conmigo, su ansiada prometida. Papá y mamá estaban allí, junto con Ahren, Kaden y Osten. Josie acudió con los Woodwork, que trataban de no atosigar demasiado a su hijo. La señorita Lucy no paraba de pasearse por el salón, tan hermosa y encantadora como siempre, aunque no charló con nadie. Las multitudes no eran lo suyo.

Para la cena, escogí un vestido de gala y unos tacones que me dejarían los pies destrozados. Los nervios de la expulsión todavía no habían desaparecido, pero me alegraba saber que por fin había hecho algo para ayudar a papá. Sin embargo, esa alegría se desvaneció en cuanto Ahren se acercó a mí con una mirada de alarma.

—¿Qué diablos has hecho? —preguntó con tono acusatorio.

—Nada —juré—. He convocado una eliminación. Quería demostrar a todo el mundo que la Selección me importa. Al igual que hizo papá.

Ahren se llevó las manos a la cabeza.

—¿Es que no has hecho nada más que leer informes en todo el día?

—Pues no —repliqué—. Quizá no te hayas dado cuenta, pero ese es mi trabajo.

Mi hermano se inclinó y bajó la voz.

—Las noticias te pintan como una viuda negra. Les echaste con cara de engreída. Y expulsaste a casi un tercio de los pretendientes, Eadlyn. La verdad, no parece que te importen, sino que los utilizas a tu antojo —contestó. Sentí que me quedaba sin oxígeno en los pulmones. Y Ahren prosiguió—: Dos de los eliminados han preguntado, del modo más discreto y prudente imaginable, si era posible que prefirieras a las mujeres.

Solté un gemido.

—Ah, ya lo entiendo. Para demostrar que me gustan los hombres, ¿qué tengo que hacer? ¿Besar el suelo por el que pisan?

—No es el momento para ponerte en pie de guerra, Eadlyn. Debes ser más amable y atenta con ellos.

—Disculpe, alteza.

Ahren y yo nos giramos al mismo tiempo. Era una reportera que, a juzgar por su mirada y su sonrisa, estaba al borde de un ataque de histeria.

—Odio interrumpirle, pero me preguntaba si sería posible realizar una entrevista a la princesa antes de entregar mi artículo. —La desconocida volvió a sonreír y, por un momento, temí que me engullera viva, tanto en términos figurados como literales.

—Estará encantada de hacerlo —respondió Ahren.

Después me besó la frente y se esfumó.

De pronto, se me aceleró el pulso. Aquello no entraba en mis planes. Pero de todo lo que en ese momento pudiera ocurrir, lo que más me aterrorizaba era que el público me viera sudar.

—Alteza, hoy ha eliminado a once candidatos. ¿No cree que la expulsión ha sido un poco drástica?

Erguí la espalda y dibujé la más dulce de las sonrisas.

—Comprendo que haya quien piense eso —contesté con diplomacia—, pero ha sido una decisión crucial. En mi opinión, no sería justo ni sensato por mi parte conocer a muchachos groseros o irrespetuosos. Albergo la esperanza de que, al ser un grupo más reducido, tendré la oportunidad de conocer a esos caballeros mucho mejor.

Repetí cada palabra en mi cabeza. No había dicho nada que pudiera parecer humillante o incriminatorio.

—Sí, pero ¿por qué ha sido tan severa? A algunos tan solo les dijo «no», o ni siquiera eso.

Traté de disimular mi preocupación. Con el tiempo, aquello quedaría como una anécdota divertida.

—Cuando mi padre es estricto, nadie le critica, así que no me parece justo que, cuando actúo de forma similar, se me tache de cruel. Voy a tomar una decisión importantísima y por eso me tomo la Selección muy en serio. —Me habría encantado gritarle, pero respondí con ese tono de voz que tanto había practicado para dar entrevistas. Incluso me las ingenié para mantener la sonrisa.

—Uno incluso ha llorado después de que usted se marchara —informó.

—¿Qué? —exclamé; temía que la reportera se percatara de que me estaba poniendo más pálida por segundos.

—Uno de los seleccionados se ha echado a llorar después

de la eliminación. ¿Cree que es una reacción normal o que, al ser tan severa con ellos, usted misma la ha provocado?

Tragué saliva, pero sabía que no podía quedarme callada.

—Tengo tres hermanos. Todos lloran y le aseguro que las razones no siempre tienen mucho sentido.

Ella se rio por lo bajo.

—Entonces, ¿no cree haber sido demasiado dura con ellos?

Sabía perfectamente qué pretendía: estaba repitiendo la misma pregunta, esperando a sacarme de mis casillas y, a decir verdad, estaba consiguiéndolo.

—No logro imaginarme cómo debe de ser estar al otro lado del proceso de Selección y ser eliminada tan pronto. Pero, salvo mi padre, nadie de los presentes sabe qué se siente estando en este lado. Quiero hacer todo lo posible para encontrar a un marido noble y respetable. Y, si ese hombre no puede aguantar un comentario un tanto severo, claramente no podrá ser príncipe. ¡Confíe en mí! —comenté, y le toqué el brazo, como si fuera un cotilleo… o una broma. La desarmé por completo—. Y hablando de pretendientes, espero que me disculpe, pero necesito pasar tiempo con ellos.

Abrió la boca para hacer otra pregunta, pero di media vuelta con la cabeza bien alta. Tuve un momento de indecisión. No podía ir desesperada a la barra a pedir un refrigerio, ni desahogarme, ni tampoco soltar todas las palabrotas que se me estaban ocurriendo y, desde luego, no podía correr a los brazos de papá y mamá. Debía aparentar normalidad, así que di una vuelta por el salón. Cada vez que me cruzaba con uno de mis pretendientes, pestañeaba y sonreía como una boba.

Me llamó la atención que un detalle tan insignificante pudiera provocar sonrisas. En lugar de evitarme, todos suavizaron sus expresiones. También me fijé en que esos breves instantes de consideración y ternura estaban borrando los recuerdos de esa misma mañana en el Salón de Hombres. Recé por que el público también olvidara esa historia tan rápido como ellos.

Sospechaba que, de un momento a otro, alguno de ellos se armaría de valor y vendría a hablar conmigo. Y esa persona resultó ser Hale.

—Y bien, parece ser que esto es una merienda —dijo, y se colocó a mi lado—. ¿Qué prefiere la princesa?

Dio un sorbo a su taza y sonrió con timidez.

Hale tenía un carisma natural y espontáneo, igual que la señorita Marlee, y por eso era muy fácil charlar con él. En aquel momento, agradecí que fuera él el primero en acercarse a charlar conmigo. Era la segunda vez que me rescataba.

—Depende de mi estado de ánimo. O del mes. En invierno soy incapaz de disfrutar de un té blanco, por ejemplo. Pero un té negro me sentaría de maravilla.

—De acuerdo —dijo, y asintió con la cabeza.

—Me ha dicho un pajarito que esta mañana, tras la expulsión, alguien se ha echado a llorar. ¿Es eso cierto?

Hale abrió los ojos como platos y soltó un silbido.

—Sí, fue Leeland. Pensé que se había roto un hueso… o algo así. Tardamos casi una hora en tranquilizarle.

—¿Qué ocurrió?

—¿Qué ocurrió? ¡Usted, alteza! Entra y se pone a eliminar a gente a diestro y siniestro. Supongo que es un chico tímido, y que le habrá cohibido.

Localicé a Leeland de inmediato. Estaba en una esquina, solo. Si de veras estuviera buscando marido, ya le habría descartado.

De hecho, me sorprendió que no me hubiera rogado que le permitiera volver a casa.

—No pretendía ser tan despiadada.

Hale se rio.

—No tiene que ser despiadada. Todos sabemos quién es, y qué puede hacer. Y lo respetamos.

—Eso díselo al tío que me preguntó cuándo le pagarían —murmuré.

Para eso Hale no tenía respuesta. Me sentí culpable de haber desviado la conversación hacia ese tema.

—Y bien, ¿qué toca hoy? —pregunté, y recuperé la compostura.

—¿Perdón?

—¿Cómo piensas demostrarme hoy que mereces mi mano?

Y con una sonrisa, contestó:

—Hoy, prometo que jamás le serviré un té blanco en invierno.

No me dijo adiós ni hizo reverencia alguna, pero se marchó con aire optimista.

Baden se volvió y me miró por encima del hombro. La primera impresión que me causó nada tenía que ver con nuestra charla de presentación. Le veía como el muchacho que, según la tía May, prometía, y mucho.

Era evidente que estaba titubeando; no sabía si acercarse a mí y entablar una conversación o darse media vuelta. Bajé la mirada y, pestañeando como una adolescente sin cerebro, me dirigí hacia él. Actuar así me hacía sentir estúpida, pero lo cierto es que funcionó: en cuestión de segundos, Baden se plantó frente a mí. Por un instante, pensé en la entrevista que me había hecho la reportera; me resultaba curioso, incluso divertido, que fuera una experta en técnicas para desarmar a un periodista o a un político, pero, cuando se trataba de chicos, nadie me había enseñado nada.

Al parecer, Baden estaba impaciente por hablar conmigo, pero los dos nos quedamos pasmados cuando, de pronto, en aquel preciso instante, se acercó otro seleccionado.

—Gunner —saludó Baden—, ¿qué te está pareciendo la fiesta?

—Excelente. De hecho, he venido a agradecer a la anfitriona que la haya organizado. Ha sido un verdadero placer conocer a sus hermanos pequeños.

—Oh, madre. ¿Qué han hecho?

Baden soltó una carcajada y Gunner trató de aguantar un ataque de risa.

—Osten es muy… enérgico.

Suspiré.

—La culpa es de mis padres. Por lo visto, cuando ya has criado tres hijos y tienes un cuarto, tiras todos los valores por la ventana.

—Pero me ha caído bien. Espero verle por aquí.

—No sé si tendrás esa suerte. Es muy escurridizo. Ni siquiera su niñera, a la que, por cierto, desprecia, es capaz de controlarle. Siempre está armando alboroto o escondido en alguna madriguera de palacio.

De repente, Baden nos interrumpió. Me pregunté si pretendía coquetear conmigo o parecer valiente.

—¡Qué carácter tan contradictorio! ¿Todos en su familia son así?

No me costó adivinar qué pretendía preguntar en realidad: ¿era la clase de chica que buscaba consuelo o que provocaba un escándalo por cualquier nimiedad?

—Sin duda.

Baden asintió.

—Es bueno saberlo. Me compraré un escudo y un par de binoculares.

Solté una risa tonta, cosa de la que me arrepentí de inmediato. Se me había escapado. Traté de no enfadarme, ni disgustarme, por haber bajado la guardia.

Con suerte, habría sido una escena perfecta para tomar un par de fotos. Hice una breve reverencia y continué con el paseo.

Vislumbré a Henri al otro lado de la sala. Erik no se apartaba de él. Cuando nuestras miradas se cruzaron, no dudó en aproximarse a mí con paso decidido y con una sonrisa de oreja a oreja.

—¡Hola! *¡Hyvää iltaa!* —exclamó, y me dio un beso en la mejilla, lo que, una vez más, me habría sorprendido si hubiera salido de cualquier otro pretendiente.

—Le da las buenas noches.

—Oh, ejem…, *¿heevat eelah*? —murmuré, tratando de reproducir sus palabras.

Al oírme destrozar su propio idioma, se echó a reír.

—¡Bien, bien!

¿Siempre estaba tan contento?

Me giré hacia Erik.

—Sé sincero. ¿Ha sonado mal?

El intérprete no me mentiría.

—Siento decirlo, pero ni en cien años hubiera adivinado lo que ha dicho, alteza —contestó con tono amable.

Dibujé una sonrisa genuina. Aquella pareja era modesta

y sencilla. Y, teniendo en cuenta que seguramente Henri se sentía un tanto marginado, aquella humildad decía mucho de ellos.

Antes de que pudiera proseguir la conversación, Josie apareció a mi lado.

—Una fiesta genial, Eadlyn. Tú eres Henri, ¿verdad? He visto tu fotografía —dijo, y enseguida extendió la mano para saludarle.

A pesar de estar un tanto desorientado, el muchacho le estrechó la mano educadamente.

—Soy Josie. Eadlyn y yo somos como hermanas —comentó entusiasmada.

—Aunque no somos familia —añadí.

Erik se apresuró a traducirle aquel intercambio de palabras a Henri, de una forma rápida y medio silenciosa, lo cual distrajo a Josie.

—¿Quién eres? —preguntó—. No recuerdo haber visto tu fotografía.

—Soy el intérprete del señor Henri. Él solo habla finlandés.

Josie pareció completamente decepcionada. Y entonces caí en la cuenta de que solo se había inmiscuido en nuestra conversación porque Henri le parecía atractivo. Sin lugar a dudas, parecía más joven que el resto de los candidatos, y además tenía un aire despreocupado que encandilaba a cualquiera. Seguro que Josie había creído que encajaría más con ella que conmigo.

—Y bien… —empezó—, ¿cómo demonios… vive?

Sin consultar nada a Henri, Erik contestó:

—Si de veras es prácticamente la hermana de la princesa, estoy convencido de que en palacio le habrán proporcionado una educación brillante. Y, por lo tanto, sabrá tan bien como nosotros que las relaciones entre Illéa y Swendway son fuertes y ancestrales, lo que ha permitido que muchos de nuestros ciudadanos se establezcan aquí, y que hayan creado pequeñas comunidades…, y viceversa. No es difícil.

Me mordí la lengua. Había puesto a Josie en su lugar. No podía estar más satisfecha por ello.

La muchacha bajó la cabeza.

—Ah, por supuesto. Ejem... —balbuceó y, aunque le costó Dios y ayuda, al final se disculpó—: Perdón.

—Lo siento —susurré una vez que se hubo marchado—. No tiene nada que ver con vosotros dos. Josie es horrible, simplemente.

—No me ha ofendido —contestó Erik con honestidad. Y después empezó a hablar en finlandés con Henri. Supuse que querría explicarle lo que acababa de suceder.

—Disculpadme. Tengo una charla pendiente con alguien, pero os veré en la cena —dije y, tras hacer una reverencia, repasé todo el salón en busca de algún tipo de refugio.

Aquella entrevista me había descolocado por completo, pero me sentía orgullosa por haber recuperado la compostura después del desastre. Sin embargo, Josie tenía el don de sacarme de quicio.

Vi que mamá estaba sola y casi corrí hacia ella; necesitaba un hombro sobre el que llorar. Pero, en lugar de recibirme con los brazos abiertos, me lanzó la misma mirada asesina que Ahren me había dedicado nada más entrar en la sala.

—¿Por qué no nos contaste lo que habías planeado hacer? —preguntó en voz baja. Para que nadie pudiera sospechar de qué estábamos hablando, no borró la sonrisa que tenía pegada en la cara.

Imité la sonrisa y contesté:

—Creí que sería buena idea. De hecho, papá hizo lo mismo.

—Sí, pero a una escala menor y de forma privada. Les has avergonzado en público. Nadie te admirará por ello.

Resoplé.

—Lo siento. De corazón. No me di cuenta.

Ella me rodeó con el brazo.

—No pretendía ser tan intransigente. Sé que lo estás poniendo todo de tu parte.

Y justo entonces se aproximó un fotógrafo para capturar ese momento cándido de madre e hija charlando. ¿Cuál sería el titular?

Tal vez algo sobre la seleccionada instruyendo a la seleccionadora.

—¿Qué se supone que debo hacer ahora?

Escudriñó el salón para cerciorarse de que nadie pudiera escucharnos.

—Tan solo... plantéate un pequeño romance. Nada escandaloso, por el amor de Dios —añadió—. Pero ver cómo te enamoras... Eso es lo que realmente quiere presenciar todo el mundo.

—Pero no puedo provocarlo. No puedo...

—America, mi vida —me llamó papá.

Osten se había derramado el zumo sobre la camisa, así que mamá fue a ayudarle y a cambiarle de muda.

Habría apostado todos mis ahorros y no habría perdido ni un solo céntimo. Lo que acababa de suceder no había sido más que un intento intencionado por parte de mi hermano para salir de aquella estancia.

Me quedé inmóvil, sola. Registré la sala con la mirada tratando de no llamar la atención. Estaba atestada de demasiados rostros desconocidos. Había demasiados ojos extraños observándome, esperando que realizara algún movimiento. Si hubiera dependido de mí, hubiera puesto punto final a la Selección cuatro horas antes. Inspiré hondo. Tres meses y me habría ganado la libertad. Podía hacerlo. No tenía alternativa.

Crucé la sala con paso decidido; sabía con quién debía hablar. Le localicé, me acerqué y le susurré al oído:

—Nos vemos en mi dormitorio. Ocho en punto, ni un minuto más. No se lo digas a nadie.

Capítulo 12

La espera se me hizo eterna. Durante aquellos minutos no pude parar de caminar de un lado a otro de mi habitación. En realidad, Kile era la única persona a quien podía confiarle esa tarea, pero detestaba tener que pedírselo. Estaba preparada para proponerle un trato irrechazable, pero todavía no estaba segura de qué podía ofrecerle a cambio. Seguro que él sabría darme alguna que otra idea.

Apenas oí que llamaba a la puerta; la pregunta que se intuía era la siguiente: ¿qué estoy haciendo aquí?

Abrí la puerta y ahí estaba Kile, más puntual que un reloj.

—Alteza —saludó, y realizó una reverencia cómica—. He venido a hacerte perder la cabeza.

—Ja, ja. Anda, entra.

Kile obedeció y examinó cada una de mis estanterías.

—La última vez que estuve en tu habitación, coleccionabas ponis de madera.

—Eso ya está superado.

—¿Y lo de ser una tirana mandona todavía no?

—Pues no, igual que tú tampoco has superado ser una insufrible rata de biblioteca.

—¿Es así como conquistas a todas tus citas?

Sonreí con suficiencia.

—Más o menos. Siéntate. Tengo una propuesta para ti.

Kile advirtió la botella de vino sobre la mesa y no dudó en servirse una copa.

—¿Quieres una copa?

Suspiré.

—Por favor. Creo que los dos lo necesitamos.

Él se quedó mudo.

—Ahora sí me has puesto nervioso. ¿Qué quieres?

Cogí la copa e intenté recordar el discurso que me había preparado para explicarle la idea que se me había ocurrido.

—Tú sabes cómo soy, Kile. Me conoces desde siempre.

—Cierto. De hecho, justo ayer, en un ataque de nostalgia, rebusqué en mi memoria y encontré un recuerdo muy especial. Tú corriendo por el pasillo con nada más que un pañal. Estabas guapísima.

Puse los ojos en blanco y contuve la risa.

—En fin. Creo que entiendes mi personalidad, que sabes cómo soy cuando las cámaras no me están enfocando.

Él tomó un sorbo de vino y reflexionó sobre mis palabras.

—También te entiendo cuando te están grabando, o eso creo, pero, por favor, continúa.

Nunca me había planteado eso, el cómo me habría visto a lo largo de la infancia, de la adolescencia, tanto dentro como fuera de la pantalla. Delante de una cámara, había algo en mí que cambiaba, y él también lo sabía.

—La Selección no fue idea mía, pero estoy obligada a invertir todos mis esfuerzos para que salga bien. Personalmente, pienso que lo estoy haciendo. Pero el público espera ver a una jovencita con mariposas en el estómago que caiga rendida a los pies de sus pretendientes. Y, si quieres que sea sincera, no me veo capaz de hacerlo. No puedo actuar como una tonta.

—Bueno, de hecho…

—¡Cierra el pico!

Sonrió con malicia y tomó otro sorbo de vino.

—Eres cansino. No sé ni por qué me molesto en intentarlo.

—No, por favor, sigue. No actúes como una tonta.

Dejó la copa sobre la mesa y se inclinó hacia delante, como para mostrar su interés.

Cogí aire y busqué de nuevo las palabras más apropiadas.

—Quieren ser testigos de un romance, pero no estoy preparada para comportarme así públicamente, sobre todo cuando todavía no he conectado con nadie. Pero, aun así, tengo que darles algo.

Agaché la cabeza, pestañeé varias veces y luego le miré con timidez.

—¿Algo como qué?

—Un beso.

—¿Un beso?

—Uno casto. Eres el único pretendiente al que puedo pedírselo; tú sabes de antemano que no sería real, que las cosas no se complicarían. Además, estoy dispuesta a darte algo a cambio.

Kile arqueó las cejas.

—¿Qué?

Me encogí de hombros.

—En realidad, lo que quieras. Siempre y cuando sea razonable. No puedo ofrecerte un país… o algo parecido.

—¿Te importaría hablar con mi madre? ¿Podrías ayudarme a escapar de aquí?

—¿E ir adónde, exactamente?

—A cualquier sitio —respondió un tanto desesperado—. Mi madre… No sé qué debió de ocurrir para que les jurara tal lealtad a tus padres. Ahora se le ha metido entre ceja y ceja que el palacio es nuestro hogar, que jamás nos mudaremos. ¿Sabes cuánto me costó convencerla de que me permitiera realizar ese curso acelerado y vivir fuera de aquí una temporada?

»Quiero viajar, quiero construir, quiero hacer algo más que leer libros. A veces incluso pienso que un día más encerrado entre estas paredes puede matarme.

—He captado el mensaje —murmuré sin pensar. Erguí la espalda y añadí—: Puedo echarte una mano. En cuanto se presente una buena oportunidad, convenceré a tus padres de que lo mejor para ti es abandonar el palacio.

Se quedó callado unos segundos y, tras vaciar la copa de vino, preguntó:

—¿Un beso?

—Solo uno.

—¿Cuándo?

—Esta noche. Habrá un fotógrafo esperando en el pasillo a las nueve en punto. Espero que esté bien escondido porque temo que, si le veo, arruinaré mi actuación.

Kile asintió con la cabeza.

—De acuerdo. Un beso.

—Gracias.

Nos quedamos sentados, en silencio, observando las manillas del reloj. Después de tres minutos, ya no lo soporté más.

—¿A qué te referías con construir cosas?

A él se le iluminó el rostro.

—Es lo que estudio. Diseño y arquitectura. Me gusta idear estructuras, averiguar cómo puedo diseñarlas y, a veces, intento que las formas sean hermosas.

—Eso... suena muy interesante, Kile.

—Lo sé —dijo, y dibujó la misma sonrisa torcida de su padre. Me llamó la atención que el tema le entusiasmara tantísimo—. ¿Quieres verlos?

—¿Ver el qué?

—Algunos de mis diseños. Los tengo en mi habitación. En mi habitación de siempre, claro está, no en la que me han otorgado como seleccionado. Ya sabes, está aquí al lado.

—Claro —murmuré.

Tomé un último sorbo de vino y le seguí. El pasillo estaba desierto. Tan solo avisté a un par de guardias, así que Kile y yo nos escabullimos hacia su dormitorio.

Abrió la puerta, encendió las luces y... me quedé de piedra.

Era... un... absoluto... ¡desastre!

La cama estaba deshecha, había una pila de ropa en una esquina y, sobre la mesita de noche, un montón de platos sucios.

—Sé lo que estás pensando. ¿Cómo diablos la mantiene tan impecable?

—Me acabas de leer la mente —dije. No quería que se diera cuenta de que su habitación me repugnaba, así que traté de disimular. Al menos no apestaba.

—Hace cuestión de un año le pedí al personal que dejara de limpiar mi dormitorio. Y, desde entonces, yo me ocupo de eso. Pero la Selección me pilló algo desprevenido, así que la dejé tal y como estaba.

Empezó a patear cosas bajo la cama y a ordenar todo lo que tenía al alcance.

—¿Por qué no dejas que sean ellos quienes ordenen tus cosas?

—Soy un adulto. Puedo hacerlo solito.

Kile no lo dijo como una crítica hacia mí, pero, en aquel momento, lo tomé como un ataque.

—Cambiando de tema, vamos a mi estudio.

En la otra punta de la habitación, la pared estaba forrada de fotografías y pósteres de todo tipo de edificios, desde rascacielos hasta cabañas de barro. Sobre su escritorio había centenares de dibujos que él mismo había diseñado y maquetas construidas con trozos de madera y de metal.

—¿Has hecho tú todo esto? —pregunté, y, con sumo cuidado, cogí una estructura cuya punta parecía retorcerse.

—Sí. El concepto, el diseño. Me encantaría construir edificios de verdad algún día. Estoy estudiando, pero no puedo aprenderlo todo si no me implico e intento hacer algo con las manos, ¿sabes?

—Kile... —murmuré. Contemplé cada detalle: los colores, las líneas... Y me imaginé la cantidad de tiempo y esfuerzo que habría dedicado a cada uno de sus diseños—. Es maravilloso.

—Son solo tonterías que me gustan.

—No, para. No desmerezcas todo este trabajo. Yo jamás podría hacer algo así.

—Claro que sí —respondió. Se agachó y rebuscó en un cajón una regla con forma de T que luego colocó sobre uno de sus diseños—. ¿Ves? Es cuestión de observar las líneas y hacer los cálculos.

—Buff, más matemáticas. Estoy aburrida de hacer números.

Él soltó una carcajada.

—Pero esto son matemáticas divertidas.

—Matemáticas divertidas es un oxímoron.

Nos sentamos en el sofá y hojeamos varios libros de sus arquitectos favoritos. Comentamos sus obras, estudiamos sus estilos. Él estaba especialmente interesado en el modo en que algunos jugaban con los elementos que rodeaban la edificación.

—¡Fíjate en esto! —exclamaba con gran entusiasmo al girar cada página.

No podía creer que hubiera tardado tantísimos años en descubrir ese lado de su personalidad. Kile se había encerrado en un caparazón para aislarse de todo el mundo porque el palacio le había atrapado. Detrás de todos esos libros y comentarios afilados se escondía una persona curiosa, interesante y, a veces, encantadora.

Me daba la sensación de que había vivido engañada. Solo faltaba que alguien asomara la cabecita por el marco de la puerta y jurara que Josie era una santa.

Kile echó un vistazo al reloj por pura casualidad.

—Son las nueve y diez.

—Ah. Deberíamos irnos —dije, aunque lo que más me apetecía era quedarme en ese sofá. La habitación de Kile, por muy desordenada que estuviera, era el rincón más cómodo en el que jamás había estado.

—Sí —murmuró Kile; cerró el libro y volvió a guardarlo en la estantería.

Aunque el estudio estaba tan patas arriba como el resto de la estancia, era evidente que Kile lo trataba con un cuidado muy especial.

Le esperé junto a la puerta y, de repente, me puse nerviosa.

—Ven —dijo, y me ofreció la mano—. La cita está a punto de acabar, ¿cierto?

Entrelacé mis dedos con los suyos.

—Gracias. Por enseñarme tu trabajo y por hacer esto. Te prometo que te devolveré el favor.

—Lo sé.

Abrió la puerta y empezamos a avanzar por el pasillo.

—¿Cuándo crees que fue la última vez que nos dimos la mano? —pregunté.

—Supongo que cuando éramos niños, en algún juego.

—Supongo que sí.

Avanzamos hasta mi habitación sin mediar palabra. Al llegar a la puerta, me giré y vi que tragaba saliva.

—¿Nervioso? —susurré.

—Qué va —respondió con una sonrisa, pero la voz le traicionó—. Bueno, pues..., buenas noches.

Kile se inclinó, tan solo un puñado de milímetros separaban nuestros labios. Por fin me besó. Fue un beso tierno, largo, apasionado. Cada vez que él separaba los labios, yo aprovechaba para coger aire, rogando a todos los dioses que volviera a besarme. Jamás antes un chico me había besado así, y deseaba que no parara nunca.

Hasta entonces, las oportunidades que había tenido para besar a un chico habían sido muy escasas y, para colmo, en momentos apresurados y poco románticos, como en un guardarropa o tras una estatua. Pero esta vez, con la tranquilidad de que nadie vendría a interrumpirme..., fue distinto.

Me dejé llevar, le atraje hacia mí y él me acarició la mejilla con la mano que tenía libre. Se humedeció los labios y me dio el que sospechaba sería el último beso.

Se apartó, pero lo hizo con delicadeza, rozándome la nariz con la suya. Estaba tan cerca que, cuando habló, distinguí el aroma a vino en su aliento.

—¿Crees que con eso bastará?

—Yo..., bueno..., no lo sé.

—Pues hay que estar seguros.

Y, de repente, volvió a besarme. Ese arranque de pasión me pilló tan por sorpresa que, por un momento, temí que los huesos se me fueran a derretir. Le acaricié el pelo, la nuca, la espalda, cada parte de su cuerpo que tenía al alcance. Habría pagado por pasarme toda la noche así, lo cual jamás habría esperado de mí misma.

Se apartó por segunda vez, sin dejar de mirarme a los ojos. ¿Él también estaba sintiendo que le subía la temperatura de todo el cuerpo?

—Gracias —musité.

—Cuando quieras. Quiero decir... —sacudió la cabeza, riéndose de sí mismo—, ya sabes lo que quiero decir.

—Buenas noches, Kile.

—Buenas noches, Eadlyn.

Me dio un beso inocente en la mejilla y, en un abrir y cerrar de ojos, desapareció por las escaleras que conducían a su habitación de candidato.

Observé cómo se marchaba y me repetí varias veces que el único motivo por el que estaba sonriendo así era porque las cámaras estaban ocultas en algún lugar, no por lo que Kile Woodwork había hecho.

Capítulo 13

—Bueno, creo que he conseguido entretener a todo el mundo durante un rato —presumí mientras paseaba cogida del brazo de Ahren por los jardines de palacio.

—Eso parece —murmuró, y me miró con una sonrisa pícara. Sentí la imperiosa necesidad de pegarle, pero me contuve—. ¿Y qué tal ha ido?

Aquella preguntita colmó el vaso de mi paciencia y esta vez sí que le asesté un golpecito cariñoso.

—¡Serás cerdo! Una señorita como Dios manda jamás comparte esos detalles de su intimidad.

—Claro, ¿y se supone que una señorita como Dios manda deja que le hagan fotos besando a su pretendiente en la oscuridad?

—En cualquier caso, ha funcionado —contesté encogiéndome de hombros.

Mis fotografías con Kile saciaron el hambre voraz de la nación, tal y como habíamos previsto. Aunque reconozco que me asombró descubrir que eso era lo que, en realidad, el pueblo ansiaba ver; pero mientras estuviesen satisfechos, no importaba tanto. Sin embargo, las reacciones ante el famoso beso fueron muy variadas: un puñado de revistas publicó que era algo bonito y romántico, pero la mayoría criticó el hecho de que yo tuviese tantas ganas de regalar un beso en un punto inicial de la competición.

Una de las revistas sensacionalistas del país incluso mantuvo un debate con dos de sus reporteros más importantes sobre si yo era una chica fácil por dar un beso así, o si por el contrario era una monería, ya que los dos nos conocíamos desde pequeños. Traté de ignorarlo; pronto tendrían otros temas de los que hablar.

—He echado un vistazo a la prensa de hoy —comenté—. No han redactado ni un solo artículo dedicado a la discriminación de la época después de las castas.

—¿Y qué planes tienes para hoy? ¿Hacer llorar a los chicos otra vez?

—Solo ha sido uno —protesté poniendo los ojos en blanco—. Pues no lo sé, puede que me tome el día libre.

—Ni en broma —espetó Ahren mientras tomábamos otro sendero—. Ayúdame, Eadlyn, por favor. Si tengo que arrastrarte de los pelos, créeme que lo haré. Asúmelo de una vez. No tienes elección, debes participar en la Selección.

Dejé que mi brazo se soltase del suyo.

—No me entra en la cabeza que la Selección fuera tan difícil para papá.

—¿Se lo has preguntado?

—No, y no me siento capaz. Últimamente, mamá y él han empezado a desvelarme algunos detalles sobre su historia de amor. Opinan que pueden resultarme útiles. Pero, por algún motivo, siempre han reservado pequeñas anécdotas para sí, y me parece desconsiderado preguntar. Además, cualquier otra pareja en la misma situación actuaría de forma diferente; en realidad, no quiero saber si a papá le interesó alguien más aparte de mamá.

—¿No se te hace raro pensarlo? —preguntó Ahren tras sentarse en un banco cercano—. ¡Otra mujer podría haber sido nuestra madre!

—No —respondí enseguida—. Nosotros solo existimos porque ellos se encontraron. Cualquier otra combinación no nos hubiese creado.

—Vas a hacer que me estalle la cabeza, Eady.

—Lo siento, esta situación me está volviendo loca —admití, y empecé a acariciar la piedra con el dedo—. Por un lado, entiendo que el concepto pueda resultar atractivo: que mi media naranja esté ahí fuera, esperándome en algún lugar, y que por casualidad pueda sacar su nombre y nos enamoremos locamente. Pero también está la sensación de ser un trofeo y de estar sometida a un juicio permanente. Cuando miro a todos esos muchachos, me parecen tan diferentes al tipo de gente con la que me suelo codear… Creo que no me gusta. Todo este tema me inquieta.

Ahren se quedó callado un momento y meditó escrupulosamente las palabras que iba a utilizar, lo cual me puso nerviosa.

No sabía si era algo entre mellizos o tan solo un vínculo exclusivo entre él y yo, pero cuando no nos poníamos de acuerdo se notaba casi de forma física. Parecía que una banda elástica estuviese tirando de los dos.

—Escucha, Eady, sé que quizás esta no haya sido la mejor forma de hacerlo, pero realmente creo que es bueno que tengas a alguien en tu vida. Llevo mucho tiempo con Camille e, incluso si lo dejásemos mañana, yo sería una mejor persona gracias a ella. Hay ciertas cosas que uno no aprende de sí mismo hasta que otra persona entra en el rincón más íntimo de su corazón.

—Pero ¿vosotros cómo conseguís eso? Os pasáis la mayor parte del tiempo separados.

—Ella es mi alma gemela. Simplemente, lo sé —contestó con una sonrisa pegada en la cara.

—Yo no creo en las almas gemelas —sentencié mirándome los zapatos—. Por casualidades de la vida, conociste a una princesita francesa. Y eso, por supuesto, porque solo te relacionas con la realeza internacional. De todas las chicas que has conocido, ella es la que más te gusta. Tu verdadera alma gemela podría estar ordeñando una vaca ahora mismo y ni te enterarías.

—Siempre eres tan dura con ella… —musitó. Su tono de voz hizo que la banda invisible se tensase aún más entre nosotros.

—Solo digo que tienes más opciones.

—Y, mientras tanto, tú tienes decenas de opciones delante de tus narices y te niegas a tenerlas en cuenta.

—¿Papá te ha pedido que te involucres en esto? —resoplé.

—¡Claro que no! Deberías vivir esta experiencia con una mente más abierta. Eres una de las personas más protegidas e inaccesibles del país, pero eso no significa que no puedas derribar ese muro infranqueable que han construido a tu alrededor. Date el capricho y permítete tener una relación romántica, aunque sea una vez en tu vida.

—Oye, ¡ya he tenido relaciones románticas!

—Una foto en una revista no cuenta como relación —replicó un tanto acalorado—. Y tampoco el hecho de liarte con Leron Troyes en aquel baile de Navidad en París.

—¿Cómo te has enterado de eso?

—Todo el mundo lo sabe.

—¿Incluso papá y mamá?

—Papá no. Bueno, a menos que mamá se lo haya contado. Me consta que ella está al corriente.

Tuve que esconder mi cara y ahogar un lamento para disimular mi absoluta humillación.

—Lo único que te digo es que esto puede ser bueno para ti.

Ese comentario borró todo rastro de vergüenza, que dejó su lugar a mi rabia.

—Todos decís lo mismo: puede ser bueno para ti... Pero ¿qué significa eso? Soy lista, guapa y fuerte; no necesito que nadie me rescate.

Ahren se encogió de hombros.

—Puede que no. Pero no sabes si alguno de ellos quizá sí lo necesite.

Me quedé mirando el césped, rumiando aquel comentario.

—¿Qué estás haciendo, Ahren? —pregunté meneando la cabeza—. ¿A qué se debe este repentino cambio de actitud? Pensaba que me apoyarías con todo esto.

Me pareció ver un destello de emoción en sus ojos, pero lo contuvo mientras me rodeaba con su brazo.

—Y estoy contigo, Eadlyn. Tú, mamá y Camille sois las mujeres más importantes de mi vida. Así que, por favor, ponte en mi lugar. Entiéndeme. Me preocupa tu felicidad.

—Soy feliz, Ahren. Soy la princesa. Puedo tener todo lo que quiera.

—Creo que estás confundiendo comodidad con felicidad.

Sus palabras me recordaron la reciente conversación que había mantenido con mamá.

Ahren me acarició el brazo, se levantó y se atusó el traje.

—Le prometí a Kaden que le ayudaría con los deberes de francés. Tú solo piensa un poco en todo esto, ¿de acuerdo? Quizá me equivoque; de hecho, no sería la primera vez... —puntualizó, y ambos sonreímos.

Asentí con la cabeza.

—Lo haré.

Me guiñó un ojo y añadió:

—Ten una cita o algo así. Y disfruta de los placeres de la vida.

Me quedé a las puertas del Salón de Hombres. Estaba histérica y no dejaba de caminar de un lado a otro, preocupada por estar perdiendo mi valioso tiempo. Después de la charla con Ahren tendría que haber ido directa al despacho para ponerme al día con el trabajo atrasado. A decir verdad, estaba deseando volver a la monotonía de clasificar documentos. Pero sus palabras, por encima de las de cualquier otra persona, me hicieron replantearme las cosas. Decidí que, al menos, debía intentarlo. Y no limitarme a fingir ante las cámaras, como había hecho hasta ahora.

Me repetí varias veces que, de todas formas, tendría que concertar, como mínimo, una cita con todos ellos. Era lo menos que se me exigía. Y eso no implicaba que al final me decantara por alguno de los candidatos y le nombrara príncipe consorte, desde luego; tan solo cumplía con la promesa que le había hecho a papá y actuaba tal y como el pueblo esperaba de mí.

Suspiré y entregué el sobre al mayordomo.

—Venga, adelante.

Antes de entrar en el salón, hizo una reverencia y yo me quedé esperando fuera.

Había decidido no volver a irrumpir en el Salón de Hombres nunca más. Pretendía que los candidatos estuvieran siempre atentos, pero en el fondo sabía que, de vez en cuando, se merecían un respiro. Quién mejor que yo para saberlo.

El mayordomo volvió un momento después y sostuvo la puerta para que Hale saliera. Cuando se acercó, se me pasaron dos cosas por la cabeza: primero me pregunté qué habría pensado Kile, lo cual me resultó bastante raro. Y después me impactó que Hale estuviera tan desconcertado; se mostró muy cauto y precavido. Se quedó a un metro de distancia, hizo una reverencia y, entre susurros, dijo:

—Alteza.

—¿Por qué no nos tuteamos los dos y me llamas Eadlyn? —le contesté dando una palmada.

Me pareció ver un atisbo de sonrisa en sus ojos.

—Eadlyn.

«No hay nadie sobre la faz de la Tierra más poderoso que yo.»

—Me preguntaba si te apetecería quedar conmigo después de cenar para tomar el postre.

—¿A solas?

Suspiré y le dije:

—¿Acaso quieres invitar a alguien más? ¿También necesitas un intérprete?

—¡No, claro que no! —contestó con una sonrisa de oreja a oreja—. Es que… ha sido una grata sorpresa, eso es todo.

—Ah, vale —farfullé. Fue una respuesta muy mediocre ante una confesión tan dulce, pero me había pillado por sorpresa.

Hale se quedó ahí de pie, sonriendo y con las manos en los bolsillos. Me costaba bastante imaginármelo como a otro más a quien enviaría a casa.

—Bueno, de todas formas me pasaré por tu cuarto unos veinte minutos después de cenar e iremos a uno de los salones del último piso.

—Suena genial, nos vemos esta noche.

—Sí, hasta luego —me despedí, y comencé a caminar.

Me molestó un poco darme cuenta de que me apetecía tener esa cita. Su reacción había resultado ser bastante tierna. De todas formas, lo peor no fue ese sentimiento que la Selección estaba empezando a generar en mí, sino la mirada triunfante de Hale cuando me pilló girándome para mirarle.

Capítulo 14

¿Sería raro cambiarme de vestido entre la cena y el postre? ¿Él pretendía ponerse otro traje? Durante la última semana había lucido mis mejores tiaras, pero ¿sería poco apropiado llevar un complemento tan característico para una cita?

Una cita.

Estaba muy lejos de mi zona de confort. Me sentía vulnerable y no entendía el por qué. Había conocido a centenares de jóvenes apuestos. De hecho, había disfrutado de un interludio espectacular con Leron en la cena de Navidad y había comido fresas con Jamison Akers detrás de un árbol durante un pícnic. Incluso había sobrevivido a una cita con Kile, aunque, en realidad, ni siquiera fue una cita con todas las letras.

Me habían presentado a los treinta y cinco candidatos seleccionados y, en ningún momento, me había exasperado. Ni siquiera me había temblado el pulso. Por no mencionar que ayudaba a gobernar todo un país. Así pues, ¿por qué una cita con un chico me estaba angustiando tanto?

Al final decidí que sí, que me cambiaría. Elegí un vestido amarillo con la falda más larga por detrás que por delante y lo combiné con un cinturón de color azul marino. Aquel atuendo era más propio de un «salgamos a cenar» que de un «estoy lista para una fiesta en el jardín». Ah, y me quité la tiara. ¿Por qué lo había dudado en un principio?

Me miré de arriba abajo en el espejo y recordé que era él quien estaba tratando de conquistarme, y no al revés.

Llamaron a la puerta y me sobresalté. ¡Todavía tenía cinco

minutos! ¡Y habíamos quedado en que yo iría a recogerle! Estaba tirando por tierra toda mi estrategia de preparación. Si arruinaba mis planes, le echaría de allí y volvería a empezar.

Sin esperar a que le abriera la puerta, la tía May asomó la cabeza. Detrás de ella vi la inconfundible sonrisa de mamá.

—¡Tía May! —exclamé, y me lancé a sus brazos—. ¿Qué estás haciendo aquí?

—Imaginé que necesitarías un poco de apoyo, así que aquí me tienes.

—Y yo he venido para añadir un poco más de incomodidad a todo el asunto —bromeó mamá.

Me reí con nerviosismo.

—No estoy acostumbrada a esto. No sé qué hacer.

La tía May arqueó una ceja.

—Según los periódicos, lo estás haciendo de maravilla.

Me sonrojé de inmediato.

—Eso fue distinto. No fue una cita de verdad. No significó nada.

—Pero… ¿esta sí? —preguntó con dulzura.

Encogí los hombros.

—No es lo mismo.

—Sé que todo el mundo dice lo mismo —empezó mamá, y me apartó un mechón de cabello—, pero el mejor consejo que puedo darte es: sé tú misma.

Era más fácil decirlo que hacerlo, desde luego. Porque ¿quién era yo en realidad? Una chica con un hermano mellizo. La heredera de un trono. Una de las personas más poderosas del mundo. La mayor distracción de todo un país.

Nunca fui una hija normal. Una chica normal.

—No te lo tomes demasiado en serio —comentó la tía May mientras se arreglaba el pelo—. Deberías disfrutar de la cita, pasártelo bien.

Asentí con la cabeza.

—Tiene razón —acordó mamá—. No queremos que escojas a tu futuro marido hoy mismo. Tienes tiempo, así que conoce gente nueva y disfruta un poco. Dios sabe que no sueles hacerlo muy a menudo.

—Cierto. Me resulta extraño. Voy a estar a solas con él. Sé

que después se lo contará a los demás pretendientes y, por lo tanto, tendremos que comentarlo en televisión.

—Suena peor de lo que en realidad es. La mayor parte del tiempo es divertido —prometió mamá.

Intenté imaginármela de adolescente, comentando ruborizada sus encuentros románticos con papá.

—Entonces, ¿a ti no te importó?

Apretó los labios y clavó la mirada en el techo del dormitorio, sopesando su respuesta.

—Bueno, al principio fue complicado. Ser el centro de atención me fastidiaba bastante. Pero tú eres brillante en eso; imagina que estás en una fiesta, o en un acontecimiento social sobre el que después te harán varias preguntas.

May miró a mamá de reojo.

—No puede compararse con un banquete de bienvenida —puntualizó, y luego se dirigió a mí—, pero tu madre lleva razón. Dominas las cámaras. A tu edad, a ella se le daba de pena.

—Gracias, May —contestó mamá.

—De nada.

Me reí entre dientes. En ese instante deseé tener una hermana. La otra hermana de mamá, la tía Kenna, había fallecido años atrás por una enfermedad cardiaca. El tío James era un tipo sencillo; no quería criar a Astra y a Leo en palacio, a pesar de que se lo habían ofrecido varias veces. Manteníamos el contacto, por supuesto, pero Astra y yo no nos parecíamos en nada. Todavía recordaba como si fuera ayer el día en que Kenna murió. Mamá se pasó una semana metida en la cama, consolando a May y a la abuela Singer. Hacía tiempo que me rondaba una idea por la cabeza; quizá, para mi madre, perder a una hermana fue como perder una parte de sí misma. Sabía que, si algo le sucedía a Ahren, yo me sentiría igual.

La tía May le dio un suave codazo a mamá y se sonrieron con complicidad. Nunca discutían ni se peleaban por cosas importantes. Al final, consiguieron su objetivo: calmar mis nervios.

Llevaban razón. No era nada.

—Lo vas a bordar —dijo mamá—. Tú no conoces el fracaso —añadió. Me guiñó un ojo y, de inmediato, me sentí más valiente, más segura de mí misma.

Comprobé la hora.

—Debería irme. Gracias por venir —dije, y acaricié la mano de la tía May.

—Ningún problema.

Me estrechó entre sus brazos. Luego abracé a mamá.

—Diviértete —murmuró.

La tía May y mamá se marcharon en dirección opuesta a la mía, así que me alisé el vestido y me dirigí hacia la escalera.

Al llegar a la habitación de Hale, respiré hondo y me tomé unos instantes antes de llamar a la puerta. Él, y no su mayordomo, fue quien me abrió la puerta. Al parecer, estaba encantado de verme.

—Estás fantástica —dijo.

—Gracias —respondí con una sonrisa—. Tú también.

Se había cambiado de ropa, lo que me hizo sentir mucho más cómoda. De hecho, el cambio me gustó, y mucho.

Se había quitado la corbata y se había desabrochado el botón de la camisa. Entre eso y el chaleco, estaba…, para qué mentir, estaba guapo.

Hale se metió las manos en los bolsillos.

—Y bien, ¿adónde vamos?

Señalé el pasillo.

—Por aquí, al cuarto piso.

Se balanceó y, un tanto indeciso, me ofreció el brazo.

—Tú mandas.

—De acuerdo —empecé mientras avanzábamos hacia las escaleras—. Conozco lo básico. Hale Garner. Diecinueve años. Belcourt. Los formularios son concisos y bastante sosos. Así pues, ¿cuál es tu historia?

Él se rio por lo bajo.

—Bueno, soy el mayor de la familia.

—¿De veras?

—Sí. Tres hermanos.

—Buff, no sabes cuánto compadezco a tu madre.

Esbozó una sonrisa.

—Bueno, a ella no le importa. Le recordamos a papá, así que cuando alguno de nosotros levanta un poco la voz o se ríe de algo, ella suspira y nos dice que somos clavaditos a él.

No quería parecer indiscreta, pero quería saber la verdad.

—¿Tus padres están divorciados? —pregunté, aunque dudaba que ese fuera el caso.

—No. Él murió.

—Lo siento —murmuré. Me sentía avergonzada por haber invocado su recuerdo.

—No pasa nada. Era imposible que lo supieras.

—¿Puedo preguntarte cuándo murió?

—Hará ya unos siete años. Sé que esto te sonará un poco raro, pero a veces envidio a mi hermano pequeño. Beau tenía seis años cuando sucedió. Recuerda a papá, pero no tan bien como yo, ¿entiendes? Ojalá fuera más fácil no echarle tanto de menos.

—Apuesto a que él te envidia justo por lo contrario.

Me regaló una sonrisa triste.

—Nunca se me había ocurrido, la verdad.

Empezamos a subir la escalinata principal. Cuando alcanzamos el rellano del cuarto piso, reanudé la conversación.

—¿A qué se dedica tu madre?

Hale tragó saliva.

—Ahora mismo trabaja como secretaria en la universidad local. Ella..., bueno, le ha costado mucho conseguir un trabajo digno. Pero este le gusta y, si no me falla la memoria, ya lleva varios meses trabajando allí. Acabo de darme cuenta de que he empezado con un «ahora mismo». Antes cambiaba de trabajo como de camisa, pero, a decir verdad, este empleo parece bastante estable.

»Como ya te dije cuando nos conocimos, mi padre era un Dos. Era un atleta de élite. Durante una operación de rodilla, se formó un coágulo que le llegó al corazón. Mamá no había trabajado ni un solo día en su vida, porque, entre sus padres y su marido, tenía las necesidades más que cubiertas. Cuando él falleció, lo único que sabía hacer era ser la esposa de un jugador de baloncesto.

—Oh, no.

—Sí.

Cuando por fin llegamos al salón, lo agradecí. ¿Cómo lo había logrado papá? ¿Cómo se las había ingeniado para conocer a fondo a todas las seleccionadas y encontrar a su esposa? No llevábamos ni cinco minutos de cita, y ya estaba agotada.

—Vaya —exclamó Hale. Las vistas eran impresionantes. Desde los salones del cuarto piso que daban al jardín delantero, se podía apreciar la ciudad que se extendía más allá de la muralla. Por la noche, Angeles desprendía un resplandor hermoso. Además, había pedido que bajaran la intensidad de la luz del salón para poder admirar la panorámica.

Se había dispuesto una pequeña mesa en el centro de la sala con varios pasteles distintos. Al lado nos esperaba un vino de postre. Jamás había intentado organizar una noche romántica, pero, para ser la primera vez, había hecho un buen trabajo.

Hale, en un gesto caballeroso, me apartó la silla para que me sentara.

—No sabía qué te gustaba, así que he pedido varios. Estos son de chocolate, aunque es obvio —dije señalando los pastelitos—. Y estos son de limón, de vainilla y de canela.

El muchacho observaba con la boca abierta todas las tartas que nos habían preparado.

—Escucha, no pretendo parecer maleducado —dijo—, pero, si quieres algo, cógelo ahora, porque mucho me temo que devoraré todos estos postres.

Solté una carcajada.

—Pues sírvete.

Se metió un pastelito de chocolate entero en la boca.

—Mmmmmmmm.

—Prueba el de canela. Te cambiará la vida.

Estuvimos un buen rato degustando aquellas exquisiteces y preferí dejar su vida personal al margen, al menos por esa noche. Así que nos trasladamos a territorio seguro; ¡podía hablar de postres durante horas! Pero luego, sin previo aviso, Hale empezó a charlar de su vida de nuevo.

—Mi madre trabaja en la universidad, y yo, en una sastrería del pueblo.

—¿Ah, sí?

—Sí. La ropa es mi debilidad. Bueno, ahora. Cuando papá falleció, no podíamos comprarnos muchas cosas, así que aprendí a zurcir los rotos de las camisetas de mis hermanos, o a bajar el dobladillo de los pantalones para que no se notara que habían crecido. Mamá tenía un montón de vestidos para vender y sacar algo de dinero, así que cogí un par de prendas y las combiné para regalarle un conjunto nuevo. No era perfecto, desde luego, pero se me daba bien. Gracias a eso, conseguí el empleo.

»Por eso leo y estudio todo lo que Lawrence hace. Es mi jefe. De vez en cuando me deja encargarme de algún proyecto. Supongo que eso es lo que haré en el futuro.

Esbocé una sonrisa.

—No me cabe la menor duda de que eres uno de los chicos más espabilados de todo el grupo. Te has hecho a ti mismo.

Él sonrió con timidez.

—No me ha quedado más remedio, la verdad. Mi mayordomo es genial, siempre me ayuda a que todo esté impecable. No sé si valora mi estilo, el modo en que combino la ropa, pero quiero parecer todo un caballero sin perder mi esencia. No sé si me explico.

Asentí con entusiasmo mientras mordisqueaba un delicioso pastelito.

—¿Te haces una idea de lo difícil que es ser princesa cuando te pirran los vaqueros?

Dejó escapar una risita.

—¡Pero tú has encontrado el equilibrio perfecto! A ver, llenan revistas con todos los modelitos que luces dentro y fuera de palacio, así que te aseguro que he visto varios. Tienes un estilo muy particular.

—¿Tú crees? —pregunté, animada. Últimamente, solo me llovían críticas, así que aquel cumplido fue más que bienvenido.

—¡Por supuesto! —insistió—. Vistes como una princesa, pero con estilo propio. No me sorprendería si ahora me confesaras que eres la cabecilla de una mafia de mujeres.

Escupí el vino y manché el mantel. Hale estalló en una carcajada.

—¡Lo siento mucho! —me apresuré a decir. Las mejillas me quemaban—. Si mamá hubiera presenciado esto, me echaría un sermón memorable.

Hale se secó las lágrimas de los ojos y se inclinó sobre la mesa.

—¿De veras te dan sermones? Entre tú y yo, ¿no diriges el país?

Me encogí de hombros.

—En realidad, no. Papá se encarga de la mayor parte del trabajo. Él, en cierto modo, me instruye.

—Pero es pura formalidad, ¿no?

—¿A qué te refieres? —pregunté. Mis palabras sonaron más afiladas de lo que pretendía porque, de repente, le cambió la expresión.

—No quería criticarle ni nada por el estilo, pero hay muchos que aseguran que está cansado. He oído a muchos clientes especular sobre cuándo ascenderás al trono.

Bajé la mirada. ¿Sería verdad que el pueblo comentaba que papá estaba agotado?

—Eh —dijo Hale, captando de nuevo mi atención—. Mil perdones. Tan solo pretendía entablar conversación. Te prometo que no quería ofenderte.

—No te preocupes. Es solo que no me imagino gobernando el país sin papá a mi lado.

—Me hace gracia oírte hablar del rey como «papá».

—¡Pero es él! —protesté, y sonreí una vez más.

Hale hablaba de tal modo que hacía que todo pareciera más tranquilo, más pacífico. Y eso me gustaba.

—Lo sé, lo sé. De acuerdo, charlemos de ti. Además de ser la mujer más poderosa del planeta, ¿qué haces para divertirte?

Mordí otra tartaleta para disimular mi sonrisa.

—Te sorprenderá saber, o quizá no, que soy una apasionada de la moda.

—¿Qué? —contestó con tono sarcástico.

—Hago bocetos. Es mi pasión. Por otro lado, también comparto algunas aficiones con mis padres. Sé un poco de fotografía y toco el piano. Pero, al final del día, siempre vuelvo a mi libreta.

Sabía que estaba sonriendo como una boba. Aquellas páginas, repletas de garabatos de colores, eran mi refugio, el lugar más seguro del mundo, mi remanso de paz.

—¿Podría verlos?

—¿Qué? —pregunté, y de inmediato erguí la espalda.

—Tus esbozos. ¿Podría echarles un vistazo algún día?

Nadie había visto mis bocetos. Tan solo enseñaba mis diseños a las doncellas por obligación, porque ellas eran las encargadas de coserlos. Sin embargo, por cada dibujo que enseñaba, escondía una docena, porque, en el fondo, sabía que jamás me pondría esos vestidos. De vez en cuando pensaba en aquellas prendas; todas ellas estaban guardadas en mi cabeza o en carpetas. Mantenerlas en secreto era el único modo de que fueran solo mías.

Hale no comprendió mi repentino silencio, ni por qué me agarré a los brazos del sillón. El hecho de que me hiciera esa pregunta, asumiendo que era bienvenido a ese mundo, me hizo sentir vulnerable. Eso no me gustó un pelo.

—Discúlpame —dije, y me puse en pie—. Creo que me he pasado con el vino.

—¿Quieres que te acompañe? —se ofreció, y también se levantó.

—No, por favor. Quédate, disfruta de estos manjares —respondí, y me dirigí hacia la puerta a toda prisa.

—¡Alteza!

—Buenas noches.

—Eadlyn, ¡espera!

Cuando llegué al pasillo, eché a correr. Al comprobar que no me seguía, sentí un gran alivio.

Capítulo 15

Sabía que no era culpa mía. Ni por asomo. De hecho, sabía muy bien a quién señalar con el dedo: a todos los que se apellidaban Schreave. Culpaba a mis padres por no ser capaces de controlar al país y por forzarme a esta situación. Recriminaba a mi hermano Ahren haber intentado convencerme de que me tomara en serio a aquella panda de chicos.

Mi destino era ser la reina. Y una reina podía ser muchas cosas..., excepto vulnerable.

La charla con Hale de la noche anterior me hizo abrir los ojos. Había estado en lo cierto desde el principio. Era imposible que pudiera encontrar al hombre de mi vida en tales circunstancias. Me parecía un verdadero milagro que alguien, en el pasado, lo hubiera conseguido. Abrirse a un puñado de desconocidos no podía ser bueno para el alma.

Segundo, si algún día contraía matrimonio, las posibilidades de conocer a alguien a quien amar incondicional y eternamente me parecían remotas. El amor podía desarmar las defensas de cualquiera, y eso no era algo que pudiera permitirme. Adoraba a mi familia y, por ello, ellos eran mi debilidad, sobre todo papá y Ahren. No estaba dispuesta a exponerme de ese modo.

Ahren sabía que sus palabras podían influirme, sabía cuánto le quería. Y justamente por eso, tras huir despavorida de mi cita, quise estrangularle más que al resto.

Bajé a desayunar. Caminé con paso decidido, como si nada hubiera cambiado. Seguía teniendo la sartén por el mango; un grupo de jovencitos estúpidos no iba a arruinarme la vida. Esa mañana me había levantado con un único objetivo: ponerme al día con el trabajo.

Había tenido demasiadas distracciones en los últimos días y tenía que centrarme. En algún momento, papá dejó caer que contrataría a alguien para que me echara una mano con el trabajo, pero todo se quedó en eso, en una promesa.

Ahren y Osten estaban sentados junto a mamá. Tomé mi asiento, entre papá y Kaden. Aunque estaba al otro extremo de la mesa, oía a Osten masticar.

—¿Estás bien, hermanita? —me preguntó Kaden, que se estaba comiendo los cereales a cucharadas.

—Desde luego.

—Pareces un poco estresada.

—Si el futuro del país estuviera en tus manos, a ti te pasaría lo mismo —respondí.

—A veces lo pienso —dijo, y se puso serio—. ¿Y si una plaga asolara Illéa y todos vosotros (papá, mamá, Ahren y tú) cayerais enfermos y murierais? Entonces estaría a cargo del país y tendría que tomar decisiones yo solito.

Por el rabillo del ojo advertí que papá se inclinaba ligeramente hacia delante para escuchar a su hijo.

—Eso es un poco macabro, Kaden.

Él se encogió de hombros.

—Mejor prevenir que curar.

Apoyé la barbilla sobre una mano y pregunté:

—¿Y cuál sería tu primera decisión, rey Kaden?

—Vacunas, claro está.

Solté una risita.

—Bien visto. ¿Y después?

Meditó la respuesta.

—Creo que intentaría conocer la opinión del pueblo. Me entrevistaría con gente, a poder ser sana, para así averiguar qué necesitan. Estoy seguro de que la vida se ve distinta ahí fuera.

Papá asintió.

—Muy inteligente, Kaden.

—Lo sé —murmuró, y volvió a zamparse una cucharada

de cereales. Su rey imaginario desapareció de inmediato. Qué suerte.

Jugueteé con la comida que tenía en el plato mientras, con disimulo, observaba a papá de reojo. Sí, anoche yo también me había dado cuenta de que parecía cansado. Pero había sido algo puntual. Era evidente que los años no pasaban en vano, que necesitaba gafas y que se le había arrugado la piel, pero eso no significaba que estuviera agotado. ¿Qué sabía Hale?

Miré a mi alrededor. Los chicos estaban charlando entre ellos en voz baja. Ean conversaba con Baden. Burk se había manchado la corbata. Con una discreción envidiable trató, sin éxito alguno, de borrar el lamparón. También vi a Hale, y me alegré de que en ese instante no estuviera mirándome. En el otro extremo de la mesa estaban Henri y Kile. Erik traducía la conversación con una paciencia infinita y, a juzgar por sus gestos, intuí que el tema debía de ser más que interesante.

Estaba completamente cautivada. Durante un minuto traté de imaginar de qué estarían hablando, pero de nada sirvió. Observé a Kile y no pude evitar fijarme en sus manos. Me gustaba ver cómo gesticulaba con ellas o cogía un tenedor. Con ellas dibujaba. Y, mejor todavía, con ellas me había acariciado la mejilla mientras me besaba.

De pronto, Kile se percató de que los estaba vigilando y me saludó con una sonrisa. A Henri no le pasó desapercibido el gesto y enseguida se volvió y levantó una mano. Incliné la cabeza con la esperanza de que nadie hubiera notado que me había puesto como un tomate. De inmediato, Henri se giró para decirle algo a Erik, que, a su vez, se lo tradujo a Kile. Este arqueó una ceja y asintió con la cabeza. Era fácil de suponer que estaban hablando de mí. Me pregunté si Kile habría compartido ciertos detalles de nuestro beso.

La tía May era la única persona sobre la faz de la Tierra a quien podía confesarle ese beso con pelos y señales sin que se escandalizara. Mentiría si dijera que no había rememorado aquel momento en el pasillo unas cuantas veces.

Ahren se levantó, dio un beso a mamá en la mejilla y se dispuso a marcharse.

—Ahren, espera. Necesito hablar contigo —dije, y me puse en pie.

—¿Nos vemos ahora, cariño? —preguntó papá.

—Subiré al despacho enseguida. Lo prometo.

Ahren me ofreció el brazo y me acompañó hasta la puerta. Llamamos la atención de todos los presentes. Allá donde fuera, me seguía una especie de energía. Era una sensación agradable.

—¿De qué quieres hablar?

Sin borrar la sonrisa, susurré.

—Te lo diré cuando lleguemos al pasillo.

De pronto, él se tambaleó.

—Cielo santo.

Cuando doblamos la esquina, me solté del brazo y le asesté un golpe en el hombro.

—¡Ay!

—Anoche tuve una cita. Fue horrible. ¡Y todo por tu culpa!

Ahren se masajeó el brazo.

—¿Qué ocurrió? ¿Se portó mal contigo?

—No.

—¿Es que...? ¿Se propasó? —dijo en voz baja.

—No —repetí, y me crucé de brazos.

—¿Fue grosero? ¿Irrespetuoso?

Resoplé.

—No exactamente, pero fue... raro.

Exasperado, alzó los brazos a modo de rendición.

—Bueno, ¿y qué esperabas? Si tuvieras una segunda cita con él, iría mucho mejor. Esa es la idea. Conocer a alguien requiere tiempo... y paciencia.

—¡Pero no quiero que me conozca! De hecho, ¡me niego a que todos esos chicos me conozcan!

Él me miró con el ceño fruncido.

—De todas las personas del mundo, siempre creí que tú serías la única a quien comprendería fuese cual fuese la situación. Pensé que sería recíproco. Pero te burlas de mí porque estoy enamorado. Y ahora, cuando se te presenta la oportunidad de conocer a alguien especial, te pones histérica.

Le señalé con un dedo acusatorio y pregunté:

—¿No fuiste tú quien dijo que todo esto era absurdo? ¿Acaso no eras tú el que se moría de ganas de verlos sufrir? Si no me falla la memoria, los dos estábamos de acuerdo en que esto era una broma. Y ahora resulta que, de la noche a la mañana, eres el presidente del club de fans de la Selección.

El silencio que reinaba en el pasillo era apabullante. Esperaba que Ahren me rebatiera o que al menos se explicara.

—Siento haberte decepcionado. Pero creo que tu enfado no es por una simple cita. Si quieres un consejo, averigua qué te asusta tanto.

Erguí la espalda y levanté la barbilla todo lo que pude.

—Seré la próxima reina de Illéa. No me asusta absolutamente nada.

Ahren retrocedió varios pasos.

—Sigue repitiéndote eso, Eadlyn. A ver si así solucionas el problema.

Y, sin mediar palabra, me dio la espalda y se marchó. Sin embargo, no llegó muy lejos. Josie había invitado a unas amigas a palacio. Al verle en mitad del pasillo, se derritieron. Reconocí a una de ellas del día en que salí a tomar el sol al jardín. La recordaba porque fue la única que se había dirigido a mí con educación.

Las observé desde la distancia. Todas bajaron la cabeza y le dedicaron una sonrisa tímida. Ahren se portó como un caballero, como siempre.

—Josie dice que su dominio de la literatura es impresionante —comentó una de las chicas.

Ahren apartó la mirada.

—Exagera. Me gusta leer, cierto, y escribo de vez en cuando, pero nada es lo bastante bueno como para compartirlo.

Otra de las amigas de Josie se metió en la conversación.

—Permítame que lo ponga en duda, alteza. Apuesto a que nuestro tutor estaría encantado de que viniera a darnos clase algún día. Me gustaría saber su opinión sobre algunos de los libros que hemos leído.

Josie entrelazó ambas manos.

—Ah, sí, por favor, Ahren. ¿Por qué no vienes a darnos clase?

Todo su séquito se echó a reír. Josie le había llamado por su nombre de pila, algo habitual porque se había criado a su lado.

—Me temo que tengo muchísimo trabajo acumulado. Quizás en otro momento. Que tengan un día maravilloso, señoritas.

Hizo una pequeña reverencia y continuó su camino. Ni siquiera tuvieron la decencia de esperar a que se hubiera alejado para estallar a reír como unas idiotas.

—Es tan guapo —opinó una, que estaba a punto de desmayarse.

Josie suspiró.

—Lo sé. Es tan dulce conmigo. El otro día salimos a dar un paseo juntos y… ¿Sabéis qué me dijo? Que soy una de las chicas más hermosas que ha conocido.

No pude soportarlo ni un segundo más. Salí disparada hacia ellas.

—Eres demasiado pequeña para él, Josie. Y, además, tiene novia. Déjalo de una vez.

Rodeé la escalera y me dirigí hacia el despacho. Sabía que, si hacía algo útil, algo que pudiera tachar de una lista, me sentiría mucho mejor.

—¿Lo veis? —oí decir a Josie, que no se molestó ni en bajar la voz—. Ya os dije que es una bruja.

Capítulo 16

Trabajar no mejoró mi estado de ánimo. Seguía muy desconcertada por lo ocurrido en la cita con Hale. Además, cada vez que discutía con mi hermano mellizo, perdía mi equilibrio. El planeta dejaba de girar sobre su eje. Y, como guinda del pastel, no podía quitarme de la cabeza aquel ridículo comentario de Josie.

En mi mente se arremolinaban palabras ajenas, comentarios, dudas, preguntas, e intuía que el día solo haría que empeorar.

—¿Quieres saber algo? —dijo papá, y levantó la vista de una documentación—. Yo también me preocupé al principio. A medida que el grupo de pretendientes va menguando, todo se hace más fácil.

Sonreí. «Está bien, deja que piense que he tenido un flechazo», me dije.

—Lo siento, papá.

—En absoluto. ¿Quieres que me ocupe de tu trabajo hoy? ¿Necesitas tomarte la tarde libre?

Coloqué bien mis papeles.

—No, claro que no. Soy perfectamente capaz de compaginar ambas cosas.

—Y no me cabe la menor duda, cariño. Yo solo…

—La Selección ya me ha robado demasiado tiempo de mi trabajo. No quiero desatender mis obligaciones. Estoy bien.

No pretendía ser tan brusca con él.

—De acuerdo —murmuró; se ajustó las gafas y reanudó su lectura.

Yo, por mi parte, traté de hacer lo mismo.

¿Qué había querido decir Ahren con que no estaba enfadada solo por la cita? Yo sabía muy bien por qué estaba molesta. ¿Y en qué momento me había mofado de él por su relación con Camille? No hablaba con ella mucho, en eso llevaba razón, pero solo era porque apenas teníamos cosas en común. Pero la chica no me caía mal.

Sacudí la cabeza y me centré en el papeleo.

—No te sientas culpable por querer airearte un poco —insistió papá—. Podrías ir a buscar a uno de los seleccionados y disfrutar de su compañía. Vuelve después del almuerzo. Así tendrás algo que comentar en el *Report*.

Me invadió un sinfín de emociones. Me aterraba reconocer que, después de mi cita con Hale, me sentía demasiado expuesta… o que el apasionado beso con Kile me había dejado aturdida. Intentar comprender aquellos sentimientos tan opuestos ya era bastante abrumador por sí solo; no quería añadir un número más a la ecuación.

—Anoche tuve una cita, papá. ¿No es suficiente?

Se quedó pensativo.

—Tienes que empezar a avisarnos de tus citas. A todos nos iría bien tener a mano las fotografías de un puñado de pretendientes. Y, en mi humilde opinión, deberías tener al menos una cita más antes del viernes.

—¿Hablas en serio? —lloriqueé.

—Planea algo divertido. Y deja de considerarlo como un trabajo.

—¡Pero es que lo es! —protesté con una carcajada de incredulidad.

—También puede ser agradable, Eadlyn. Dale una oportunidad —añadió. Me miró por encima de sus gafas y, por un instante, pensé que me estaba desafiando.

—De acuerdo. Una cita. Es todo lo que pienso darte, abuelo —bromeé.

El comentario le pareció gracioso.

—Abuelo, eso me gusta.

Papá se centró de nuevo en el trabajo, satisfecho. Yo, en cambio, me quedé ahí sentada, observándole desde mi escritorio. Estiraba los brazos cada dos por tres, se frotaba la nuca y, a pesar de que aquel día no había tareas urgentes, no dejó de pasarse los dedos por el pelo, como si estuviera intranquilo.

No podía quitarme a Hale de la cabeza, así que iba a estar vigilándole muy de cerca.

Decidí que Baden sería mi próximo objetivo. Quizá la tía May se había olido algo, porque el muchacho no se mostró presuntuoso, ni tampoco trató de esconderse. Cuando alguien le arrebató su momento de gloria, no montó ninguna escena. Y, cuando me acerqué a él para pasar un tiempo a solas, centró toda su atención en mí.

—Toca el piano, ¿verdad? —preguntó Baden cuando le propuse una cita.

—¿Por qué no me tuteas? Y sí. No tan bien como mi madre, pero no se me da mal.

—Lo mío es la guitarra. Quizá tú y yo podríamos componer algo de música juntos.

Jamás se me habría ocurrido tal cosa. La música podría comprometerme menos que una larga conversación, así que acepté sin pensármelo dos veces.

—Claro. Reservaré la Sala de las Mujeres para nosotros.

—¿Se me permite entrar ahí? —murmuró con cierto escepticismo.

—Si estás conmigo, sí. Me aseguraré de que no venga nadie más. Mi piano favorito de palacio está ahí. ¿Necesitas una guitarra?

Él respondió con una sonrisa de superioridad.

—Qué va. Me he traído la mía.

Baden se pasó una mano por el cabello. Parecía muy relajado. Yo seguía empecinada en aparentar ser una muchacha distante e inescrutable, pero, aun así, había un grupito de candidatos a los que mi actitud no les achicaba en absoluto. Baden era uno de ellos.

—¿Qué posibilidades hay de que la sala esté vacía ahora mismo? —preguntó.

Aquel entusiasmo me sacó una sonrisa.

—Muchísimas, de hecho. Pero tengo trabajo que hacer.

Bajó la cabeza y advertí una mirada traviesa.

—Siempre hay trabajo que hacer. Apuesto a que trabajarías hasta las tres de la madrugada si fuera necesario.

—Cierto, pero…

—El trabajo seguirá ahí cuando regreses.

Junté las manos y medité la propuesta.

—Se supone que no debo saltarme…

Y él, en voz baja, empezó a canturrear:

—¡Sáltatelo! ¡Sáltatelo! ¡Sáltatelo!

Camuflé una sonrisa incipiente. Para ser honesta, debería habérselo comunicado a alguien. Estaba a punto de tener otro encuentro clandestino…, pero quizá me merecía uno más. «La semana que viene», regateé conmigo misma. «Después del *Report* de hoy, ya me preocuparé de las cámaras», concluí.

—¿Dónde está tu guitarra? —exclamé, cediendo así a la tentación.

—¡Dame dos minutos! —respondió él, y salió como una bala hacia el pasillo.

Meneé la cabeza y recé para que no le contara a todo el mundo que la princesa era, en realidad, un ser pusilánime, manejable.

Entré en la Sala de las Mujeres con la esperanza de que estuviera despejada. Pensé que solo estaría la señorita Marlee, sentada en una esquina, leyendo. Y di en el clavo.

—Alteza —saludó. Era uno de esos detalles curiosos que siempre me habían llamado la atención. Muchísima gente me llamaba así, pero cuando lo hacían las amigas de mamá, sabía que, en cualquier momento, podían referirse a mí como Calabaza, Nena o Cariño. No me importaba, pero me extrañaba.

—¿Dónde está mamá?

Cerró el libro de golpe.

—Migraña. Fui a verla y me obligó a irme. Cualquier sonido le resulta insoportable.

—Ah. En principio, iba a tener una cita, pero quizá sería más prudente comprobar que está bien.

—No —insistió—. Necesita descansar. Además, tus padres estarán más que dichosos si saben que has planeado una cita.

Pensé en ello durante unos instantes. Si de veras se encontraba tan mal, quizá lo más sensato fuera esperar un poco.

—Emm, de acuerdo. Por cierto, ¿te importaría que utilizara este salón? Baden y yo vamos a componer música —expliqué—. En el sentido literal de la palabra, claro está.

Ella soltó una risita y se levantó.

—Ningún problema.

—¿Se te hace raro? —pregunté de repente—. ¿El hecho de que Kile forme parte de esto? ¿Saber que voy a tener una cita con alguien que no es él? ¿Te molesta?

—Reconozco que me quedé de piedra cuando os vi en la portada de todos los periódicos —comentó, y sacudió la cabeza, como si no lograra imaginar cómo había ocurrido tal cosa. Después se acercó a mí. Si alguien nos hubiera estado espiando, habría pensado que estábamos revelándonos un gran secreto—. Pero te olvidas de que tus padres no son los únicos que han pasado por una Selección.

Aquello me cayó como un jarro de agua fría. Qué idiota. ¿Por qué no se me había ocurrido?

—Recuerdo a tu padre haciendo malabares para encontrar tiempo para todo el mundo, tratando de complacer a todos los que le rodeaban mientras buscaba a su media naranja. Tu situación es aún más complicada, porque la Selección implica mucho más que eso. Estás haciendo historia y, al mismo tiempo, estás intentando captar la atención del pueblo. Decir que este momento es «duro» es un eufemismo.

—Llevas razón —admití.

En ese momento, noté el peso de la responsabilidad sobre mis hombros.

—No tengo ni la más remota idea de cómo Kile y tú acabasteis…, bueno…, en esa situación, pero no me asombraría que estuviera en lo más alto de la lista. En cualquier caso, muchas gracias.

Eso sí que me pilló por sorpresa.

—¿Por qué? No he hecho nada.

—Oh, claro que sí —me contradijo—. Estás dando tiempo

a tus padres, todo un gesto de generosidad por tu parte. Pero yo también me estoy beneficiando de eso. No sé cuánto tiempo más podré retenerle aquí.

Alguien llamó a la puerta.

Me volví.

—Debe de ser Baden.

Apoyó una mano sobre mi hombro.

—Tranquila, quédate aquí. Ahora le hago pasar.

—¡Oh! —soltó Baden cuando la señorita Marlee le abrió la puerta.

Ella se rio por lo bajo.

—No te preocupes, ya me iba. La princesa te está esperando.

Baden alargó el cuello y me vio al fondo de la sala. No perdió la sonrisa en ningún momento. Entró triunfante, feliz de estar conmigo y con nadie más.

—¿Es ese? —preguntó, y señaló detrás de mí.

Me giré y vi el piano.

—Sí. El tono es maravilloso y esta habitación tiene una acústica espectacular.

Serpenteó entre aquel laberinto de asientos, con la funda de la guitarra golpeándole la pierna con cada paso, hasta llegar al piano.

Sin preguntar, cogió una silla sin reposabrazos y la arrastró junto a la banqueta. Acaricié las teclas y toqué una escala rápida.

Baden afinó la guitarra; la madera estaba vieja y se veía usada.

—¿Cuándo aprendiste a tocar? —preguntó.

—No lo recuerdo. Mi madre siempre me sentaba a su lado cuando tocaba el piano, así que creo que aprendí por imitación.

—Siempre he oído que tu madre es una pianista fantástica. Me parece que la oí tocar en la televisión una vez, para un programa de Navidad…, o algo así.

—Cada año da un concierto para Navidad.

—¿Es su época preferida del año? —quiso saber.

—Por un lado, sí; por otro, no. Además, casi siempre toca cuando está preocupada o triste.

—¿A qué te refieres? —insistió mientras tensaba una cuerda.

—Bueno, ya sabes —respondí—. Las vacaciones pueden ser estresantes.

Me sentía incómoda contando cosas de mamá; perdió a su padre y a su hermana durante esa época del año, por no mencionar aquel horrible ataque que a punto estuvo de arrebatarle a su marido.

—Me cuesta imaginarme unas Navidades tristes aquí. Si fuera pobre, entendería su ansiedad.

—¿Por qué?

Sonrió para sí.

—Porque ver a tus amigos recibir montones de regalos cuando tú tienes las manos vacías es muy duro.

—Oh.

Me llamó la atención que se tomara nuestra diferencia social con tanta filosofía; muchos otros se habrían enfadado, o me habrían tildado de esnob. Examiné a Baden para aprender más sobre él. La guitarra era vieja, pero me resultaba imposible valorar su estado financiero mientras llevara la ropa que el propio palacio le había proporcionado. Entonces recordé lo que la tía May había comentado sobre su apellido.

—Estudias en la universidad, ¿verdad? —pregunté.

Él asintió.

—Bueno, mis estudios ahora están en el aire. Algunos de mis profesores se quedaron descolocados cuando les di la noticia, pero la mayoría de ellos me deja enviar los proyectos para así poder acabar el semestre desde aquí.

—Es impresionante.

Encogió los hombros.

—Sé lo que quiero y estoy dispuesto a hacer todo lo que esté en mi mano para conseguirlo.

Le miré con cierta curiosidad.

—¿Y cómo encaja la Selección en ese plan?

—Vaya, ya veo que no das puntada sin hilo.

Una vez más, ni rastro de ira. Casi trataba aquel asunto como una broma.

—En mi opinión, es una pregunta justa —añadí.

Empecé a tocar una de las melodías clásicas que mamá me había enseñado. Baden conocía la canción y no tardó en unirse. Jamás me había parado a pensar en cómo sonaría acompañada por el sonido de una guitarra.

La música ganó la batalla a la conversación. Pero no dejamos de comunicarnos. Él me miraba a los ojos y yo estudiaba sus dedos. Nunca antes había tocado con alguien que no fuera mamá y, a decir verdad, estaba disfrutando como nunca.

Seguimos tocando la canción; apenas tuvimos un par de tropiezos. A un oído poco afinado se le habrían pasado por alto. Sonó la última nota y alcé la mirada; la sonrisa de Baden transmitía pura felicidad.

—Solo conozco un puñado de clásicos. La mayoría de Beethoven y Debussy.

—¡Qué talento tienes! Nunca imaginé que estas canciones pudieran tocarse con una guitarra.

—Gracias —murmuró con cierta timidez—. Y, para responder a la pregunta, estoy aquí porque quiero casarme. No he salido con muchas chicas, lo reconozco. Así que cuando se me presentó esta oportunidad, pensé que valía la pena intentarlo. ¿Que si estoy enamorado de ti? Hoy por hoy, no. Pero me gustaría averiguar si, algún día, podría estarlo.

Había algo en su tono de voz que me inspiraba confianza. Parecía un tipo transparente. Su intención era encontrar una pareja estable y, de no haber metido su nombre en el concurso, jamás me habría conocido en persona.

—Me gustaría hacerte una promesa, si no te importa —se ofreció.

—¿Qué tipo de promesa?

Punteó varias cuerdas.

—Una promesa sobre nosotros.

—Si vas a jurarme devoción incondicional, creo que todavía es demasiado pronto.

Baden meneó la cabeza.

—No, no es eso.

—De acuerdo. Soy toda oídos —dije. De pronto, empezó a tocar una melodía ligeramente familiar; no era un clásico, pero conocía aquella canción... Sin embargo, no fui capaz de ubicarla.

—Los dos sabemos que, en el momento en que decidas que ya no soy una opción razonable, me enviarás a casa para así poder centrarte en los demás candidatos. Ahí va mi promesa: si me doy cuenta de que no eres la mujer que estoy buscando, te lo diré. No quiero que ninguno de los dos perdamos el tiempo.

Asentí.

—Te lo agradezco.

—Bien —respondió con tono alegre, y luego empezó a vociferar—: «Y ella entra en la habitación con esa sonrisa, sonrisa, sonrisa y con esas piernas que a mí me ¡eclipsan, eclipsan, eclipsan! ¡Todas las miradas de la habitación buscan un poco de diversión!»

Al fin reconocí aquella balada. Era una canción de Choosing Yesterday que solía cantar en la ducha más veces de las que estaba dispuesta a admitir.

—«No puedo dejar de mirarla, mirarla, mirarla, hasta que suena esa canción y ella empieza a ¡bailarla, bailarla, bailarla! No puedo evitarlo, ¡esa chica es única!»

Me uní a Baden con el piano y, con una risita nerviosa, traté de tatarear el estribillo. De pronto, ambos nos pusimos a cantar a pleno pulmón, destrozando por completo la melodía, pero nos lo estábamos pasando tan bien que ni siquiera nos molestamos en afinar.

—«Oh, no tiene más de diecisiete años, pero es madura, tú y yo sabemos a qué me refiero. Es la chica más guapa que jamás he conocido, sí, ella es mía, ella es mi, ¡ella es mi reina!»

Seguí el ritmo de la canción junto con Baden, aunque, a decir verdad, durante toda mi vida solo había tocado piezas clásicas.

—¿Qué haces en la universidad? Deberías estar de gira —comenté.

—Ese es mi plan alternativo si lo de ser príncipe no cuaja —respondió. Era un chico tan cándido, tan de verdad—. Gracias por haber hecho novillos por mí.

—Ningún problema, pero debería volver al trabajo.

—¡Ha sido la cita más corta de la historia! —protestó.

Me encogí de hombros.

—Habrías disfrutado de más tiempo si hubieras esperado hasta esta noche.

Resopló.

—De acuerdo. Lección aprendida.

Tapé el teclado y él guardó la guitarra en la funda.

—¿Por qué no les enseñas la canción a los demás? —propuso—. Apuesto a que no son capaces de aprenderla.

—¿Qué? ¿Mi guitarra? No, no, no. ¡Es mi niña! —se quejó y, con suma ternura, acarició la funda desgastada y raída—. Si alguien la rompiera, me daría un infarto. Me la regaló papá, y tuvo que esforzarse mucho para comprarla. La cuido como si fuera un tesoro.

—A mí me pasa lo mismo con las tiaras.

—¡Pffff! —exclamó él, riéndose abiertamente de mí.

—¿Qué?

Se tapó los ojos y sacudió la cabeza.

—¡Tiaras! —Suspiró—. Toda una princesa, ¿eh?

—¿Creías que este trabajo no tiene su recompensa?

—Me gusta, ¿sabes? Que protejas tus tiaras como yo mi guitarra. Me gusta que sean tu talón de Aquiles.

Empujé la puerta y salimos al pasillo.

—Bien. Porque son preciosas.

Él sonrió.

—Gracias por pasar este rato conmigo.

—Gracias a ti. Ha sido un placer.

De pronto, se hizo un silencio incómodo.

—¿Nos estrechamos la mano, nos abrazamos o qué?

—Puedes besarme la mano —contesté, y alargué el brazo.

Baden me tomó la mano enseguida.

—Hasta la próxima.

Me besó la mano, se inclinó y se dirigió hacia su dormitorio. Me marché pensando en la tía May. En cuanto le contara lo ocurrido, estaría encantada de recordarme que ya me lo advirtió.

Ƴ

Sabía que sería el foco de atención del *Report*. En general, dar discursos o informaciones de última hora no me fastidiaba. Pero sabía que esa noche iba a ser distinta. Por un lado, sería la primera vez que me enfrentaba al público desde el altercado del desfile y, por otro, intuía que querrían saber algo más de Kile.

Opté por un vestido rojo. Ese color me daba confianza, seguridad. También me recogí el pelo en un moño alto para parecer más madura.

Avisté a la tía May pululando por el fondo. Al verme, me guiñó un ojo. Mamá estaba ayudando a papá a anudarse la corbata. Oí a uno de mis hermanos pequeños aullar y, al girarme, vi que Alex sujetaba algo afilado en la mano. Se estaba palpando el trasero, como si le doliera. Escudriñé el estudio y encontré a Osten escondido en un rincón, desternillándose de risa.

Con tanta gente, el plató parecía estar demasiado abarrotado, lo que solo hizo que aumentara mi desasosiego. Oí mi nombre y, aunque no fue más que un susurro, me sobresalté.

—Lo siento, alteza —se disculpó Erik.

—Tranquilo, es que estoy un poco nerviosa. ¿En qué puedo ayudarte?

—No pretendía molestarla, pero no sé a quién preguntárselo. ¿Dónde debo sentarme para poder traducir a Henri su discurso?

Sacudí la cabeza.

—Qué desconsiderado por mi parte. No lo había pensado. Ven, sígueme.

Escolté a Erik hasta el director de escenario y colocamos a Henri en la última fila de las gradas. A Erik le asignaron un asiento justo detrás de él; era un asiento lo suficiente bajo para que nadie le viera mientras traducía a Henri los distintos discursos.

No me moví de su lado hasta que todos los presentes ocuparon sus correspondientes asientos. Henri levantó el pulgar y Erik se acercó a mí para darme las gracias.

—La próxima vez que me surja una duda, acudiré al director de escenario. No volveré a importunarla. Perdóneme.

—No pasa nada, de veras. Quiero que los dos estéis cómodos.

Erik inclinó la cabeza y, con ademán tímido, sonrió:

—No se preocupe por mi comodidad, alteza. No soy un pretendiente.

—¡Eadlyn! Eadlyn, ¿dónde estás? —me llamó mamá.

Me giré de inmediato.

—Mamá, aquí.

Ella se llevó una mano al corazón, como si estuviera a punto de darle un ataque.

—No te encontraba. Por un momento pensé que te habías echado atrás —farfulló.

—Cálmate, mamá —respondí, y le sujeté de la mano—. No soy perfecta, pero tampoco una cobarde.

Las mujeres iban a ser las protagonistas del *Report* de esa noche. Mamá anunció que algunas provincias se encargaban de la gestión de los sistemas de ayuda y animó a las demás a seguir el ejemplo de las tres provincias norteñas que estaban socorriendo a los indigentes, proporcionándoles un plato caliente de comida y cuatro nociones básicas sobre finanzas y entrevistas laborales. La señorita Bryce explicó una propuesta de perforación que afectaría a una buena parte de Illéa central. Beneficiaría a todo el país, pero antes las seis provincias tendrían que aprobar la propuesta por votación. Y después, como era de esperar, todas las miradas se posaron en los chicos.

Gavril subió al escenario. Era todo un galán y esa noche estaba particularmente elegante. Caminaba como si tuviera un diminuto muelle en el tacón de los zapatos. Esta era la quinta Selección que Illéa había vivido, y él había presenciado tres de ellas. Todos sabíamos que, cuando el proceso acabara, buscaría a alguien que le reemplazara. No podía estar más orgulloso de la última tarea que la familia real le había encargado.

—Por supuesto, damas y caballeros, dedicaremos varias horas de emisión a los encantadores jóvenes que conforman la Selección. De momento, ¿por qué no saludamos a algunos de ellos?

Gavril cruzó el escenario en busca de alguien en particular.

Me pregunté si le habría costado tanto como a mí memorizar todos los nombres.

—Señor Harrison —empezó, y se detuvo frente a un joven de expresión dulce y cabellera grasienta.

—Buenas noches —saludó Harrison. Sonrió y advertí unos divertidos hoyuelos.

—¿Qué tal tu experiencia en palacio?

—Fantástica. Siempre quise visitar Angeles, así que estar aquí es como un sueño hecho realidad.

—¿Algún problema hasta el momento? —le pinchó Gavril.

Harrison se encogió de hombros.

—Me preocupaba que nos enzarzáramos en peleas desde el alba hasta el anochecer, disputando la mano de la princesa —dijo, y me señaló. Esbocé una sonrisa de inmediato, porque sabía que la cámara estaría sacando un primer plano de mi cara—. Pero la verdad es que todos los pretendientes se han portado genial.

Gavril pasó el micrófono al chico que estaba a su lado.

—¿Y qué me dices de ti? ¿Me recuerdas tu nombre?

—Fox. Fox Wesley —respondió. Tenía la tez bronceada, pero, a diferencia de mí, no había nacido así. Supuse que debía de pasar mucho tiempo al aire libre—. Para ser sincero, y espero no ser el único aquí a quien le esté pasando esto, el gran desafío es sentarse a la mesa. Tenemos más de doce tenedores cada uno.

Algunos de los presentes soltaron una risita. Gavril asintió:

—Lo más inquietante de todo es dónde pueden almacenar tantos cubiertos.

—Es una locura —balbuceó el tipo que había detrás de Fox.

—Oh, señor Ivan, ¿verdad? —preguntó Gavril, y le acercó el micro.

—Sí, señor. Me alegro de conocerle.

—Lo mismo digo. ¿Qué tal te las arreglas durante las comidas?

Ivan alzó las manos, como si el asunto fuera de suma importancia.

—Ahora me dedico a utilizar un tenedor para cada bocado. Los voy dejando en el centro de la mesa, formando una pila. De momento, funciona.

Toda la sala se echó a reír ante aquella respuesta tan ridícula. Gavril se alejó del grupo y se dirigió a las cámaras.

—Es más que evidente que tenemos a un grupo de candidatos la mar de divertidos. Así que, ¿por qué no charlamos con la jovencita que ha logrado deshacerse de todas sus rivales? Damas y caballeros, su alteza real, la princesa Eadlyn Schreave.

—A por ellos —susurró Ahren en cuanto me levanté de mi asiento. Caminé hasta el centro del escenario y recibí al querido Gavril con un abrazo.

—Siempre es un placer verla, alteza —dijo, y me acomodé en el sillón que había justo delante de él, en el centro del escenario.

—Igualmente, Gavril.

—Bueno, aquí estamos. Ya hace una semana que se dio el pistoletazo de salida a la primera Selección masculina. ¿Cuál es su valoración?

Le dediqué una sonrisa digna de un premio cinematográfico.

—Creo que está yendo bien. Tengo mucho trabajo que hacer, así que podría decirse que está siendo un inicio tranquilo.

Gavril miró hacia atrás por encima del hombro.

—A juzgar por el número de pretendientes, yo no calificaría este inicio como tranquilo.

Pestañeé y solté una risa tonta.

—Sí, tienes razón. Eliminé a casi un tercio de todos los caballeros que fueron invitados a palacio. Soy una mujer que confía en su instinto y, entre la presentación inicial y la información que me facilitaron sobre ellos, tomé una decisión.

Gavril inclinó la cabeza.

—Al parecer, es usted de las que se deja guiar por la cabeza, no por el corazón.

No quería ruborizarme delante de las cámaras, así que traté de serenarme, pero no me atreví a comprobar si me había puesto como un tomate.

—¿Estás sugiriendo que me enamore de los treinta y cinco candidatos a la vez?

Él arqueó las cejas.

—Dicho así...

—Exacto. Solo tengo un corazón, y quiero reservarlo.

Oí gritos ahogados en la sala; me había salido con la mía. ¿Cuántas frases cursis tendría que memorizar durante los siguientes meses para entretener al público? Y fue entonces cuando caí en la cuenta de que, en realidad, no había planeado esas palabras. Era lo que sentía. Se me habían escapado sin querer.

—Por lo visto, a veces también se deja guiar por el corazón —dijo maliciosamente—. Y tengo una foto que lo demuestra.

Proyectaron una gigantesca fotografía donde se nos veía a Kile y a mí. El estudio estalló en gritos y aplausos.

—¿Podríamos invitarle a bajar? ¿Dónde está el señor Kile?

Él se levantó de un brinco del asiento y se sentó a mi lado.

—Esta es una situación muy curiosa para mí —empezó Gavril—. Les conozco desde pequeños.

Kile se rio.

—El otro día estaba pensando lo mismo. Mi madre me contó que una vez entré gateando en el estudio. Me cogiste en brazos y despediste el *Report*.

Gavril abrió los ojos de par en par.

—¡Es cierto! ¡Se me había olvidado por completo!

Miré a Kile. Aquella anécdota me pareció divertida. Debió de ocurrir antes de que yo naciera.

—Y bien, por lo que reflejan estas fotografías, todo apunta a que vuestra amistad de infancia se ha convertido en algo más, ¿o no?

Kile me miró fijamente, pero yo negué con la cabeza. No pensaba ser la primera en comentar esa instantánea.

Al final, él dio su brazo a torcer.

—Te seré sincero. Nunca creímos que pudiéramos ser algo más hasta que nos obligaron a hacerlo.

Nuestras familias se carcajearon de forma escandalosa.

—Aunque reconozco que, si se hubiera cortado el pelo hace años, quizá sí me lo hubiera planteado —bromeé.

Gavril no daba crédito a lo que estaba sucediendo.

—Bueno, todo el mundo se muere por saberlo: ¿cómo llegó ese beso?

Sabía que, tarde o temprano, esa pregunta llegaría, pero estaba muerta de vergüenza. Exponer mi vida privada de ese modo era peor de lo que había imaginado.

Por suerte, Kile se encargó de encauzar el tema.

—Fue toda una sorpresa, y creo que hablo por los dos. Fue un momento especial, pero no hay que confiarse. He compartido una semana con estos chicos y sé de buena tinta que muchos podrían ser un príncipe estupendo.

—¿En serio? ¿Está de acuerdo con eso, princesa? ¿Ha tenido algún otro encuentro romántico esta semana?

Las palabras de Gavril se perdieron por el camino. De hecho, no las oí hasta haber procesado todo lo que Kile acababa de decir. ¿Hablaba en serio? ¿No sentía nada en absoluto? ¿O tan solo pretendía mantener su privacidad?

Aterricé de nuevo en la cruda realidad y asentí con fingido entusiasmo.

—Sí, varios.

Gavril me fulminó con la mirada.

—¿Y?

—Y han sido maravillosos.

No estaba de humor para chismorreos y, además, las declaraciones de Kile me habían hecho dudar de si debía compartir cada paso que daba con el resto del mundo.

—Hmm —murmuró Gavril, y se volvió hacia el grupo de seleccionados—. Quizá podremos sonsacar algo más de información a estos caballeros. Kile, regresa a tu asiento, por favor. Y bien, ¿quiénes han sido los afortunados?

Baden fue el primero en levantar la mano, seguido por Hale.

—Bajad al escenario, caballeros.

Gavril empezó a aplaudir y toda la sala vitoreó a los candidatos. Hale y Baden, un tanto ruborizados, se levantaron y se acercaron al centro. Me consideraba una chica bastante inteligente, pero no lo bastante como para rogarles que mantuvieran el pico cerrado sin que los presentes ni las cámaras me pillaran.

Y solo entonces me di cuenta de algo. Kile me había leído el pensamiento. Quizá porque nos conocíamos desde que éramos unos críos.

—¿Puedes recordarme tu nombre, por favor? —preguntó Gavril.

—Hale Garner —respondió, y se apretó el nudo de la corbata, aunque lo cierto era que la tenía perfecta.

—Ah, sí. Y bien, ¿qué nos puedes desvelar de tu cita con la princesa?

Hale me regaló una sonrisa un tanto cohibida y luego se dirigió a Gavril.

—Bueno, puedo decir que nuestra princesa es tan lista, atenta y refinada como esperaba. Bueno… y que tenemos varias cosas en común. Ambos tenemos varios hermanos pequeños y, para ser sincero, me gustó poder hablar de mi trabajo como sastre con una joven tan coqueta y con tanto estilo. Vale un imperio.

Agaché la cabeza e intenté tomarme el cumplido en broma, pero sin bajar la guardia.

—Pero, más allá de eso, espero que me perdone, prefiero guardarme los detalles para mí —añadió Hale.

Gavril hizo una mueca.

—¿No vas a contarnos nada?

—Estará de acuerdo conmigo en que el amor es un asunto privado. Me incomoda hablar de esto sobre un escenario.

—Puede que el caballero que tengo a mi derecha nos dé más información —dijo Gavril con picardía y mirando a las cámaras—. ¿Cómo te llamabas?

—Baden Trains.

—¿Y qué hiciste con la princesa?

—Tocamos música. La princesa Eadlyn ha heredado el talento de su madre.

A mamá le salió un «oh» del corazón.

—¿Y?

—Y además es una bailarina excelente, incluso sentada. Y, por si alguien no lo sabía, la princesa está al día de la música actual —añadió.

Baden soltó una carcajada, como otros muchos.

—¿Y? —presionó Gavril.

—Y la besé en la mano… y espero poder darle más besos en un futuro.

Tierra, trágame. Por algún motivo, que Baden hubiera pedido un beso me provocó más bochorno que comentar el momento de intimidad con Kile.

Todo el plató estalló en gritos de ánimo por segunda vez. Y, por si eso fuera poco, Gavril no dejó de añadir más leña al fuego. Por desgracia para él, mis pretendientes no dieron ningún otro detalle jugoso. Kile era el único que podía haber desvelado algo remotamente interesante, pero ya habíamos cambiado de tema.

—Pareces decepcionado, Gavril —remarqué.

Él hizo pucheros.

—Alteza, estoy tan emocionado por usted que quiero saber todo lo que está ocurriendo. Y, si pudiéramos preguntárselo a nuestros espectadores, creo que todos estarían de acuerdo conmigo.

—Bueno, no hay de qué preocuparse. Mañana organizaré un pequeño guateque en honor de los seleccionados. Todos los miembros de palacio están invitados. Las cámaras inmortalizarán el evento para que así toda Illéa pueda ser testigo del proceso de Selección.

El plató se puso a aplaudir de nuevo. Josie estaba prácticamente flotando de felicidad.

Gavril despachó a Hale y a Baden, que volvieron a sus asientos, junto con el resto, y después prosiguió con la entrevista.

—¿Y qué más puede contarnos sobre ese guateque, alteza?

—Se celebrará en los jardines. Disfrutaremos del sol y aprovecharemos para conocernos un poco más.

—Suena maravilloso. Muy relajante.

—Sí, salvo por un pequeño detalle —comenté.

—¿Y cuál es?

—Tras la fiesta habrá una eliminación.

Los murmullos y cuchicheos fueron inmediatos. Era consciente de que aquella bomba habría despertado la curiosidad de los chicos.

Continué para así acallar todos los comentarios.

—Podría ser uno, podrían ser tres... No lo sé. Así que, caballeros —anuncié, y me volví hacia los seleccionados—, vengan preparados.

—Qué nervios, por favor. Me muero por saber cómo acaba esto, y estoy convencido de que será un acto fantástico. Una última pregunta antes de dar por acabado el programa.

Erguí la espalda.

—Dispara.

—¿Qué busca en un marido?

¿Qué buscaba? Mi independencia. Paz, libertad… y la felicidad que creía tener hasta que Ahren la cuestionó.

Me encogí de hombros.

—No creo que nadie sepa lo que busca hasta que lo encuentra.

Capítulo 17

¿Cómo era posible que Josie se hubiera atrevido a poner sus manazas en una de mis tiaras? Estaba de ella hasta la coronilla. Pretendía pasearse delante de las cámaras con su mejor vestido y mi tiara, como si formara parte de la realeza, por enésima vez en su vida.

Sonreía a los invitados al pasar por su lado, pero no me paré a hablar con nadie en particular, hasta toparme con Kile. Estaba con Henri, otra vez, tomando té helado mientras se disputaba un partido de bádminton. Henri me saludó con una reverencia nada más verme.

—Buenos días hoy, alteza —dijo con ese acento tan alegre.

—Buenos días, Henri. Kile.

—Hola, Eadlyn.

Quizá fueran imaginaciones mías, pero noté a Kile distinto y, quizá por primera vez en mi vida, deseé oírle hablar. Sacudí la cabeza; no podía despistarme.

—Kile, ¿te importaría hablar con tu hermana, por favor?

Su alegría inicial se transformó en frustración.

—¿Por qué? ¿Qué ha hecho esta vez?

—Ha vuelto a coger otra de mis tiaras.

—Pero si tienes… ¿cuántas? ¿Mil tiaras?

Resoplé.

—Ese no es el tema. Es mía y no debería cogérmela. Cuando se pavonea así, da a entender que forma parte de la familia real, y no es así. Es inapropiado. ¿Podrías hablar con ella sobre su comportamiento?

—¿Cuándo me he convertido en la persona a quien le pides todos los favores?

Miré a Henri y a Erik, que, por supuesto, no sabían nada sobre el acuerdo que se escondía tras nuestro beso. A primera vista, no se estaban enterando.

—¿Por favor? —insistí a media voz.

Él suavizó la mirada y, por un segundo, reconocí al chico que había conocido en su habitación, al chico dulce e interesante.

—De acuerdo. Josie solo quiere llamar la atención. No creo que lo haya hecho para molestarte.

—Gracias.

—Ahora vuelvo.

Se marchó con paso decidido. Erik le explicó a Henri lo que estaba sucediendo.

Henri se aclaró la garganta antes de hablar.

—¿Qué tal está hoy, alteza?

No sabía si responder dirigiéndome a Erik o no..., y al final opté por contestar a Henri directamente.

—Muy bien, ¿y tú?

—Bien, bien —contestó con jovialidad—. Yo disfrutar..., ejem... —Se volvió y transmitió el resto de la respuesta a su intérprete.

—Cree que la fiesta es fabulosa, y está disfrutando de la compañía.

No sabía si se refería a Kile o a mí, pero, de todas formas, me pareció un comentario acertado.

—¿Cuándo te mudaste de Swendway?

Henri asintió con la cabeza, como si confirmara que Swendway era su tierra natal, pero sin contestar la pregunta. Al percatarse de que no había comprendido mis palabras, Erik le tradujo al oído la pregunta. Henri se explayó con su respuesta.

—Henri emigró a Illéa el año pasado, tras cumplir los diecisiete años. Proviene de una familia de cocineros, que es a lo que se dedica. Cocina platos típicos de su país y, en general, se relaciona con otros de Swendway y por eso solo habla finlandés. Tiene una hermana pequeña que está aprendiendo inglés, pero le parece un idioma muy complicado.

—Vaya. Cuánta información —le dije a Erik.

Este hizo un gesto con la mano.

—Lo sé.

El trabajo de Erik debía de ser muy duro, pero apreciaba que fuera tan modesto. Y luego me dirigí a Henri:

—Me apetece que pasemos un rato juntos. Pero en algún lugar que nos permita charlar más fácilmente.

Erik se lo tradujo a Henri, que asintió con entusiasmo.

—¡Sí, sí!

Me reí por lo bajo.

—Hasta entonces.

En el jardín estaban todos los seleccionados. El general Leger y la señorita Lucy, que no se separaron ni un momento, conversaban con un grupo de pretendientes junto a la fuente. Papá estaba haciendo su ronda de reconocimiento; de vez en cuando, daba una palmadita en la espalda de alguien y le saludaba con un mísero «hola». Mamá, en cambio, estaba sentada bajo una sombrilla. Varios candidatos estaban pululando a su alrededor, lo cual me parecía inquietante y encantador a la vez.

Era una fiesta deliciosa. Muchos se entretenían con los juegos, las mesas estaban a rebosar de comida y, bajo un toldo, un cuarteto de cuerda animaba el guateque. Las cámaras rondaban por todo el jardín para no perder detalle. Crucé los dedos. Ojalá aquello bastara para calmar los ánimos. No sabía si papá ya había trazado un plan para tranquilizar al país de forma permanente.

Mientras tanto, tenía que encontrar el modo de eliminar al menos a un candidato después de hoy, y una razón lo bastante buena para que todos se lo creyeran a pies juntillas.

Con el sigilo de un felino, Kile se acercó a mí.

—Aquí tienes —dijo, y me dio la tiara.

—Pero qué ven mis ojos. No esperaba que se la quitaras.

—Me ha costado convencerla, de hecho he tenido que amenazarla: si montaba un numerito en la fiesta, mamá no la dejaría asistir a ninguna más. Eso ha bastado para que cediera. Así que toma.

—No puedo cogerla —dije, con las manos entrelazadas.

—Pero si me la has pedido —protestó.

—No quiero que la lleve puesta, pero tampoco puedo pasearla por toda la fiesta. Tengo cosas que hacer.

Se estaba enfadando. Sin embargo, me gustó que, por una vez, fuera él quien se exasperara, y no yo.

—Ah, muy bien. ¿Entonces qué? ¿Me la tengo que quedar yo todo el día?

—No todo el día. Solo hasta que entremos en palacio.

Kile sacudió la cabeza.

—Eres increíble.

—Calla. Disfruta de la fiesta, anda. Pero antes, espera un momento, tenemos que hacer algo con esta corbata.

—¿Qué tiene de malo mi corbata?

—Todo —dije—. Esta corbata es horrenda. Apuesto a que conseguiríamos la paz mundial si la quemáramos.

Deshice el nudo y se la quité.

—Mucho mejor —comenté, y le entregué aquel montón de tela. Después le arrebaté la tiara y se la coloqué en la cabeza—. Te favorece muchísimo.

Él sonrió con cierta chulería y me miró divertido.

—Ya que me tengo que quedar con tu tiara por ahora, ¿qué te parece si te la devuelvo esta noche? Podría pasarme por tu habitación, si quieres —susurró. Kile se mordió el labio y recordé lo carnosos y suaves que eran.

Sabía leer entre líneas.

—Perfecto —contesté, y recé por no ruborizarme.

—¿Sobre las nueve?

—A las nueve.

Kile asintió y se marchó.

Entonces, durante el *Report*, ¡tan solo había sido discreto! Fruncí el ceño, pensativa. Quizá pretendía matar el tiempo besándome. O puede que desde que fuera un crío estuviera enamorado hasta los huesos de mí, pero hasta ahora no hubiera reunido el coraje suficiente para dejar de tomarme el pelo y decírmelo. Aunque a lo mejor…

Ean me pilló desprevenida.

—¡Oh! —exclamé cuando me cogió del brazo.

—Pareces triste. No sé qué te ha dicho ese jovencito para ofenderte, pero no le des más vueltas.

—Señor Ean —saludé. Me asombraba que mi presencia no le intimidara en lo más mínimo—. ¿En qué puedo ayudarte?

—Pues en acompañarme a dar una vuelta, desde luego. Todavía no he tenido la oportunidad de charlar contigo a solas.

Bajo la luz del sol, la cabellera de color caramelo de Ean cobraba un tono dorado hermoso. Aunque no tenía el estilo personal de Hale, el traje le favorecía más que al resto. Había hombres a los que, sencillamente, no les sentaba bien un traje.

—Bueno, ahora estamos a solas. ¿De qué te gustaría charlar?

Sonrió con superioridad.

—Para ser sincero, siento curiosidad. Siempre te he considerado una chica muy independiente y me sorprendió que quisieras encontrar un marido tan joven. Basándome en las veces que te había visto en el *Report*, y en todos los especiales sobre tu familia, creí que te tomarías tu tiempo.

Lo sabía. Me hablaba con una calma fuera de lo común. Estaba convencida de que se había enterado de que aquello era puro teatro.

—Es verdad. Mi plan inicial era esperar. Pero mis padres están tan enamorados que pensé que merecía la pena intentarlo.

Ean me observó con detenimiento.

—¿De veras crees que alguno de los candidatos tenemos lo que hace falta para ser tu pareja?

Abrí los ojos como platos.

—¿Tan poco te valoras?

Él dejó de caminar y se colocó delante de mí.

—No, pero podría decirse que te tengo en un pedestal. Y no te imagino resignándote a una vida en pareja antes de haber vivido la tuya propia.

Me costaba creer que alguien pudiera tener tanta intuición, que un desconocido fuera capaz de leer mis pensamientos, sobre todo teniendo en cuenta la distancia que siempre había mantenido. ¿Con qué interés había estado Ean observándome todos estos años?

—La gente cambia —contesté.

Él asintió.

—Supongo que sí. Pero si en algún momento te sientes... perdida en esta especie de competición, estaré más que encantado de ayudarte.

—¿Y cómo piensas ayudarme exactamente?

Ean me acompañó hacia la multitud.

—Creo que dejaremos esta conversación para otro momento. Pero recuerda que estoy aquí por ti, alteza.

Me atravesó con la mirada; tuve la impresión de que estaba esperando a que todos mis secretos más prohibidos salieran disparados de mis propios ojos. Cuando al fin apartó la vista, respiré hondo varias veces para recuperar la compostura.

—Hace un día precioso.

Levanté la vista y vi a uno de mis pretendientes. Me quedé con la mente en blanco. ¿Cómo se llamaba?

—Sí, la verdad es que sí. ¿Te lo estás pasando bien?

Oh, por favor. No tenía ni una sola pista.

—Mucho —respondió. Su expresión era amable, y su voz, cariñosa—. Acabo de ganar una partida de cróquet. ¿Usted juega, alteza?

—Un poco. —¿Cómo iba a salir de esa? —. ¿Y tú? ¿Eres un gran aficionado?

—Qué va. En realidad, no. En el norte, en Whites, practicamos deportes de invierno.

¡Whites!... Pero nada, seguía sin acordarme.

—Para ser sincera, soy una chica más bien de interior.

—En ese caso, ¡le encantará Whites! —exclamó con una gran sonrisa—. Solo salgo de casa cuando es estrictamente necesario.

—Perdón.

El chico de Whites y yo nos volvimos hacia el recién llegado. Por suerte, este sí me sonaba.

—Lo siento, alteza, pero esperaba poder robarle unos minutos.

—Desde luego, Holden —respondí, y le rodeé el brazo—. Me ha gustado hablar contigo —le dije al pretendiente de Whites, que se quedó un poco mustio.

—No era mi intención ser descortés —murmuró Holden una vez que nos hubimos alejado.

—No te preocupes.

Caminamos despacio. Él parecía cómodo, como si hubiera paseado cogido de una princesa docenas de veces.

—No quiero entretenerla. Tan solo quería felicitarla. Me quedé boquiabierto cuando eliminó a todos esos chicos la semana pasada.

Me quedé de piedra.

—¿De veras?

—¡Absolutamente! Admiro a las mujeres que saben muy bien lo que quieren, y me gusta que sea tan decidida. Mi madre trabaja como jefa de laboratorio en Bankston. Sé muy bien lo difícil que le resulta gestionar una empresa así de pequeña, así que no quiero ni imaginarme la presión a la que debe de estar sometida. Pero lo está haciendo bien, y eso me gusta. Solo quería que lo supiera.

Di un paso atrás, atónita.

—Gracias, Holden.

Él inclinó la cabeza y se dio media vuelta. Me quedé absorta en mis pensamientos.

Aquella situación solo confirmó mis sospechas: si aparentaba ser una chica tierna y amable, nadie me tomaría en serio. ¿Acaso si hubiera dado palmaditas en el hombro o repartido abrazos a diestro y siniestro Holden me habría admirado tanto? Todo aquello era…

—¡Ah!

Tropecé con alguien, pero logré salvarme de un ridículo espantoso gracias a un par de brazos fuertes, además de oportunos.

—Alteza —dijo Hale, sujetándome por la cintura—. Lo siento, no te he visto.

Escuché el disparador de una cámara fotográfica y dibujé una sonrisa.

—Ríete —farfullé entre dientes.

—¿Eh?

—Ayúdame y ríete —repetí.

Solté un par de risas bobaliconas y, tras un segundo, Hale también se echó a reír.

—¿A qué ha venido eso? —preguntó sin borrar aquella estúpida sonrisa de su cara.

Me alisé la falda del vestido y se lo expliqué.

—Los equipos de televisión están enfocándonos.

Echó un vistazo a nuestro alrededor.

—Para —ordené.

—Caramba, ¿siempre estás tan atenta a todo lo que ocurre?

Esta vez mi carcajada fue auténtica.

—Básicamente, sí.

Su sonrisa se desvaneció.

—¿Por eso la otra noche te marchaste de forma tan repentina?

Me puse seria de nuevo.

—Perdona. No me encontraba del todo bien.

—Primero huyes, y luego mientes —dijo, y sacudió la cabeza, decepcionado.

—No.

—Eadlyn —murmuró—. No fue nada fácil para mí. Te seré sincero. No me gusta hablar de la muerte de mi padre ni explicar que a mi madre le ha costado Dios y ayuda mantener un trabajo estable, ni tampoco quejarme de la pérdida de estatus social de mi familia. Fue difícil compartir todo eso contigo. Y, justo cuando empezamos a hablar de ti, me dejaste tirado.

Y una vez más noté la extraña sensación de estar desnuda frente a él.

—Te pido disculpas, Hale, de todo corazón.

Él me estudió el rostro.

—No sé si de todo corazón —comentó, nervioso—, pero me gustas de todos modos.

Al oír eso, le miré a los ojos. La posibilidad de que pudiera ser cierto me encantaba.

—Cuando estés preparada para hablar, para hablar de verdad, recuerda que aquí me tienes. A menos, desde luego, que te vuelvas a poner el disfraz de ninja y me elimines, como hiciste con aquellos chicos.

Me reí con nerviosismo.

—Dudo que algo así vuelva a suceder.

—Espero que no.

Hale se quedó mirándome fijamente. Sentí que podía atravesarme la piel y observar mi interior, y eso no me gustaba en absoluto.

—Me alegro de que no se haya manchado el vestido. Habría sido una lástima.

Se dio media vuelta para irse, pero le agarré del brazo.

—Eh. Gracias. Por haber sido tan prudente en el *Report*.

Él sonrió.

—Algo cada día, ¿lo recuerdas?

Capítulo 18

—De acuerdo, alteza, cuando quiera.

La maquilladora me dio los últimos retoques y corregí mi postura mientras repasaba todos los nombres mentalmente. Asentí con la cabeza y la lucecita de una cámara se iluminó de rojo. Esa era la señal inequívoca de que la cámara estaba grabando.

—El guateque ha sido todo un éxito; le habrán dicho que la comida estaba exquisita y estoy convencido de que se fijó en los impresionantes trajes que lucieron los candidatos. Pero, dígame algo, ¿quién cree que debería quedar eliminado?

»Sí, el señor Kile perdió un ápice de hombría al ponerse mi tiara y no cabe duda de que el señor Hale casi me tira al suelo —concluí con una sonrisa—. Pero, después de mucha deliberación, los dos seleccionados que nos dejarán hoy mismo son Kesley Timber, de Whites, y Holden Messenger, de Bankston.

»¿Qué tal lo están haciendo vuestros favoritos? ¿Estáis deseando conocer más a fondo al resto de los concursantes? ¿Os morís por saber todavía más de la Selección? Pues sintonizad el *Report* cada viernes por la noche para estar a la última de todas las noticias relacionadas con estos caballeros. Y estad pendientes de nuestros programas especiales dedicados a la Selección, en exclusiva únicamente en el canal público.

Sostuve la sonrisa unos segundos más.

—¡Corten! —ordenó el director—. Excelente. En mi opinión, la toma ha sido perfecta, pero grabemos otra, solo por si acaso.

—Claro. ¿Cuándo se emitirá?

—Esta noche editarán el reportaje, incluida la fiesta de esta tarde; calculo que mañana ya tendremos el vídeo, así que el lunes podría emitirse.

Asentí.

—Genial. ¿Una vez más?

—Sí, alteza, si no es demasiado pedir.

Respiré hondo y recité de nuevo mi discurso, adoptando la misma pose de antes.

A las nueve y diez, oí que alguien llamaba a mi puerta. Salté de la cama y corrí a abrir. Ahí estaba Kile, apoyado en el marco de la puerta y con mi tiara en la mano.

—Me ha dicho un pajarito que has perdido esto —dijo en broma.

—Anda entra, tonto.

Al entrar en mi dormitorio, miró a su alrededor, como si creyera que se redecoraba la estancia a diario.

—¿Y bien? ¿Me has echado?

Sonreí.

—No, hoy ha sido el turno de Kesley y Holden. Pero no te vayas de la lengua, por favor. No puedo comunicárselo hasta que emitan la fiesta del jardín de esta tarde.

—Ningún problema. De todas formas, ninguno de los dos me dirige la palabra.

—¿Ah, no? —pregunté.

Él me entregó la tiara.

—Me han llegado rumores. Creen que es injusto que participe en la Selección. Y, como era de esperar, vernos besándonos en todas las portadas de las revistas no ha hecho más que consolidar esa opinión.

Coloqué la tiara sobre la estantería, junto a mi colección.

—Mi actuación fue brillante, ¿no crees?

Él se rio entre dientes.

—Ah, por cierto, te he traído otro regalo.

—¡Me encantan los regalos!

—Este lo odiarás, confía en lo que te digo —dijo. Después, se metió la mano en el bolsillo y sacó una corbata hecha una bola—. Imaginé que, si habías tenido un mal día, te encantaría quemarla en el jardín. Desahógate si lo necesitas, pero págalo con algo que, al menos, no llore. Y no como has hecho con Leeland.

—No pretendía hacerle llorar.

—No, claro que no.

Esbocé una sonrisa y le arrebaté aquel ovillo de tela.

—De hecho, me gusta el regalo. Es un modo de asegurarme que nadie volverá a llevar esto jamás.

Le miré por el rabillo del ojo y advertí una tímida sonrisa. Y en ese instante toda la presión se desvaneció. Me olvidé de la Selección. Él era una persona normal y corriente, igual que yo. Y lo que más me apetecía en ese momento no era charlar.

Dejé caer la corbata al suelo y apoyé una mano en su pecho.

—Kile Woodwork, ¿quieres besarme?

Él dejó escapar un silbido.

—Ni una pizca de timidez, ¿eh?

—Cállate. ¿Sí o no?

Torció los labios, como si estuviera pensándoselo.

—No me importaría.

—¿Eres consciente de que este beso no significa que me gustas y, ni por asomo, que quiera casarme contigo?

—Gracias a Dios.

—Respuesta correcta.

Le rodeé el cuello con el brazo, le atraje hacia mí y, de inmediato, noté sus brazos alrededor de mi cintura.

Fue el bálsamo perfecto para poner punto final a ese día tan largo. Los besos de Kile eran directos pero suaves. Era una forma de desconectar de mis problemas y de no pensar en nada más.

Nos desplomamos sobre la cama, sin soltarnos en ningún momento.

—De todo lo que se me pasó por la cabeza cuando pronunciaron mi nombre, jamás me imaginé que llegaría a besarte.

—Y yo jamás me imaginé que se te daría tan bien.

—Eh —dijo—. He practicado un poco.

Me apoyé sobre un codo.

—¿A quién besaste por última vez?

—Caterina. Cuando la familia italiana vino de visita en agosto, justo antes de irme.

—La verdad es que no me sorprende.

Kile encogió los hombros; no parecía avergonzado.

—¿Qué puedo decir? Ya sabes cómo son los italianos: cariñosos.

—Cariñosos —repetí, y puse los ojos en blanco—. Claro.

Él soltó una risilla pícara.

—¿Y tú?

—Pregúntaselo a Ahren. Por lo visto, todo el mundo lo sabe.

—¿Leron Troyes?

—¿Y cómo demonios te has enterado?

Nos quedamos tumbados en la cama, mondándonos de risa. Nos fundimos de nuevo en un largo beso. Yo jugueteaba con un botón de su camisa mientras él se enroscaba mechones de mi cabello entre los dedos. Sentí que el mundo a nuestro alrededor se esfumaba. Tan solo existíamos nosotros.

—Nunca te había visto así —comentó—. No pensé que sería tan fácil hacerte reír.

—Y no lo es.

Kile me estrechó entre sus brazos.

—¿Cómo estás? Supongo que todo esto debe de ser una locura para ti.

—No —susurré.

—¿No qué?

—No arruines el momento. Me gusta que estés aquí, pero no necesito un hombro en el que llorar. Así que, o te callas y me besas, o puedes irte.

Se apartó ligeramente y se quedó callado unos instantes.

—Lo siento. Solo quería charlar.

—Y podemos charlar. Pero no de ti ni de mí. Y, por supuesto, tampoco de «nosotros».

—Pero me da la sensación de que te sientes muy sola. ¿Cómo demonios puedes con todo esto?

Resoplé, un tanto exasperada, y me puse de pie.

—Si necesito consejo, hablo con mis padres. Si necesito

desahogarme, acudo a Ahren. Tú me estabas ayudando a desconectar, hasta que has empezado con todas tus preguntitas.

Le cogí del brazo, tiré de él y le empujé hacia la puerta.

—¿Te das cuenta del daño que te estás haciendo? —preguntó.

—¿Acaso eres tú un modelo de comportamiento maduro? No eres capaz de despegarte de las faldas de tu madre.

Kile se volvió y me atravesó con la mirada. Estaba furioso, al igual que yo. Sabía que su reprimenda no tardaría en llegar. Así habíamos crecido, discutiendo por todo. Pero esta vez suavizó la expresión y, antes de que me diera cuenta, me agarró por la espalda y me llevó hacia él.

Noté sus labios acariciando los míos. Le despreciaba, pero también le adoraba. Solo podía pensar en los movimientos de su boca, de su lengua, de sus labios. En sus brazos me transformaba en una chica frágil, vulnerable. La pasión se fue apagando y los besos se volvieron tan tiernos que incluso me hacían cosquillas.

Cuando Kile por fin se apartó, continuó rozándome la mejilla de forma distraída.

—Eres una jovencita consentida, en ocasiones incluso odiosa…, pero aquí me tienes.

Y, tras un último beso, abrió la puerta y se marchó.

Me quedé ahí plantada, mirando fijamente la puerta, confundida. ¿Por qué se empeñaba en que confiara en él cuando era evidente que no me soportaba? ¡A mí tampoco me caía bien él! A veces podía llegar a ser tan maleducado como su hermana Josie.

Abrí el armario para ponerme el pijama y advertí su horripilante corbata tirada en el suelo. Si la tiraba ahora, estaría haciendo un gran favor a la humanidad.

Quizá, la próxima vez que volviera a tener un día desastroso, la quemaría. Pero, por ahora, la guardaría en un cajón.

A la mañana siguiente, me levanté con la cabeza hecha un lío. No lograba explicarme la actitud de Kile en mi habitación.

¿Cuál había sido su propósito? Hale, tras aquel bombardeo de preguntas, también me había hecho sentir así. Eran dos chicos que, a primera vista, no tenían nada en común y cuya opinión sobre mí era completamente opuesta y, sin embargo, tanto Kile como Hale habían conseguido que quisiera alejarme de ellos.

¿Acaso todos los hombres eran así? ¿Es que todos sabían cómo desarmar a una mujer?

—¿Neena? —llamé.

Me pasé el cepillo por el pelo en un intento de desenredar los nudos. Advertí la silueta de mi doncella entre el vaho, con el pijama que había dejado en el suelo minutos antes.

—¿Sí, alteza? —respondió, y me miró a través del espejo.

—Me da la sensación de que hace una eternidad que no hablamos de tu novio. ¿Cómo se llamaba?

Eso le sacó una sonrisa.

—Mark. ¿Por qué lo pregunta?

—A mi alrededor revolotean decenas de chicos. Y, bueno, a veces me pregunto cómo es la vida en pareja.

Ella sacudió la cabeza.

—Enamorarte de alguien… y ser correspondido es lo mejor que te puede pasar —contestó. Debía reconocer que me contagió su felicidad—. Nos va muy bien, la verdad. Por fin ha entrado en la universidad, y se pasa el día estudiando. Me suele llamar una o dos veces por semana. No es mucho, pero los dos tenemos las agendas bastante apretadas.

—Ya sabes que necesito una supervisión constante —dije, y le guiñé un ojo.

—Amén.

—¿A él le importa? Me refiero a que vivas tan lejos, a que estés siempre tan ocupada.

Neena estiró la ropa que llevaba sobre el brazo.

—No. La facultad le exige muchísimo, así que, por ahora, incluso es útil.

Ladeé la cabeza y seguí peinándome.

—Interesante. ¿Qué estudia?

—Mark es químico.

Casi se me salen los ojos de las órbitas.

—¿De veras? En cuanto al trabajo, se puede decir que sois como la noche y el día.

Ella arrugó la frente.

—El sistema de castas desapareció hace tiempo, alteza. Ahora todo el mundo puede casarse con quien le plazca.

Me volví para mirarla directamente a la cara.

—No me refería a eso. Tan solo me intriga la dinámica que lleváis. En este instante, tú tienes mi ropa limpia sobre el brazo, y, probablemente, él esté curando una enfermedad. Son dos papeles muy distintos en el mundo.

Neena tragó saliva y dejó caer toda la ropa al suelo.

—No pienso encargarme de su colada hasta el fin de los días. Yo misma tomé la decisión de venir aquí. Puedo irme cuando quiera.

—¡Neena!

—No me encuentro bien —espetó con brusquedad—. Haré que suba alguien para que la ayude.

Ni siquiera hizo una reverencia.

—Neena, ¡hablaba por hablar!

Oí un portazo y salí del cuarto de baño. Me asombró que se marchara con tal descaro y sin pedir permiso. No pretendía ofenderla. Solo sentía curiosidad y, a decir verdad, ese pequeño comentario nada tenía que ver con lo que en realidad me habría gustado averiguar.

Una vez que acabé de peinarme, empecé a maquillarme. Cuando apareció la doncella suplente, la despaché. Que Neena se hubiera despertado con un humor de perros no significaba que pudiera librarse de sus tareas. Podía ocuparme de mi imagen, y ella podía ordenar mis aposentos al día siguiente.

Cogí las solicitudes de los pretendientes que se habían salvado de mi guillotina particular. Me gustara o no, sabía lo que se esperaba de mí. Lo único que necesitaba era crear situaciones que pudieran parecer lo más reales posible.

Ean era, sin lugar a dudas, cautivador, pero su carisma me abrumaba. No me veía preparada para estar a solas con él. Edwin era totalmente inofensivo. Busqué el formulario de Apsel para echarle un vistazo.

No había nada de extraordinario en él. Estuve tentada a

echarle y enviarle a casa por ser tan desabrido, pero tras la reacción que provocó la primera eliminación, no lo creí conveniente. El siguiente formulario era el de Kile; pasé de largo. Winslow era, y odiaba admitirlo, muy poco atractivo. Cuánto más lo miraba, más me acostumbraba a esas facciones monstruosas. No tenía un prototipo de chico, pero él me hizo dudar de si tenía un antiprototipo, por así decirlo. E Ivan... ¿era el candidato que olía a cloro?

Al final de todo aquel papeleo apareció la fotografía de Jack Ranger. En la fiesta le pillé observándome varias veces, pero no entablamos conversación, lo que me hacía suponer que todavía le intimidaba. ¡Bingo! Una cita con él, a diferencia de con otros, no me dejaría mal sabor de loca.

Escribí una nota, invitándole a ver una película conmigo esa misma noche. Era una cita fácil. No tendríamos que cruzar palabra, a menos que fuera necesario. Cuando Jack estuviera rodeado de pretendientes, enviaría a un mayordomo a entregarle mi propuesta. Tenía la intención de anunciar mis citas por carta. Así, la Selección sería más interesante.

Desayuné a toda prisa, lista para empezar a trabajar. Examinar aquel sinfín de solicitudes, facturas, presupuestos y propuestas no era mi tarea favorita, pero me entretenía y, además, prefería tener la mente ocupada durante el día.

Durante los próximos tres meses, iba a dedicar todas las noches y los fines de semana a esos chicos. Así que el resto del tiempo debía centrarme en mi trabajo.

—Eadlyn, cariño —dijo papá, que se tomó un descanso para tomar un té—. No he tenido la oportunidad de decírtelo, pero la fiesta en el jardín fue todo un éxito. Esta mañana he leído varias crónicas en los periódicos. Han llenado páginas, la verdad.

—Yo también los he ojeado. De hecho, una revista ha publicado un especial. Las fotografías son excelentes —apunté.

Me desperecé; llevaba mucho tiempo sentada.

Papá sonrió.

—Tienes toda la razón. Creo que deberías organizar un

evento parecido pronto, algo que reúna a todos los pretendientes y que los espectadores deseen ver.

—¿Algo que incluya una eliminación posterior?

—Si crees que servirá de algo.

Me acerqué a su escritorio y me serví una taza de té.

—Tiene su punto. La gente mostrará más interés en la Selección si su favorito sigue en el partido.

Se quedó pensativo unos instantes.

—Interesante. ¿Ya se te ha ocurrido algo?

—No, pero he pensado que, puesto que se supone que estamos buscando a un príncipe, no estaría mal poner a prueba sus conocimientos. Todo príncipe debe saber de historia o de política, por ejemplo. Podríamos hacerlo de un modo lúdico. ¿Un concurso quizá?

Papá se echó a reír.

—Te meterás al público en el bolsillo.

Tomé un sorbo de té.

—¿Ves? Tengo buenas ideas. No necesito un príncipe.

—Eadlyn, podrías dirigir el mundo tú solita si fuese necesario…, pero no se trata de eso —añadió.

—Ya veremos.

Capítulo 19

Después de la cena, me encaminé hacia la habitación de Jack. Estaba esperándome junto a la puerta, lo cual me extrañó. Supuse que los nervios le habían superado.

—Buenas noches, Jack —saludé.

—Alteza —respondió con una educada reverencia.

—Puedes llamarme Eadlyn, y tutearme.

Él sonrió.

—Genial. Eadlyn.

Se produjo un silencio un tanto incómodo. Esperé a que me ofreciera el brazo, pero el pobre muchacho estaba tan exaltado que ni siquiera lo pensó. Me parecía que forzaba un poco la sonrisa, pero sus ojos destilaban ilusión. Al final, me rendí y señalé la escalinata.

—Es por ahí.

—Súper —dijo, y se marchó. Caminaba varios pasos por delante de mí, aunque no tenía ni la menor idea de adónde íbamos.

—No, Jack. Ahora a la izquierda —le indiqué.

Serpenteamos por los pasillos de palacio; cada dos por tres me veía obligada a decirle por dónde tenía que ir, y en ningún momento me pidió disculpas. Se limitaba a seguir mis instrucciones, como si eso fuera de lo más normal. Traté de no tenerle en cuenta ese tropiezo porque ya había elaborado una lista de los siguientes eliminados, y no quería añadir el nombre de Jack.

El palacio constaba de cuatro pisos, pero los sótanos eran

profundos. El *Report* se grababa en la primera planta inferior. En la cripta también había un almacén inmenso, además de un teatro. Las habitaciones del personal y de los guardias de seguridad también estaban situadas ahí, distribuidas entre las dos primeras plantas inferiores. Sin embargo, esos aposentos no estaban conectados con el teatro. Y, en lo más profundo, se había construido un búnker monstruoso. Tan solo había pisado esa sala un par de veces en mi vida: la primera vez fue durante un simulacro y tan solo tenía tres años, y la segunda ocurrió poco después, cuando unos rebeldes trataron de atacarnos.

Me resultaba extraño pensar en ello. Los rebeldes se habían esfumado, pero todavía teníamos que hacer frente a grupos de opositores que despreciaban la monarquía. En cierto modo, deseaba que los insurgentes hubieran seguido en pie de guerra. Al menos así podríamos ponerles nombre y sabríamos a qué nos estábamos enfrentando.

Sacudí la cabeza y regresé al presente. Estaba en mitad de una cita y, al recordarlo, me amonesté. Papá me habría aconsejado tener un cámara por ahí. Ah, bueno. La próxima vez.

—En fin, espero que te gusten las películas.

—¡Pues sí! —contestó Jack con gran entusiasmo.

—Bien. A mí también, pero no siempre puedo escaparme al cine. En palacio solemos tener acceso a las últimas novedades, aunque las opciones son limitadas. Seguro que encontramos algo bueno.

—Fantástico.

Su forma de actuar me parecía rara. Caminaba sobre esa fina línea que separaba la grosería y la buena educación. Me pregunté si se haría una idea de todos los errores que estaba cometiendo.

Un mayordomo nos había preparado palomitas. Utilicé el mando a distancia para ver el listado de películas.

—¿Qué te parece *Ojos que te acechan*? —sugerí. La descripción que acompañaba la imagen de la carátula daba a entender que sería una mezcla de romance y drama.

—Suena bien. ¿Crees que habrá escenas de acción?

—Lo dudo mucho. También tenemos *Diamantes negros*.

—La fotografía era oscura, siniestra, con la silueta de un tipo de perfil y con una pistola en la mano. Nunca, bajo ningún concepto, habría escogido esa película.

—¡Sí! Tiene buena pinta.

—Bueno, hay más películas —dije, y traté de volver al menú principal.

—Pero yo quiero ver esta. Ya verás, no da miedo. Y, si te asustas, puedes abrazarte a mí.

Hice una mueca y me pregunté si había subestimado a Apsel. Los asientos del teatro eran amplios y muy cómodos. Si quería acurrucarme junto a alguien, no me quedaría más remedio que levantarme y estrujarme en su asiento, lo cual no iba a suceder. Además, antes muerta que reconocer que tenía miedo.

Sin embargo, eso no era lo que me preocupaba de la película. Sencillamente creía que verla sería una enorme pérdida de tiempo.

Suspiré; aquella situación me estaba sobrepasando. Al parecer, aquel pobre chico no era consciente de su patética y ridícula actitud. Dejé de darle vueltas al asunto y llegué a la conclusión que debía comunicarle a papá que, en conjunto, todos mis pretendientes necesitaban, y con carácter de urgencia, unas clases de protocolo y etiqueta.

Empezó la película. En pocas palabras: el padre del protagonista es asesinado por el tipo malo. El protagonista se pasa la vida persiguiendo al tipo malo, pero el tipo malo siempre logra escaparse. El protagonista se acuesta con la rubia de escándalo. La rubia de escándalo desaparece. El protagonista mata al tipo malo y la rubia de escándalo vuelve a aparecer en escena. Ah, y explotan varias cosas.

Jack se lo estaba pasando bomba, pero yo no podía estar más aburrida. Si la rubia de escándalo hubiera matado a alguien, quizá la trama me hubiera interesado un poco más.

Pero al menos así no teníamos que hablar.

Cuando acabó la película y empezaron a salir los créditos, encendí las luces con el mando a distancia.

—Y bien, ¿qué te ha parecido? —preguntó, con los ojos todavía brillantes de la emoción.

—Ha estado bien. Aunque he visto películas mejores, sin duda.

Le había encantado.

—¡Pero los efectos son increíbles!

—Ya, pero la historia es demasiado previsible.

Él entornó los ojos.

—A mí me ha gustado.

—Pues perfecto.

—¿Acaso te molesta?

Torcí el gesto ante aquella pregunta.

—No. Solo significa que tienes mal gusto.

Se echó a reír, pero sus carcajadas sonaron más siniestras que divertidas.

—Me encanta cuando haces esto.

—¿Hacer el qué? —pregunté. Me levanté y dejé mi bol de palomitas sobre el mostrador para que el personal lo recogiera.

—Llevo toda la noche esperando a que me muestres un ápice de carácter.

—¿Perdón?

—Tenía la esperanza de que te enfadaras, o te pusieras de mal humor —explicó, y también dejó su bol sobre el mostrador—. ¿Recuerdas el día en que prácticamente vaciaste el Salón de Hombres? ¿Justo después del desfile? Me pareció genial. A ver, no me malinterpretes, no quiero irme a casa, pero si me echaras a gritos, no me quedaría hecho polvo.

Le miré con detenimiento.

—Jack, ¿te das cuenta de lo que acabas de decir? Apenas hemos cruzado cuatro palabras y, en la primera conversación, me sueltas que mi ira te excita. ¿No crees que a lo mejor te has excedido?

Esbozó una pequeña sonrisa.

—Pensé que agradecerías que fuera sincero. Me parece que eres una chica irascible, que se molesta por cualquier nimiedad, y solo quería que supieras que no me importa. De hecho, me gusta.

Jack trató de cogerme la mano, pero no le dejé.

—Pues te has equivocado. Se ha acabado la cita. Buenas noches.

Me siguió e intentó frenarme. Me negaba a reconocer que estaba aterrorizada. El frío del miedo había empezado a apoderarse de mí. Jack era más corpulento que yo y, por lo visto, las discusiones eran su pasatiempo favorito.

—No huyas —ordenó con voz de seda—. Solo intento demostrarte que podría ser tu media naranja, que podríamos encajar a la perfección —dijo. Me acarició la mejilla y fue bajando poco a poco, hasta llegar al cuello. Se le estaba acelerando la respiración y sabía que no podía perder un segundo más. Tenía que huir de allí lo antes posible.

Le lancé una mirada asesina.

—Y yo solo intento decirte que, si no apartas la mano, estarás muerto antes de encontrar a tu media naranja.

—Qué morbo —susurró con una sonrisa de suficiencia, como si de veras creyera que yo estaba disfrutando con todo eso—. Este juego me está encantando.

—Suél-ta-me.

Jack apartó la mano, pero en su mirada todavía quedaba algo de emoción.

—Me lo he pasado bien. Repitamos pronto.

Fui hacia las escaleras y rogué que no me siguiera. Y entonces decidí que, a partir de ese mismo momento, habría cámaras en todas y cada una de las citas.

Cuando llegué al primer piso, casi sin aliento, vislumbré a un par de agentes y corrí hacia ellos como si el mismísimo demonio me hubiera poseído.

—Alteza —exclamó el primero, y me abalancé sobre sus brazos.

—¡Sacadle de aquí! —supliqué, y señalé las escaleras—. ¡Jack! ¡Echadlo de mi casa!

Los guardias salieron disparados para capturarle; me encogí en un rincón, donde me quedé como petrificada.

—¿Eadlyn?

Era Ahren. Dejé escapar un grito y corrí a sus brazos.

—¿Qué ha ocurrido? ¿Estás herida?

—Jack —tartamudeé—. Me ha cogido del brazo. Me ha tocado —expliqué.

Sacudí la cabeza e intenté aclarar mis ideas. Todo había ocurrido demasiado rápido. Y fue entonces cuando caí en la cuenta de que no había sido tan rápido.

Jack siempre me vigilaba, nunca daba el paso de acercarse a mí y, como un felino, esperaba sigilosamente su momento. Incluso esa noche, su estrategia había sido muy cautelosa: había observado mi frustración con una emoción contenida, disfrutando de la tensión hasta el momento de liberarla.

—No ha dejado de decirme cosas muy extrañas, y el modo en que me miraba… Ahren, nunca había pasado tanto miedo.

El alboroto que se oía desde las escaleras nos interrumpió. Los dos guardias estaban forcejeando con Jack para alcanzar el rellano. Cuando me vio, empezó a rugir.

—¡Te ha gustado! —insistió—. ¡Has disfrutado tanto como yo!

Ahren me sujetó por la cintura y, ni corto ni perezoso, me empujó hacia Jack, aunque mi instinto me gritaba que echara a correr en dirección opuesta. Mi hermano me plantó delante de Jack.

—Dale una buena paliza, Eadlyn —me ordenó Ahren.

Le miré un tanto confundida; pensé que se trataba de una broma. Pero sus ojos destilaban una rabia genuina.

Estuve a punto de caer en la tentación. No podía permitirme tomar represalias contra las personas que me insultaban…, o contra las que criticaban mi vestuario… Ni tampoco podía retroceder en el tiempo y volver al desfile para amonestar a todos los que se habían comportado mal. Pero, en ese instante, por una vez en la vida, podía vengarme de alguien que me había hecho daño.

Y lo habría hecho de no ser por la sonrisa socarrona y malvada de Jack; estaba deseando que lo hiciera, como si lo hubiera estado soñando durante días. En su cabeza, los conceptos de sexo y violencia estaban estrechamente relacionados, así que darle uno significaba darle el otro.

—No puedo —murmuré.

Jack fingió un mohín.

—¿Estás segura, cielito? A mí no me imp…

Nunca había visto a Ahren darle un puñetazo a alguien. Me

asombró tanto como ver a Jack retorcerse de dolor después de encajar el golpe.

Ahren gruñó y se miró los nudillos.

—¡Qué daño! ¡Au, qué daño!

—Te llevaremos al hospital de palacio —comenté.

—Alteza, ¿quieres que le llevemos al médico?

Jack apenas podía caminar y le costaba respirar.

—No. Subidle a un avión, esté consciente o no.

Me acurruqué en la cama de Ahren y traté de hacerme un sitio. Tenía a Ahren a un lado y a Kaden en el otro. Ahren flexionaba los dedos, amoratados y recubiertos de gasas y tiritas.

—¿Te duele? —preguntó Kaden, más alegre que preocupado.

—Un poco, pero volvería a hacerlo.

Sonreí a mi hermano, agradecida por tenerle a mi lado.

—Si hubiera estado ahí —dijo Kaden—, le habría retado a un duelo.

Me reí entre dientes. Ahren le alborotó el cabello.

—Lo siento, colega, pero ha pasado tan deprisa que ni siquiera lo he pensado.

Kaden sacudió la cabeza.

—Tantos años de clases de esgrima para nada.

—Siempre has sido mejor espadachín que yo —dijo Ahren.

Osten entró en el dormitorio sin tan siquiera llamar a la puerta, con el teléfono pegado al oído.

—¡Haber practicado más! —replicó Kaden.

Osten aterrizó en la cama sin dejar de parlotear por teléfono.

—Sí, sí. De acuerdo, un momento —dijo; tapó el auricular y me dijo—: Eady, ¿de dónde era ese tal Jack?

Traté de visualizar su formulario de inscripción.

—Paloma, creo.

Kaden asintió.

—Era de Paloma.

—Genial —murmuró Osten, y prosiguió con la conversación telefónica—. ¿Lo has oído? Estamos en contacto.

Colgó la llamada y guardó el teléfono móvil en el bolsillo. Todos le estábamos observando en silencio.

—En condiciones normales intentaría impedir lo que estás tramando, pero esta vez ni siquiera quiero saberlo.

—Es lo más sensato.

Miré a mi alrededor, a todos mis hermanos. Se preocupaban por mí, y eran tan listos como traviesos. Muchas veces me enfadaba con ellos por no ser mayores que yo, por obligarme a asumir un papel que jamás había ansiado. Esa noche, quizá por primera vez, me di cuenta de que les quería de forma incondicional. Kaden me estaba ayudando a distraerme, Ahren me había defendido a capa y espada y Osten..., bueno, él también estaba poniendo su granito de arena.

Osten había dejado la puerta entreabierta, así que cuando papá y mamá pasaron por delante, encontraron a todos sus hijos juntos, apretujados en la misma cama.

Mamá parecía feliz de ver a toda su familia a salvo, pero papá se quedó pálido, casi perturbado.

—¿Estáis todos bien?

—Un poco asustados —admití.

—Y un poco magullados —añadió Ahren.

Papá tragó saliva, apenado.

—Eadlyn, lo siento mucho. No entiendo cómo consiguió colarse y pasar todos nuestros controles. Creí que las solicitudes se revisaban con lupa, y no tenía la menor idea...

No fue capaz de acabar la frase; estaba a punto de echarse a llorar.

—Estoy bien, papá.

Él asintió, pero no dijo nada.

Mamá dio un paso al frente y tomó las riendas de la conversación.

—Nos gustaría establecer ciertas pautas y directrices. A partir de ahora, quizá sería buena idea ponerte un guarda personal que te acompañe a todas tus citas; o eso, o establecer como norma que deben ser en zonas públicas.

—O contratar a fotógrafos. Creo que eso también serviría —propuse, y me reprendí de nuevo por no haberlo pensado antes.

—Una idea excelente, cariño. No queremos que corras ningún peligro.

—Ahora que lo dices —intervino papá, que ya se había recuperado—, ¿cómo quieres que procedamos con Jack? ¿Encubrimos el asunto y hacemos como si nada? ¿Presentamos cargos formales? Personalmente, me encantaría partirle las piernas, pero la decisión está en tus manos.

Sonreí.

—Nada de cargos, pero tampoco quiero tapar el escándalo. Informemos a todo el mundo de la clase de persona que es. Eso será castigo suficiente.

—Sabia decisión —comentó Ahren.

Papá se cruzó de brazos y sopesó mi propuesta.

—Si eso es lo que deseas, adelante. Me han asegurado que ya está de camino a casa, que podemos dar el asunto por acabado.

—Gracias.

Papá rodeó a mamá por la cintura y se volvieron, dispuestos a marcharse. Mamá miró de reojo a todos sus retoños antes de irse.

—Por cierto —dijo papá, mirándonos por encima del hombro—, aunque entiendo por qué le dejaste ahí tirado sin comprobar si había recuperado el conocimiento, no olvides que, si hubiera perdido la vida, las cosas se habrían puesto muy muy feas.

Contuve la risa, pero sabía que mi mirada me estaba delatando.

—De acuerdo. No volverá a ocurrir. Nadie será desterrado de palacio de mala manera.

—¡Y más combates con espadas! —gritó Kaden.

Ahren y yo nos echamos a reír, pero nuestros padres menearon la cabeza.

—Buenas noches. No os quedéis despiertos hasta tarde —avisó mamá.

Y, aunque esa no había sido nuestra intención, al final acabamos charlando hasta altas horas de la madrugada. Me quedé dormida abrazada a Kaden, con el brazo de Ahren bajo mi cabeza y con Osten agarrado a uno de mis pies.

Al día siguiente me levanté a primera hora de la mañana, bastante más pronto que los demás. Contemplé a mis hermanos, a mis protectores. La Eadlyn hermana deseaba quedarse, pero la Eadlyn princesa debía prepararse para un nuevo día en palacio.

Capítulo 20

Por la mañana, mientras tomábamos el desayuno, repasé a cada uno de los pretendientes. Quería averiguar si, entre aquellos chicos, podía haber un segundo Jack. No dejaba de pensar que, si hubiera prestado más atención durante los primeros días de concurso, quizá me habría dado cuenta de que aquel muchacho era un poco raro.

Luego observé a los candidatos que había conocido un poco más a fondo, como Hale y Henri. Agradecí la presencia de Erik y llegué a la conclusión de que no podía permitir que un solo chico me hiciera dudar de todos los demás. Y, además, no podía permitirme tener miedo.

Así que respiré hondo, recuperé la compostura y recordé quién era. Nadie apoyaría a una reina con miedo.

La hora del desayuno estaba a punto de tocar a su fin; me levanté para llamar la atención de todos los presentes.

—Caballeros, tengo una sorpresa para vosotros. Por favor, dentro de quince minutos, reuníos conmigo en el estudio para un jueguecito.

Algunos se rieron, otros aplaudieron, pero ninguno sabía la sorpresa que les aguardaba. Me sentí un poco culpable. Abandoné el salón antes que el resto para cerciorarme de que estaba perfecta para las cámaras.

Poco después, los pretendientes empezaron a llenar el plató. El decorado les dejó un poco aturdidos. Me senté al frente, como si fuera una maestra de colegio; cada uno de ellos tenía un taburete asignado y, sobre él, una pizarra blanca, un rotulador y una etiqueta enorme con su nombre, clavadita a la que había visto en algunos concursos televisivos.

—¡Bienvenidos, caballeros! —anuncié—. Por favor, tomad asiento.

Las cámaras ya estaban grabando, capturando las sonrisas nerviosas y expresiones de confusión de los pretendientes mientras buscaban su taburete y se ponían la etiqueta.

—Hoy os vamos a someter a un examen sorpresa sobre Illéa. Hablaremos de historia, de relaciones exteriores y de política doméstica. Si la respuesta es correcta, una de las doncellas —expliqué, y señalé a las señoritas de uniforme—, os pondrá una pegatina dorada en el pecho. Pero si es incorrecta, recibiréis una cruz de color negro.

Los chicos se rieron por lo bajo, ansiosos y emocionados, y con la mirada pegada en las cestas de pegatinas.

—No os preocupéis, será divertido. Pero estoy segura de que esta información me ayudará a decidir mi próxima eliminación. Equivocarse en la mayoría de respuestas no se traducirá en una expulsión automática..., pero estaré muy atenta —bromeé, y les señalé con el dedo—. Primera pregunta —anuncié—. ¡Y muy importante! ¿Cuándo es mi cumpleaños?

Oí varias carcajadas; muchos candidatos agacharon la cabeza y garabatearon su respuesta en la pizarra. Advertí que algunos estiraban el cuello para intentar leer la fecha que escribía el compañero.

—De acuerdo, levantad las pizarras —ordené, y miré boquiabierta todas las fechas.

Kile, por supuesto, sabía que era el 16 de abril y, aunque muchos le copiaron la respuesta, tan solo un puñado de ellos sabía el año de mi nacimiento.

—¿Sabéis qué? Voy a hacer una excepción; todo aquel que haya acertado el mes, recibirá un punto positivo.

—¡De acuerdo! —exclamó Fox con alegría.

Lodge y Calvin se dieron una palmadita en la espalda. Las doncellas cruzaron el escenario con las etiquetas; los chicos que obtuvieron una cruz se pusieron a llorar cómicamente, y aceptaron la etiqueta sin enfurruñarse.

—Ahora viene una pregunta con multitud de respuestas posibles. En vuestra opinión, ¿quién es el mayor aliado de Illéa?

Algunos adivinaron la respuesta correcta: Francia, Italia y Nueva Asia. Henri escribió «Swendway» con varios signos de exclamación.

La pizarra de Julian tenía varias flechas señalando hacia arriba y la palabra «YO» escrita en mayúsculas.

Le señalé:

—¡Espera, espera, espera! ¿Qué significa eso? —pregunté, tratando de contener la risa.

Con una sonrisa de oreja a oreja, él se encogió de hombros.

—Sencillamente, creo que podría ser un gran amigo.

Sacudí la cabeza.

—Qué ridiculez —espeté, pero no sonó a reproche.

Una doncella alzó la mano.

—Entonces, ¿se merece una cruz o...?

—Oh, ¡una cruz, desde luego! —aseguré, y todos los chicos se pusieron a reír, incluso Julian.

El país fue rebautizado como August Illéa por el tipo que ayudó a papá a erradicar las fuerzas rebeldes; todos conocían los acontecimientos de la Cuarta Guerra Mundial. Llegamos al final del concurso y me alegró descubrir que la mayoría de mis pretendientes estaba al día de nuestra historia.

—A ver. ¿Quién tiene más etiquetas doradas?

Las doncellas me ayudaron a contar los puntos positivos, lo cual fue muy eficaz, pues habían sido ellas quienes los habían repartido.

—Hale tiene seis. Al igual que Raoul y Ean. ¡Bravo, caballeros!

Aplaudí y todos me siguieron, hasta que se percataron de lo que venía después.

—De acuerdo, y ahora, ¿quién se ha ganado más cruces?

De inmediato, todas las doncellas señalaron un rincón oscuro, donde el pobre Henri estaba cubierto de pegatinas negras.

—¡Oh, no, Henri! —lamenté con una carcajada; no quería que pensaran que me tomaba el juego demasiado en serio.

A decir verdad, tenía la esperanza de poder eliminar a alguien tras el concurso, pero sabía que la falta de información de Henri estaba justificada; tan solo llevaba un año viviendo en el país y, además, era más que probable que hubiera malinterpretado algunas de las preguntas.

—¿Quién más? Burke e Ivan... Bueno, tampoco es una catástrofe.

Habían fallado varias respuestas, pero, aun así, se habían ganado tres puntos dorados más que Henri. Al menos el juego sirvió para confirmar mi falta de interés por Ivan.

—Gracias a todos por haber participado. Guardaré toda esta información y, quién sabe, quizá me sirva para hacer una criba y eliminar a algunos pretendientes durante las próximas semanas. ¡Enhorabuena por ser tan inteligentes! —felicité, y les dediqué un sonoro aplauso.

Los pretendientes también se felicitaron, dándose palmaditas en la espalda, estrechándose la mano, y poco a poco las cámaras se fueron apagando.

—Antes de despedirnos, caballeros, tengo una última pregunta para vosotros; y está relacionada con la historia más reciente de Illéa, así que más os vale acertarla.

Los nervios estaban a flor de piel, y todos empezaron a murmurar, preparándose para el reto.

—Si sabéis la respuesta, no dudéis en gritarla. ¿Listos? ¿Cuándo se considera aceptable ponerme las manos encima sin pedir permiso?

Miré a cada uno de los seleccionados con detenimiento. Se miraron perplejos y sin saber qué decir. Hale fue el único valiente que se atrevió a contestar.

—Nunca —contestó.

—Respuesta correcta. Os aconsejo que lo tengáis siempre presente. Jack Ranger ha sido expulsado de palacio; se ha marchado con un puñetazo en la nariz de Ahren, humillado. Si alguno intenta tocarme sin mi consentimiento, será castigado. ¿Ha quedado claro?

El estudio quedó en silencio.

—Me lo tomaré como un sí.

Me marché, confiada en que mis palabras hubieran calado hondo. El juego había acabado.

ϒ

Después del almuerzo, me extrañó que papá no estuviera en el despacho. Llegar tarde no era típico de él. Así que cuando la señorita Bryce llamó a la puerta, me encontró sola.

—Alteza —saludó—, ¿su padre todavía no ha llegado?

—No. No sé qué asunto le tendrá entretenido.

—Hmm —murmuró, y echó un vistazo a la pila de papeles que sujetaba entre los brazos, pensativa—. Necesito hablar con él.

A veces, la señorita Bryce parecía una jovencita. Era mayor que yo, por supuesto, pero tampoco era de la edad de papá. Era una mujer impredecible. No me era antipática, ni mucho menos, pero siempre me había llamado la atención que fuera la única mujer con la que papá aceptaba trabajar.

—¿Puedo ayudarte en algo? —ofrecí.

Bajó la mirada y lo meditó.

—No estoy segura de que su padre quiera que esta información se divulgue demasiado, así que creo que no. Lo siento.

Esbocé una sonrisa e intuí que estaba diciendo la verdad.

—Ningún problema. Señorita Bryce, ¿puedo hacerte una pregunta? Eres una mujer lista y cariñosa. ¿Por qué no te has casado nunca?

Ella no pudo ocultar una sonrisa.

—Estoy casada. ¡Con este trabajo! Significa mucho para mí y, la verdad, prefiero cumplir con él que encontrar un marido.

Puse los ojos en blanco.

—Amén.

—Sé que me entiende. Los únicos hombres que veo a diario son los demás consejeros, y, sinceramente, no me apetecería mantener una relación amorosa con ninguno de ellos. Así que me centro en mi trabajo, y ya está.

Asentí.

—Y lo respeto. La mayoría de la gente asume que una mujer no puede ser feliz sin un marido, sin unos hijos, pero, en mi opinión, pareces satisfecha con tu vida.

Encogió los hombros.

—A veces lo pienso. Quizá algún día adopte un crío. Creo que la maternidad es todo un honor. Y no todo el mundo lo sabe hacer.

Aquel tono de amargura me hizo pensar si se estaba refiriendo a su propia madre, pero preferí no hurgar en la herida.

—Lo sé. Y me siento afortunada por tener una madre tan maravillosa.

Ella suspiró.

—Su madre es un ejemplo para todos. En cierto modo, cuando era niña, fue como una madre para mí. Aprendí muchísimo de ella.

Entrecerré los ojos.

—Vaya, no sabía que llevabas tantos años viviendo en palacio —musité.

Traté de recordar una época en que no la hubiera visto merodeando por los pasillos de palacio. Aunque lo cierto era que, hasta que no cumplí los trece y empecé a colaborar con papá en ciertos asuntos, nunca me fijé en sus consejeros. Así que, a lo mejor, no había reparado en su presencia.

—Sí, alteza. Llevo aquí casi tanto tiempo como usted —contestó entre risas—. El adjetivo «generosos» se queda corto para describir a sus padres.

Dieciocho años era mucho tiempo para no perder un puesto de trabajo en palacio, sobre todo como consejero. Papá solía relevar a la mayoría del personal de palacio cada cinco u ocho años, basándose siempre en recomendaciones y en el ánimo del país. Entonces, ¿qué tenía la señorita Bryce para conservar su trabajo durante tanto tiempo?

Estudié a aquella mujer; se retiró un mechón de pelo detrás de la oreja y dibujó una sonrisa. ¿Papá se negaba a substituirla porque era atractiva? No. Me sentí mal por haber pensado que podría ser tan superficial y egoísta.

—Bueno, siento no poder ayudarte. Le diré a papá que has pasado por aquí.

—Gracias, alteza. No es urgente, así que no hay prisa. Que tenga un buen día.

—Tú también.

Se marchó no sin antes despedirse con una elegante reverencia. Me quedé mirando la puerta, meditabunda; sentía curiosidad por esa mujer. Al parecer, me conocía desde que era una niña, pero nunca me había percatado de ello. Me centré de nuevo en mis papeles. Entre la Selección y el trabajo, no podía entretenerme con tonterías, ni con la señorita Bryce.

Capítulo 21

Esa noche, la cena fue agradable. Los pretendientes habían tomado nota y habían aprendido del error de Jack. Cuando entré, todos irguieron la espalda y, al pasar por delante de ellos, no hubo ninguno que no asintiera con la cabeza en señal de respeto. Tenía la sensación de que, por fin, había recuperado el control de la situación.

Papá también parecía un poco más tranquilo, aunque sabía que, en el fondo, seguía inquieto. Ahren se inclinó sobre la mesa y, con aire conspiratorio, me guiñó el ojo. Lo que había pasado con Jack había sido terrible, pero, al menos, había servido de algo.

Papá me había sugerido que probara a entablar conversación con los seleccionados durante la cena, pero me parecía poco cortés por mi parte. Además, no me veía capaz de ponerles en tal aprieto, al menos no de forma natural. Sabía que, a pesar de lo sucedido, toda la nación esperaba que siguiera con la Selección. Barajé mis opciones…

De los chicos que quedaban, Ean era el que más me intimidaba. No porque sospechara que fuera violento, sino por esa aura de orgullo y calma que le rodeaba; ni siquiera un terremoto podía desestabilizarle.

Quizá salir y coquetear con él me ayudaría a dominar el miedo. Era imposible que fuera tan insensible como parecía. Debería organizar una cita al aire libre y asegurarme de que hubiera algún fotógrafo por ahí cerca.

Como si me hubiera leído la mente, en ese preciso instante,

Ean me miró. Traté de disimular y fingí estar bromeando con mi hermano.

Me fijé en Kaden, que estaba leyendo un periódico por debajo de la mesa.

—¿De qué va el artículo? —pregunté.

Mi hermano contestó sin apartar la mirada del artículo; al parecer, necesitaba leerlo antes de acabar la cena.

—Sobre un acto benéfico que se está celebrando en Midston. Están recaudando dinero para que una chica pueda matricularse en una escuela de arte. Tiene mucho talento, pero no puede permitirse los estudios. Dice que..., espera. Ah, aquí está: «Provengo de una familia de Treses. Aunque las castas ya no existen, ellos creen que estudiar arte es algo indigno. Siempre les recuerdo que la reina nació como una Cinco, y que es brillante. Se niegan a pagarme la matrícula, y por eso pido ayuda, para perseguir mis sueños». Fíjate en sus cuadros. No están nada mal.

Había crecido rodeada de arte y, por lo tanto, lo apreciaba muchísimo. Aunque su obra no era de mi gusto personal, era evidente que tenía un gran talento.

—Son buenos. Qué estupidez. El objetivo de suprimir las castas era que la gente pudiera elegir libremente la profesión a la que se quería dedicar, pero son muchos los que todavía se sienten coaccionados. Es como si no quisieran que funcione.

—Establecer un sistema que permita algo no significa que la gente obedezca sin más.

—Obviamente —contesté con tono glacial, y tomé un sorbo de agua.

—La clave es conseguir que lo entiendan. ¿Te acuerdas de cuando mamá nos mostraba aquellos viejos libros de historia y nos explicaba cómo Estados Unidos había redactado ese papel... —hizo una pausa e intentó recordar el nombre—... la Declaración de Independencia? Gracias a él, el pueblo se ganó la libertad de perseguir la felicidad. Sin embargo, las personas que escribieron ese documento no podían dar la felicidad.

Sonreí.

—Eres demasiado listo.

—Me lo tomaría como un cumplido, pero la semana pasada te pillaron besando a Kile.

—Oh, ja, ja, ja —me burlé, y resistí la tentación de arrancarle la lengua.

—¿Vas a casarte con Kile?

Casi me atraganto.

—¡No!

Kaden se desternilló de risa y todos los comensales se giraron hacia nosotros.

—Lo retiro —farfullé mientras me mojaba los labios con agua—. ¡Eres un idiota de campeonato!

Me levanté y le di un capirotazo en la oreja.

—¡Au!

—Gracias por apoyarme, Kaden. Eres un gran hermano.

Él se frotó la oreja, sin dejar de sonreír.

—Eso intento.

«Casarme con Kile», pensé. Estaba a punto de explotar a reír. Si seguía actuando con discreción, las posibilidades de que pudiera besarme con él de nuevo eran muy, pero que muy altas... No obstante, no podía imaginarme casada con él.

De hecho, me costaba mucho verme casada con alguno de esos chicos.

En realidad, no me imaginaba con una alianza en el dedo anular...

Aminoré el paso y escudriñé sus rostros. ¿Cómo me sentiría durmiendo junto a Hale? ¿O dejando que Baden me entregara un anillo de pedida?

Traté de visualizar esos momentos, pero no pude. Me acordé de algo que Ahren había mencionado. Algunos de los seleccionados habían preguntado si cabía la posibilidad de que me gustaran las chicas. Qué tontería. Sabía que eso no era lo que me impedía conectar con un chico... Ahora, por fin, había comprendido cuál era ese obstáculo. No era simplemente el deseo de ser independiente; había construido un muro a mi alrededor, y no sabía muy bien por qué.

Muro o no, había hecho una promesa.

Cuando llegué a Ean, me detuve.

—¿Señor Cabel?

Él se levantó e hizo una reverencia.

—Sí, alteza.

—¿Montas a caballo?

—Sí.

—¿Te gustaría dar un paseo a caballo mañana?

Aquella propuesta le iluminó la mirada.

—Claro.

—Excelente. Te veo mañana entonces.

Opté por ponerme un vestido y montar al más puro estilo amazona. No era mi postura favorita para montar a caballo, pero así le daría un toque de feminidad a la cita.

Cuando salí de los establos, Ean ya estaba esperándome ensillando su caballo.

—¡Ean! —llamé al acercarme.

Él alzó la cabeza y me saludó con la mano. Era un tipo atractivo, el tipo de persona que el país esperaba ver a mi lado.

Ninguno de sus movimientos era casual ni distraído. Decidí que haría como él: aparentar seguridad y no dejar que la ansiedad pudiera influenciarme.

—¿Estás preparada? —preguntó. Nos tuteábamos.

—Casi. Solo necesito coger mi silla —comenté, y entré en una de las casetas.

—¿Piensas montar así vestida?

Me volví de golpe.

—En comparación con la mayoría de los hombres con pantalones, puedo hacer mucho más en diez minutos que todos ellos durante todo un día.

Él soltó una carcajada.

—No lo dudo.

Butterscotch estaba al fondo del establo, en una caseta un poco más amplia que las demás. El caballo de la princesa merecía un poco de espacio y buenas vistas.

Preparé a mi preciosa yegua, y me reuní de nuevo con Ean.

—Si no te importa, primero tomaremos algunas fotografías en el jardín.

—Ah. No, está bien.

Sujetamos las riendas de los caballos y los paseamos alrededor del jardín. Vi a un fotógrafo agazapado entre los arbustos, tomando instantáneas del cielo y de los árboles, matando el tiempo. Al vernos, vino directo a nosotros.

—Alteza —saludó, y me estrechó la mano—, soy Peter. Creí que sería buena idea tener algunas fotografías de ustedes dos juntos.

—Gracias —comenté sin dejar de acariciar a *Butterscotch*—. ¿Dónde nos ponemos?

Peter echó un vistazo al jardín.

—Pueden dejar los caballos junto a un árbol y posar delante de la fuente. Quedarán estupendos.

Solté a *Butterscotch* a sabiendas de que no echaría a correr.

—Vamos —dije con voz melosa, y tomé la mano de Ean.

Él ató las riendas de su caballo a una rama y me siguió. Peter no perdió ni un solo segundo. Ean me sonrió y yo aparté la mirada con aire tímido. Todo aquel numerito quedó documentado en imágenes. Nos colocamos delante de la fuente, nos sentamos a los pies de un sauce llorón e incluso tomó un par de fotografías delante de los caballos.

Cuando Peter nos aseguró que tenía suficiente material para el reportaje, a punto estuve de agitar los brazos para celebrarlo.

El fotógrafo recogió sus cosas bastante rápido, no sin antes revisar la cámara. Miré a mi alrededor y, tal como se me había prometido, comprobé que no estábamos solos. Vislumbré varios guardias de seguridad patrullando por los muros de palacio, y a un buen número de trabajadores pululando por los jardines, arreglando los senderos y las flores.

—¡Aquí, *Butterscotch*! —exclamé.

Me aproximé a ella y, de inmediato, movió la cola.

Ean era todo un experto en el arte de la hípica; me alegré de que fuera tan hábil como me había hecho creer.

—Perdóname, pero esa sesión de fotos ha sido puro teatro —opinó Ean mientras trotábamos hacia el lindero del jardín.

—Lo sé. Pero si les permito capturar momentos sobreactuados, puedo disfrutar de momentos más privados y sinceros con mis pretendientes.

—Interesante. Entonces, ¿esa escenita con Kile era simulada o privada?

Sonreí con una pizca de soberbia. Vaya, era rápido.

—La última vez que hablamos, me dio la sensación de que querías decirme algo —le recordé.

—Y así es. Quiero ser honesto contigo, pero para ello necesito que tú también lo seas conmigo. ¿Lo serás?

Le miré a los ojos y titubeé, pues no estaba segura de poder ofrecerle lo que me estaba pidiendo. Al menos ese día.

—Eso depende.

—¿De qué?

—De muchas cosas. No pretendo abrir mi corazón a alguien que conozco desde hace un par de semanas.

Trotamos en silencio durante unos minutos más.

—¿Plato favorito? —preguntó con expresión satisfecha.

—¿Cuentan las mimosas?

Él se rio entre dientes.

—Claro. ¿Qué más....? ¿El lugar más hermoso en que hayas estado?

—Italia. Por la comida, pero también por la compañía. Si vienen de visita, no dejes escapar la oportunidad de conocer a todos los miembros de la familia real. Son muy divertidos.

—Me encantaría. Muy bien, ¿color preferido?

—Rojo.

—Un color potente. Bien.

Ean me dio una tregua y dejó de interrogarme. Continuamos nuestro paseo alrededor de palacio. Fue un momento delicioso. Atravesamos la entrada principal y los jardineros dejaron de trabajar para saludarnos con una efusiva reverencia. Ean se aseguró de que no podían oírnos para acercar su caballo al mío.

—Quizá meto la pata, pero voy a intentar adivinar algunas cosas sobre ti.

—Adelante —desafié.

Él vaciló.

—Espera. Paremos aquí.

En los jardines que bordeaban el palacio tan solo había un banco de piedra, ese banco de piedra.

Bajé de *Butterscotch* de un brinco y me acomodé en aquel diminuto asiento junto a Ean.

—Alteza.

—Eadlyn.

—Eadlyn —repitió. Noté que le temblaba la mandíbula, mostrando así una pequeña grieta en su armadura de hierro—. A veces me da la impresión de que, en realidad, no deseabas que se celebrara la Selección.

No respondí.

—Si de veras ansiabas este momento, quizá estés algo decepcionada, y ahora te veas en una situación poco agradable. La mayoría de las mujeres mataría por tener docenas de hombres a su entera disposición, pero tú has optado por poner mucha distancia.

Sonreí.

—Ya te lo he dicho. No suelo abrirme con quien acabo de conocer.

Él negó con la cabeza.

—Llevo viéndote en el *Report* muchísimos años. Pareces estar por encima de algo así.

Respiré hondo, sin saber qué decir.

—Quiero hacerte una oferta. Quizá no la necesites, pero, de todos modos, quiero presentarte mi opción.

—¿Y qué podría ofrecer un chico como tú a una futura reina?

Recuperó ese ademán de seguridad de nuevo.

—Una salida.

Tirar del hilo era arriesgado, pero me picaba la curiosidad.

—¿Cómo?

—Nunca te presionaré. Nunca seré un lastre para ti. Ni siquiera te pediré que me quieras. Si me escoges, podrás disfrutar de un matrimonio libre de las restricciones convencionales. Conviérteme en tu rey, y podrás reinar libremente.

Me sacudí el polvo del vestido.

—Nunca serás rey.

Él ladeó la cabeza en un gesto cómico.

—¿No soy tu tipo?

Aparté la mirada.

—Eso no tiene nada que ver. Sea cual sea el hombre que se case conmigo, jamás será rey. Será el príncipe consorte, puesto que nadie puede ostentar un título mayor que el mío.

—También lo aceptaría.

Apoyé la espalda en el banco.

—Por pura curiosidad, ¿qué te ha llevado a hacerme tal propuesta? Eres un chico carismático y bastante guapo. Podrías disfrutar de un matrimonio lleno de felicidad, lo que me lleva a preguntarme por qué te comprometerías con alguien que sabes, a ciencia cierta, que jamás te querrá.

Asintió con la cabeza.

—Un planteamiento muy sensato. En mi opinión, el amor está sobrevalorado.

No pude contener una sonrisa.

—Vengo de una familia muy numerosa: seis hijos. He aprendido a vivir con lo justo, pero no quiero vivir así para siempre. La oportunidad de llevar una vida cómoda junto a una mujer agradable es mucho más de lo que puedo aspirar a conseguir ahí fuera.

—¿Agradable? —pregunté arqueando una ceja—. ¿Y ya está?

Él se rio por lo bajo.

—Me gustas. Nunca escondes tu forma de ser. Desde luego, la idea de casarme con una mujer poderosa, hermosa y lista no me parece disparatada. Yo, a cambio, te ofrezco un modo de terminar la Selección en caso de que no encuentres el chico perfecto para ti. Con el corazón en la mano, la mayoría de estos tíos son un hazmerreír. Tú puedes darme algo que jamás he tenido.

Sopesé la proposición. Hasta el momento, la Selección no había cumplido mis expectativas. La gente me había abucheado y me había arrojado comida podrida, se había quejado por la primera eliminación y se había atrevido a juzgar mi beso con Kile. Y, aunque todo eso no hubiera ocurrido, la verdad era que la idea de casarme no me atraía en absoluto. A veces me preguntaba si elegiría a uno de los candidatos sencillamente para hacer feliz a papá. Cada vez que le miraba a los ojos me percataba de lo agotado que estaba.

Quería a papá.

Pero también me quería a mí misma.

Y seguramente tendría que convivir conmigo más tiempo que con él.

—No tienes que darme una respuesta ahora —comentó Ean, obligándome a volver a la realidad—. Solo digo que, si me necesitas, aquí estoy.

Asentí.

—No puedo garantizarte que considere tu oferta —espeté, y me levanté—. Por ahora, continuemos con el paseo. Hacía tiempo que no disfrutaba de la compañía de *Butterscotch*.

Seguimos trotando durante un buen rato más, aunque apenas cruzamos cuatro palabras. En cierto modo, me sentí aliviada por no tener que entablar conversación. Algo me decía que Ean habría agradecido mi silencio. Me pregunté si una relación así podría durar, o si él, al final, se acabaría cansando de ese tipo de vida.

Durante ese tiempo me dediqué a estudiarle. Era guapo, un tanto presuntuoso y sincero. No contemplaba que yo pudiera censurar su seguridad en sí mismo, lo que me hacía intuir que él nunca me reprocharía nada. Así pues, podría estar casada sin «tener la sensación» de estarlo…

A fin de cuentas, Ean podía ser un candidato interesante.

Capítulo 22

Poco después di la cita por terminada. Él no protestó, quizá para demostrarme que podía ser el compañero dócil y sumiso que yo necesitaba. Era, sin lugar a dudas, una propuesta interesante, aunque todavía quedaba mucho proceso por delante y, por tanto, era demasiado pronto para saber si la aceptaría a no.

El tiempo pasó volando y, antes de que me diera cuenta, ya era la hora de cenar. Dejé a *Butterscotch* en su caseta y cepillé las botas de montar. Por suerte, no las había ensuciado demasiado.

—Buenas noches —suspiré a mi caballo, y le regalé un terrón de azúcar antes de volver a casa.

—¡Eadlyn! —llamó alguien en cuanto crucé la puerta principal de palacio.

Era Kile. Estaba charlando con Henri, Erik, Fox y Burke. Les pidió que le esperaran con un gesto y cruzó el pasillo corriendo hasta alcanzarme.

—Hola —saludó con su ya típica sonrisa torcida. Parecía algo nervioso.

—¿Qué tal estás?

—Bien. He estado hablando con algunos de los chicos, y queremos hacerte una proposición.

Suspiré.

—¿Otra?

—¿Eh?

—Nada —dije, y sacudí la cabeza para olvidar ese último

capítulo en el jardín—. ¿Me estabais esperando para comentármelo?

—Bueno, sí, pero antes quería preguntarte algo.

—Claro.

Kile hundió las manos en los bolsillos.

—¿Todo va bien entre nosotros?

Estreché los ojos.

—Kile, supongo que eres consciente de que no eres mi novio, ¿verdad?

Se rio en voz baja.

—Sí, claro que sí. Pero, no sé…, me encantó enseñarte mis diseños, reír contigo y, después de enterarme de lo ocurrido con Jack, quise pasar a verte, asegurarme de que estabas bien, pero temí que no quisieras hablar de ello conmigo. En fin, me preocupaba que te hubieras molestado por no haberte dicho nada. ¿Te das cuenta de lo complicada que eres?

—Suelo olvidarlo, pero tengo la gran suerte de que tú me lo recuerdas casi a diario —bromeé.

Kile estaba inquieto.

—Aflojaré un poco. Pero, hablando en serio, ¿todo bien?

Se mordió el labio inferior y tuve que pellizcarme para evitar soñar con esa boca. Me había prometido que me apoyaría en todo momento, así que albergaba la esperanza de poder volver a besar esos labios otra vez.

—Sí, Kile. Todo bien. No te preocupes tanto.

—De acuerdo. Acompáñame. Presiento que te va a gustar esta idea.

Nos dimos media vuelta y nos dirigimos hacia el grupito de pretendientes que estaba esperándonos. Henri me besó la mano de inmediato.

—Buenos días hoy —saludó, sacándome una sonrisa.

—Hola, Henri. Burke, Fox. Buenos días, Erik.

—Alteza —empezó Burke—. Quizá nuestra sugerencia esté un poco fuera de tono, pero creemos que la Selección es un proceso muy exigente y arduo.

Solté una risa.

—No te imaginas hasta qué punto.

Fox esbozó una sonrisa.

—Debe de ser una locura: tener que ocuparse del trabajo además de encontrar tiempo para citas individuales con los pretendientes y para organizar fiestas. Parece agotador.

—Así que se nos ha ocurrido una idea —anunció Kile—. ¿Qué tal si planeáramos algo todos juntos para esta semana?

Era una idea brillante.

—¡Sí! —exclamé—. Sería fantástico. ¿En qué habíais pensado?

—Podríamos cocinar algo juntos —respondió Burke, que estaba loco de contento. No podía negarme, aunque no era lo que más me apetecía hacer con ellos.

—¿Cocinar? —repetí con una falsa sonrisa pegada en la cara.

—Vamos —animó Kile—. Será divertido.

Resoplé.

—De acuerdo. Cocinar. ¿Qué os parece mañana por la tarde?

—¡Genial! —gritó Fox enseguida, como si le preocupara que pudiera cambiar de opinión.

—Bien. Jueves, a las seis en punto de la tarde. Podemos quedar en el vestíbulo y luego ir a las cocinas todos juntos. —Aquello estaba destinado a ser una pesadilla—. Si me disculpáis, tengo que arreglarme para la cena.

Subí a mis aposentos a toda prisa; dudaba de que esa cita pudiera salir bien.

—Neena —llamé al entrar en mi habitación.

—¿Sí, señorita?

—¿Podrías llenar la bañera? Necesito un baño antes de cenar.

—Desde luego.

Me descalcé, dejando las botas tiradas por el suelo, y me quité el vestido. Aparte de dar y recibir órdenes, apenas habíamos hablado últimamente. Y, aunque me costaba admitirlo, me estaba afectando muchísimo. Mi dormitorio era mi refugio, el lugar donde podía descansar, dibujar bocetos y esconderme del mundo. Neena formaba parte de ese pequeño mundo, y el hecho de que estuviera enfadada conmigo me hacía sentir mal.

Entré en el cuarto de baño y me alegré al ver que Neena

había añadido bolsitas de lavanda en la bañera sin habérselo pedido.

—Neena, me has adivinado el pensamiento.

—Gracias —murmuró con timidez.

Me movía con prudencia, pues lo último que quería era volver a enojarla.

—¿Has tenido noticias de Mark en estos últimos días?

Ella no pudo ocultar una sonrisa.

—Sí, justo ayer.

—¿Qué estudiaba? —pregunté, y me sumergí en aquella bañera de agua templada. Me sentí mejor casi de inmediato.

—Química. Bioquímica, en concreto —respondió, y bajó la mirada—. Admito que cuando me habla del tema utiliza muchas palabras que no entiendo, pero pillo la idea general.

—No pretendía insinuar que eres estúpida, Neena. Solo sentía curiosidad. No pensé que podía dar lugar a equívoco.

Bioquímica. Al oír la palabra se me encendió una bombillita.

Neena suspiró y arrojó más sobrecitos de lavanda a la bañera.

—Pues no ha sonado así.

—Ahora me codeo con chicos de distintos estratos sociales. A veces no soporto estar en la misma sala que ellos. Por eso me intrigaba saber cómo os las arreglabais para encontrar puntos en común, a pesar de tener trabajos tan diferentes.

Neena sacudió la cabeza.

—Con esfuerzo. Pero no es algo que se pueda explicar tan fácil. Hay personas que están destinadas a estar juntas.

Me tumbé en la bañera. Si no había una explicación, ¿por qué inquietarme? Recordé una vez más la oferta de Ean y pensé en la preocupación que había mostrado Kile. También repasé todas las preguntas de Hale. Me costaba creer cómo se habían torcido las cosas. Ya ni siquiera entendía mis propios sentimientos. Sabía que ansiaba mi independencia, y la simple idea de que un hombre pudiera intentar hacer mi trabajo me parecía inaceptable. Pero luego recordé las canas de papá, cada vez más numerosas, y me pregunté hasta dónde sería capaz de llegar para facilitarle la vida.

Era extraño. Básicamente, todos los candidatos podían ser una opción factible a la hora de la verdad. Y cada uno de ellos podía poner mi mundo patas arriba, lo cual no me gustaba nada en absoluto. Quería ser la dueña de mi propia vida. Quizá por eso había construido ese muro infranqueable a mi alrededor, porque me aterrorizaba que alguien pudiera atravesarlo y arrebatarme el control.

Sin embargo, al mismo tiempo, ese control podía ser una mera ilusión. Si rechazaba a todos los seleccionados, ¿alguna vez conocería a un chico que me hiciera olvidarme del control? ¿A quién se lo entregaría por propia voluntad?

Me parecía imposible y, sin duda, no era una cuestión que me hubiese planteado varias semanas atrás.

No podía permitirme el lujo de bajar la guardia, y me juré no hacerlo. Sin embargo, dudaba que pudiera ignorar mucho más tiempo cómo me hacían sentir esos chicos.

Capítulo 23

Estaba hecha un manojo de nervios. Había llegado puntual a la cita en el vestíbulo del palacio. No estaba segura de lo que me había puesto, ¿qué solía llevar la gente para cocinar? No sabía cómo aparentar ser toda una experta en la cocina, ni cómo dividir la atención entre los cuatro pretendientes.

Y, aunque estaba segura de que tener un fotógrafo revoloteando a nuestro alrededor sería bueno tanto por la publicidad como por la seguridad personal, la idea de que alguien documentara esa cita no lograba tranquilizarme.

Me atusé un poco el pelo y me estiré la camisa. Había optado por una de color lisa, por si me manchaba. El reloj dejaba claro que los chicos llegaban con cuatro minutos de retraso. Estaba empezando a impacientarme.

Justo cuando estaba a punto de enviar a un mayordomo a buscarlos, escuché el eco de sus voces por el pasillo. Kile fue el primero en doblar la esquina. Burke iba a su lado; enseguida comprendí su estrategia. Burke pretendía hacer buenas migas con el supuesto líder del equipo. Fox apareció junto a Henri, ambos muy sonrientes. Y, a unos pocos metros, les seguía Erik, con las manos entrelazadas detrás de la espalda. Erik era imprescindible, pero intuía que se sentía un poco fuera de lugar, pues era el único del grupo que no formaba parte de la Selección.

Kile se frotó las manos.

—¿Preparada para comer?

—Para comer, sí. ¿Para cocinar? Ya veremos —respondí e

intenté ocultar mi preocupación tras una sonrisa, pero creo que Kile lo sospechaba.

—Entonces, ¿es cierto que os conocéis desde que erais niños? —preguntó Burke.

Fue tan brusco e inesperado que no supe qué responder.

—Confía en mí. La has conocido en su mejor momento —contestó Kile con suma naturalidad, y le dio un suave codazo en las costillas.

—Es verdad —confirmé—. Tal y como ha dicho Kile en el *Report*: hasta ahora, nunca le consideré como un posible novio. Es de la familia.

Todos se echaron a reír y fue entonces cuando reparé en que era completamente cierto. Odiaba que Josie fuera diciendo por ahí que era como mi hermana, pero lo cierto era que conocía más a los hermanos Woodwork que a mis propios primos.

—La cocina está por aquí —dije, y señalé el comedor—. Ya he informado al personal de que les ocuparemos la cocina, así que, ¡manos a la obra!

Kile no se tragó aquel entusiasmo, pero no hizo ningún comentario al respecto.

Nos dirigimos hacia el comedor y rodeamos una pared divisoria. Junto a la escalera había un gigantesco montaplatos que el personal utilizaba para subir bandejas de comida a los pisos superiores y que conducía hasta la cocina principal. Burke no tardó en alcanzarme para ofrecerme su brazo y así ayudarme a descender la escalinata.

—¿Qué le apetece cocinar esta noche? —preguntó.

Me quedé atónita. Ojalá no se hubiera dado cuenta. Esperaba que alguien se encargara de proponer las ideas.

—Ah, cualquier cosa me va bien —dije.

—Hagamos varios platos —sugirió Kile—. Un aperitivo, un plato principal y un postre.

—Eso suena bien —apuntó Fox.

Erik, que hasta entonces no había musitado palabra, asomó la cabeza.

—Henri y yo nos encargamos del postre, si os parece bien.

—Perfecto —respondió Kile.

A juzgar por el aroma que salía de la cocina, supuse que

estaban preparando la cena oficial para el resto del palacio. No logré distinguir cada ingrediente entre los olores que flotaban en el aire, pero sí noté un suave olor a ajo. Se me ocurrió otro motivo más para aborrecer esa cita: tendría que cenar más tarde de lo habitual.

Tras unas puertas dobles se extendía una segunda cocina de techo bajo. Por ahí pululaban unas diez personas, todas con el pelo recogido, o bien oculto bajo un gorro. Pelaban verduras, removían enormes cazuelas y repasaban los aliños y las salsas.

Pese a que los cocineros todavía no habían acabado de preparar el menú de la cena, tuvieron el detalle de cedernos la mitad del espacio.

Un tipo con un altísimo gorro de chef se acercó a nosotros.

—Alteza. ¿Tendréis suficiente espacio?

—Desde luego, muchas gracias.

Y entonces le recordé. Era el mismo cocinero que, semanas atrás, me había presentado sus ideas para la primera cena conjunta. Aquel día estaba tan enfadada que a mamá no le quedó más remedio que encargarse ella de la elección. De hecho, ni siquiera le di les gracias.

Al ver todo el trabajo que comportaba una sola cena, me sentí avergonzada.

—¿*Missä pidät hiivaa*? —preguntó Henri con suma educación.

Miré a Erik.

—Perdóneme, señor, pero ¿dónde guardáis la levadura?

Fox y Burke no pudieron contener la risa. Recordé algo que Erik me había confesado y que, además, estaba escrito toscamente en su solicitud: era cocinero profesional.

El chef hizo señas con las manos y Henri y su intérprete le siguieron. Era evidente que nuestro chef estaba emocionadísimo por compartir su territorio con alguien con amplia experiencia. Los demás chicos... no le hicieron tanta gracia.

—De acuerdo, pues... veamos qué hay en la nevera —decidió Fox, que, con ademán vacilante, se encaminó hacia una de las gigantescas neveras.

Eché un vistazo a los recipientes, perfectamente ordenados; distintas carnes con sus correspondientes etiquetas, cuatro clases distintas de leche, un sinfín de salsas y varios aperitivos que habían preparado con antelación. Me sentí inútil.

Oí un chasquido y me volví. La fotógrafa acababa de llegar.

—¡Actuad como si no estuviera aquí! —murmuró.

Kile cogió la mantequilla.

—Siempre se necesita mantequilla —aseguró.

Asentí.

—Es bueno saberlo.

Burke se fijó en una cosa rara que había sobre la encimera. Se giró hacia el chef:

—¿Qué es?

—Pasta filo. Puedes preparar una decena de platos con ella. Derrite un poco de esa mantequilla, y ahora te traigo algunas recetas.

Kile me miró por el rabillo del ojo.

—¿Ves?

—¿Cómo organizamos los equipos de trabajo? —preguntó Burke con la esperanza de que yo le suplicara trabajar con él.

—¿Piedra, papel, tijera? —propuso Fox.

—Me parece justo —dijo Kile.

Fox y Kile fueron los primeros en enfrentarse y, aunque nadie lo dijo en voz alta, todos supusimos que los perdedores formarían un equipo propio.

Kile venció tanto a Fox como a Burke. Fox se lo tomó con filosofía, pero Burke tenía mal perder y no se molestó ni en disimularlo. Los dos escogieron un aperitivo: espárragos enrollados en una loncha de *prosciutto* y todo envuelto en pasta filo. Kile y yo observábamos detenidamente un pollo, tratando de averiguar qué hacer con él.

—Y bien, ¿cuál es el primer paso? —pregunté.

—Cociné varios platos con pollo cuando estuve en Fennley, pero necesito una receta como mínimo. Esos libros nos darán alguna idea.

Nos acercamos a la estantería, que estaba llena a rebosar de libros de cocina. La mayoría tenía marcas en diversas páginas, y también había varias pilas de tarjetitas con mejoras para cada plato.

Mientras Kile hojeaba un libro, empecé a juguetear con los

frascos de especias. La cocina guardaba cierto parecido con un laboratorio científico, pero con comida. Abrí algunos frascos para disfrutar de su aroma y textura.

—Huele esto —murmuré.

—¿Qué es?

—Azafrán. Huele delicioso, ¿no crees?

Kile esbozó una sonrisa y fue directo al índice del libro que sostenía.

—¡Ajá! —exclamó, y buscó una página en particular—. Pollo al azafrán. ¿Te apetece intentarlo?

—Claro —dije, orgullosa de mi gran contribución.

—De acuerdo. Pollo al azafrán... Lo primero es precalentar el horno.

Me quedé ahí plantada, observando impávida todos los botones y las ruedecillas. Los hornos que solía tener la gente de a pie no eran así, desde luego; me daba la sensación de que, si pulsaba el botón equivocado, aquel monstruo industrial lanzaría un satélite.

Pensamos que si esperábamos lo suficiente, el cachivache acabaría por darnos las instrucciones necesarias.

—¿Necesitamos más mantequilla? —pregunté.

—Cállate, Eadlyn.

El chef pasó por nuestro lado y balbuceó:

—Ruedecilla de la izquierda, ciento cincuenta grados.

Kile obedeció y encendió el horno, aparentando saber lo que estaba haciendo.

Miré a Fox y a Burke de reojo. Burke había adoptado el papel de líder y gritaba órdenes todo el tiempo. Al parecer, a Fox no le importaba, ya que se reía y le tomaba el pelo, pero sin ofenderle. Los dos se volvieron varias veces para comprobar qué hacíamos; cuando nuestras miradas se cruzaban, Burke me guiñaba el ojo. Al otro extremo de la cocina, Erik y Henri trabajaban tranquilos y en silencio; Erik hacía lo mínimo y solo ayudaba a Henri cuando este se lo pedía.

Henri se había arremangado la camisa y tenía los pantalones manchados de harina; no se molestó en sacudírselos, lo cual me gustó. Erik también era un poco manazas, pero tampoco parecía importarle tener harina por todos lados.

Kile estaba absorto en el libro de cocina.

—Ahora vuelvo.

—Vale —musitó.

Tras dar un par de pasos, le oí llamar al chef en voz baja.

—Tiene muy buena pinta, chicos —dije, y me coloqué al lado de Fox.

—Gracias. La verdad es que esto de cocinar es muy relajante. En casa no suelo cocinar, y mucho menos algo parecido a esto. Pero tengo muchas ganas de aprender —confesó Fox, a quien las manos le temblaban un poco.

—Será el mejor espárrago que jamás haya probado —prometió Burke.

—No puedo esperar —contesté, y me dirigí hacia el extremo de la encimera.

Erik levantó la vista y me saludó con una sonrisa.

—Alteza. ¿Qué tal va su plato?

—Fatal, para qué engañaros —admití.

Él se rio entre dientes y le explicó a Henri el paupérrimo estado del plato principal.

Tenía las manos cubiertas de una masa pegajosa; vi unos cuencos con canela y azúcar, esperando su momento.

—Pero el postre promete. ¿Tú también cocinas, Erik?

—Oh, pero no profesionalmente. Vivo solo, así que tengo que cocinar por obligación. Me encanta la comida tradicional de nuestra tierra natal. Este postre es uno de mis favoritos.

Erik se giró hacia Henri y, a pesar de no entender una sola palabra, intuí que estaban hablando de comida, porque a Henri se le iluminó el rostro.

—¡Ah, sí! Henri acaba de acordarse de la sopa que toma siempre que está enfermo. Es muy típica de Swendway y lleva patatas y pescado. Oh, con solo pensarlo ya echo de menos a mi madre.

Sonreí y traté de imaginármelos: Erik en su cocina, solo y cocinando las recetas de su madre, y Henri, entre los fogones de un restaurante, presumiendo de su dominio de los platos familiares. Me preocupaba que Erik se sintiera como un paria. Se esforzaba por mantenerse al margen de los seleccionados; vestía diferente, siempre se quedaba en la retaguardia del grupo e incluso caminaba con la barbilla baja. Pero al verle ahí, interactuando con Henri —un tipo tan agradable que me era imposible echarle—, agradecí que estuviera en palacio. Había traído un pedacito de su hogar hasta aquí.

Decidí dejarles trabajar en paz y regresé a mi rincón. En mi ausencia, Kile había cogido varios ingredientes. Estaba troceando un diente de ajo sobre una tabla de madera; tenía a su lado un cuenco repleto de algo que parecía yogur.

—Aquí estás —dijo—. De acuerdo, machaca las hebras de azafrán y después añádelas al cuenco.

Tras un momento de incertidumbre, cogí un mortero diminuto que asumí que servía para machacar azafrán y empecé a presionar. Fue extraño, pero me sentí satisfecha. Kile se encargó de casi todo el trabajo: bañar el pollo con la mezcla de yogur y meterlo en el horno. Los demás equipos seguían elaborando sus platos y, al final, el postre fue el primero en salir, seguido por el aperitivo. El plato principal, del que nos ocupábamos nosotros, fue el último en estar listo.

Al servir el pollo, Kile y yo nos dimos cuenta de que deberíamos haber pensado en algo para acompañar el plato, pero ya era demasiado tarde, así que decidimos utilizar el rollito de espárrago como guarnición. Todos nos reímos de nuestra falta de previsión.

Los cinco nos sentamos en el extremo de aquella mesa infinita. Yo estaba atrapada entre Burke y Kile, con Henri justo enfrente. Fox, en cambio, prefirió presidir la mesa. Erik se había alejado un poco, pero era evidente que disfrutaba de la compañía.

Y, a decir verdad, yo también. Cocinar me ponía de los nervios porque no tenía ni la más remota idea de hacerlo. No sabía cortar los ingredientes ni saltear unas verduras. Además, odiaba el fracaso o quedar como una estúpida. Pero la mayoría de nosotros carecía de experiencia, así que, en lugar de volverse algo estresante, se convirtió en un juego divertido. Al final acabó siendo una de las cenas más tranquilas y dicharacheras de mi vida.

Ni cubertería de plata ni asientos asignados; y, puesto que toda la vajilla de porcelana estaba utilizándose, optamos por servir la cena en platos sencillos que parecían del siglo pasado. No me explicaba cómo podían seguir ahí, así que supuse que sería por razones sentimentales.

—Bueno, ya que los espárragos iban a ser el aperitivo, creo que deberíamos degustarlos primero —sugirió Kile.

—Vale —comentó Burke, que pinchó el espárrago y le dio un mordisco.

Todos hicimos lo mismo, aunque las opiniones fueron diferentes. Henri asintió con aprobación, pero, desde mi punto de vista, aquel rollito de espárrago era nauseabundo. A juzgar por la mueca que Fox trató de disimular, adiviné que el suyo era igual de asqueroso.

—Esto… es lo peor que he probado en toda mi vida —balbuceó, tratando de tragarse el bocado.

—¡El mío está bueno! —replicó Burke un tanto a la defensiva—. Quizá es porque no estás acostumbrado a comer platos de tan buena calidad.

Fox agachó la cabeza. Fue entonces cuando deduje algo que jamás me habría figurado: Fox era pobre.

—¿Puedo probar un bocado de tu plato? —le susurré a Henri e hice un gesto con las manos. No necesitó la ayuda de Erik para entender mi pregunta, y eso me alegró.

—¿Perdona? —respondió Fox en voz baja. Fingí no oírle; el espárrago de Henri estaba delicioso—. ¿Y quién dice que no es porque eres mal cocinero?

—Bueno, si hubiera tenido un mejor compañero —espetó Burke.

—¡Eh, eh, eh! —intercedió Kile—. Es imposible que vuestro plato sepa peor que el nuestro.

Me reí entre dientes en un intento de romper aquella repentina tensión. La rabia de Burke casi podía palparse y recé por recuperar la comodidad del inicio.

—De acuerdo —dije tras un suspiro—. Creo que lo primero que debemos hacer es cortar el pollo por la mitad para asegurarnos de que no esté crudo. Os juro que no pretendo matar a nadie.

—¿Dudas de mí? —preguntó Kile, ofendido.

—¡Por supuesto!

Con cierto miedo, probé un bocado… y me gustó. No estaba crudo; de hecho, las partes que Kile no había cubierto de yogur estaban un poco secas. ¡Pero se podía comer! Teniendo en cuenta que solo había colaborado en una parte del trabajo, quizá me excedí al celebrar mi victoria.

Cenamos y compartimos los rollitos de espárrago que sabían mejor, aunque sabía que los retortijones no tardarían en llegar.

—¡Estoy lista para el postre! —exclamé cuando hube acabado.

Henri soltó una risita y fue al otro extremo de la repisa, donde se estaba enfriando el postre. Con suma cautela y utilizando tan solo las puntas de los dedos, colocó todos los pastelitos sobre una bandeja de porcelana.

—Es *korvapuusti* —anunció. Después me cogió de la mano y entonó un discurso muy importante; le brillaban los ojos. En ese momento hubiera pagado por poder entender su idioma.

Cuando acabó, Erik sonrió y se volvió hacia mí.

—*Korvapuusti* es una de las recetas favoritas de Henri. Le encanta prepararla y degustarla. Dice que si no es de su agrado, alteza, puede enviarle a casa esta misma noche, puesto que está convencido de que su relación no sobreviviría si no se enamora de este plato.

Fox se desternilló de risa al ver mi cara de asombro, pero Henri asintió, confirmando así lo que su intérprete había dicho.

Respiré hondo y cogí uno de esos delicados pastelitos.

—Vamos allá.

Enseguida distinguí la canela. También noté un ligero sabor a pomelo…, pero sabía que no era eso. Era un postre dulzón, pero nada empalagoso; sin embargo, más que una receta fantástica, era obvio que lo que sucedía era que aquel postre lo había preparado un *chef* fantástico. Henri se había entregado al máximo. Y sabía que, en parte, lo había hecho por mí…, pero sobre todo por él mismo: no podía permitirse cocinar algo que no fuera increíble.

Henri me había deslumbrado.

—Es perfecto, Henri.

Los demás chicos se metieron el postre entero en la boca y emitieron un gruñido de satisfacción.

—Mi madre se moriría por probarlo. ¡Es muy golosa! —dije.

Kile puso los ojos como platos. Sabía que a mamá los postres la volvían loca.

—Está exquisito, Henri. Habéis hecho un buen trabajo. Tú también, Erik.

El intérprete negó con la cabeza.

—Apenas he ayudado.

—¿Estaba amañado? —preguntó de repente Burke, con la boca todavía llena. Todos le miramos un tanto confusos—. A ver, a mí se me ocurre la idea, Henri nos convence para participar y acaba dejándonos en evidencia.

Empezó a ponerse rojo y, una vez más, el ambiente volvió a tensarse.

Fox le dio una suave palmadita en el hombro.

—Cálmate, tío. No es más que un rollito de canela.

Y acto seguido, Burke cogió el pastelito y lo arrojó contra la pared.

—¡Lo habría hecho mucho mejor si no hubieras metido la pata tantas veces!

Fox hizo una mueca.

—Eh, eras tú el que estaba ahí parloteando sobre lo atractiva que era en lugar de vigilar…

Pero Fox no pudo finalizar la frase: Burke le asestó un puñetazo en la nariz. Me quedé petrificada. Fox arremetió contra él y, cuando Burke quiso devolverle el golpe, me empujó y me tiró al suelo.

—¡Basta! —exclamó Kile, que saltó por encima de mí para sujetar a Burke. Henri empezó a gritarle a Fox en finlandés.

Tras el incidente con Jack, sentí el impulso de levantarme y devolverle el guantazo. Nadie iba a hacerme daño e irse de rositas. Y, lo habría intentado, de no ser por una cosa.

Erik, el silencioso observador, se deslizó por encima de la mesa y aterrizó a mi lado.

—Venga —murmuró.

No me gustaba obedecer órdenes, la verdad, pero lo dijo tan angustiado que le seguí sin rechistar.

Capítulo 24

Erik me condujo rápidamente hacia las escaleras y luego hacia el comedor. Todo el palacio estaba disfrutando de la cena, así que en la sala había bastante bullicio.

—¿Eadlyn? —llamó papá al verme, pero Erik me instó a seguir corriendo; no sé cómo, pero adivinó que no soportaría quedarme ahí. Tan solo paró cuando alcanzamos el pasillo.

—Perdón, oficial. Varios seleccionados se han enzarzado en una pelea en la cocina. Han llegado a las manos y estoy seguro de que irá a más.

—Gracias —respondió el guardia, que hizo un gesto a dos de sus compañeros y salió disparado hacia las escaleras.

Me abracé la cintura, entre asustada y furiosa. Con suma caballerosidad, Erik apoyó una mano en mi espalda y me guio por el laberinto de pasadizos. Oí que mis padres me llamaban, pero en ese momento no me veía capaz de responder sus preguntas.

Aminoró el paso y, en voz baja, me preguntó:

—¿Adónde quieres ir?

—A mi habitación.

—Te sigo.

En ningún momento me tocó, salvo por una ligera caricia en la espalda en una ocasión, lo que me hizo darme cuenta de que había mantenido la mano a pocos centímetros de mi espalda todo el tiempo, por si acaso. Empujé la puerta de mi habitación y vi a Neena dentro, sacando brillo a la mesa de madera con un vaporizador con aroma de limón.

—¿Señorita?

Alcé una mano.

—Quizá le siente bien una taza de té —propuso Erik.

Neena asintió y salió del dormitorio.

Me senté a los pies de la cama e inspiré hondo. Erik se quedó ahí de pie, tranquilo y en silencio.

—Nunca había presenciado algo así —confesé. Se arrodilló frente a mí, para estar a mi misma altura—. Mi padre jamás me ha puesto la mano encima, y siempre nos ha enseñado a buscar soluciones pacíficas a nuestras diferencias. Kile y yo dejamos de pelearnos antes incluso de aprender a hablar.

Al recordarlo se me escapó una sonrisa.

—Ahí abajo he revivido el episodio con Jack. Burke me ha tirado al suelo. Esta vez pretendía hacérselo pagar, pero entonces he caído en la cuenta de que no tengo ni idea de cómo hacerlo.

Erik esbozó una sonrisa.

—Henri siempre dice que cuando uno está furioso, la mirada cobra la misma fuerza que un puñetazo. No eres vulnerable.

Agaché la cabeza y pensé en todas las veces que me había repetido una y otra vez que no había nadie en el mundo tan poderoso como yo. Y había parte de verdad en ello. Pero si Jack me hubiera acorralado en un rincón o Burke me hubiera amenazado con sus puños de acero, la corona no me habría servido de nada. Podía castigar, desde luego, pero no podía prevenir.

—Una agresión, de un hombre o de una mujer, es una señal de debilidad. Las personas capaces de resolver un problema mediante la palabra se merecen todos mis respetos —declaró. Me fijé que sus ojos habían viajado a otra época—. Quizá por eso la lengua es tan importante para mí. Mi padre siempre solía decir: «Eikko, las palabras son armas. Son todo lo que necesitas».

—¿Ayco? —pregunté.

Esbozó una sonrisa, un tanto avergonzado.

—E-I-K-K-O. Como ya le dije, Erik es lo más parecido en inglés.

—Me gusta. De veras.

Centró su atención de nuevo en mí; se fijó en mis brazos.

—¿Está herida?

—Ah..., bueno, creo que no —dije. Me dolía un poco el trompazo, pero nada importante—. No puedo creer lo rápido que ha pasado.

—No pretendo justificar a ninguno de ellos, ha sido un acto inaceptable, pero les oigo hablar, y están estresados. Todos quieren impresionarla, pero no tienen la más remota idea de cómo hacerlo. Algunos traman sabotear a otros pretendientes sin que los pillen. Un puñado de pretendientes aprovecha cada minuto de su tiempo libre para hacer ejercicio y así ser físicamente superiores a los demás. Se sienten muy presionados, y quizá por ese motivo Burke ha explotado. Pero eso no disculpa su comportamiento.

—Lamento que tengas que pasar por todo eso.

Él encogió los hombros.

—No pasa nada. No suelo despegarme de Henri, que ha hecho buenas migas con Kile, y también con Hale. Me gusta su compañía. No piense que quiero influir en su decisión final, pero me dan mucha confianza.

Sonreí.

—Creo que llevas razón.

Aunque todavía no me había reunido a solas con todos los candidatos, sabía que Hale era un buen chico. Y esta noche, al ver a Henri tan emocionado con su postre, con esa parte de su vida, pude vislumbrar al hombre que se escondía tras esa mirada tan penetrante. Y Kile..., en fin, no podía describir a Kile, pero era mejor compañero de lo que jamás habría imaginado.

—¿Te importaría decirle a Henri de mi parte que el postre estaba maravilloso? Sé cuánto le importa su trabajo, y admiro la pasión que le pone.

—Lo haré encantado.

Extendí la mano y él la aceptó.

—Muchísimas gracias. Esta noche te has jugado el cuello por mí, y no sabes cuánto agradezco que estuvieras ahí.

—Es lo menos que podía hacer.

Ladeé la cabeza y lo observé. Noté que algo acababa de ocurrir, pero no pude identificar el qué.

Sin conocerme, Erik había acertado en todas sus decisiones. Impidió que empeorara una situación ya de por sí peligrosa, se ocupó de que no perdiera el control de mis emociones y permaneció a mi lado, escuchando mis preocupaciones y dándome sabios consejos. Tenía a decenas de personas a mi servicio, dispuestas a hacer todo lo que les pidiera.

Me resultó gracioso que, a su lado, no hubiera necesitado llamar a nadie.

—No lo olvidaré, Eikko. Nunca.

Al oír su nombre original, advertí una tímida sonrisa y me apretó la mano ligeramente.

Recordé la impresión que tuve tras mi primera cita con Hale. Al despedirme de él, sentí que me había arrancado varias capas de piel y había conocido a mi verdadera yo. En esta ocasión, me vi al otro lado de la barrera: olvidé el rango social que nos separaba y el protocolo de palacio y vi el corazón de una persona.

Y el suyo era hermoso.

Neena regresó con una bandeja entre manos. Erik separó su mano de la mía.

—¿Está bien, señorita?

—Sí, Neena —contesté, y me puse en pie—. Unos pretendientes se han peleado en la cocina, pero Erik me ha sacado de ahí sana y salva. Estoy segura de que los guardias me explicarán enseguida cómo ha acabado. Hasta entonces, todo lo que necesito es tranquilizarme.

—Una infusión le sentará de maravilla. Le he preparado una camomila; ahora le traigo algo cómodo —dijo. Y así, sin más, me planificó la noche, cosa que agradecí muchísimo.

Me volví hacia Erik, que estaba junto a la puerta. Realizó una pomposa reverencia antes de despedirse.

—Buenas noches, alteza.

—Buenas noches.

Se desvaneció en un abrir y cerrar de ojos. Neena me acercó la infusión. Lo que me extrañó fue no tener las manos frías.

Y

Una hora más tarde, me reuní con mamá y papá en el despacho, para discutir sobre lo sucedido.

—El señor Fox está bastante magullado —informó un guardia—. El señor Henri trató de disuadir al señor Burke, pero le fue imposible. Tanto el señor Henri como el señor Kile tienen arañazos y moratones en todo el cuerpo por haber intentado separarlos.

—¿Podrías ser más específico? —pregunté.

—El señor Henri tiene un cardenal enorme en el pecho y un corte en una ceja. El señor Kile ha acabado con el labio partido y, aunque no presenta más cicatrices, tiene el cuerpo entumecido por tratar de contener al señor Burke.

—¡Deja de llamarlo «señor»! —ordenó papá—. Burke se marcha de palacio, ¡ahora mismo! ¡Fox correrá la misma suerte!

—Maxon, piénsalo bien. Fox no ha hecho nada —intercedió mamá—. Estoy de acuerdo en que ha sido inapropiado, pero no tomes la decisión por Eadlyn.

—¡No! —gritó—. Organizamos la Selección para complacer a nuestro pueblo, para que nuestra hija tuviera la oportunidad de ser feliz, como nosotros. Y, desde que empezó el proceso, ¡ya la han asaltado en dos ocasiones! ¡No pienso permitir que ese tipo de monstruos merodeen por mi casa!

Finalizó su discurso con un tremendo puñetazo sobre la mesa; una taza de té al suelo. Me quedé de piedra.

—Papá, para —supliqué con temor a empeorar todavía más las cosas.

Me miró por encima del hombro, como si no se hubiera dado cuenta de que mamá y yo seguíamos en la habitación. Suavizó la expresión de inmediato y después bajó la cabeza.

Cogió aliento y se aflojó la corbata. Después se dirigió al guardia:

—Quiero que estudiéis concienzuda y meticulosamente a cada uno de los seleccionados. Hacedlo con discreción, por favor. Tenéis permiso para utilizar todos los medios que necesitéis. Si algún candidato armó un follón o se metió en una pelea, aunque fuera en la guardería, lo quiero fuera de palacio.

Recuperó la calma y se sentó al lado de mamá.

—Burke se va, y no es negociable.

—¿Y qué hay de Fox? —preguntó mamá—. Al parecer, no instigó la discusión.

Papá sacudió la cabeza.

—No lo sé. La idea de que Fox se quede, a pesar de haber estado involucrado en una pelea, no me parece justa.

Mamá apoyó la cabeza sobre el hombro de su marido.

—Cariño, no olvides que, durante nuestra Selección, yo también me metí en una tremenda discusión, y fuiste tú quién permitió que me quedara. Imagínate cómo habrían cambiado las cosas si hubieras decidido lo contrario.

—Mamá, ¿te peleaste con otra aspirante? —pregunté, perpleja.

—Así es —confirmó papá.

Mamá dibujó una sonrisita.

—De hecho, suelo acordarme de esa chica. Resultó ser encantadora.

—De acuerdo —dijo, y resopló—. Fox puede quedarse, pero solo si Eadlyn cree que podría ser feliz a su lado.

Posaron sus miradas en mí. Me sentía abrumada; seguro que mi cara me delataba.

Me giré hacia el guardia.

—Gracias por la información. Escoltad a Burke hasta las puertas de palacio y decidle a Fox que hablaré con él en breve. Ahora, puedes retirarte.

Cuando salió del despacho, me levanté de la silla y traté de ordenar mis pensamientos.

—No pienso hacer ninguna pregunta sobre esa pelea, pero, por más que lo intento, no logro entender por qué me habéis ocultado tantos detalles sobre vuestra Selección durante toda mi vida, y ahora, de repente, me contáis este tipo de anécdotas. Y justo después de haber pasado por algo que vivisteis en vuestra propia piel.

Se sintieron culpables.

—Mamá te conoció antes de lo previsto —acusé, y señalé a papá con el dedo—. Tu padre eligió a todas tus candidatas… Hubiera sido todo un detalle por tu parte haberme dado un par de consejos sobre cómo evitar una pelea.

Me crucé de brazos, cansada.

—Te prometí tres meses, y eso es lo que voy a darte —dije, ignorando su mirada de preocupación—. Concertaré citas, dejaré que la prensa tome fotografías en todo momento para que los periódicos puedan llenar sus páginas y hablaré de mis avances durante el *Report*. Pero, por lo visto, los dos pensáis que, si me implico en esto, me enamoraré como por arte de magia.

Me quedé ahí de pie, sacudiendo la cabeza.

—Pero eso no va a pasar. Al menos, no a mí.

—Podría —susurró mamá con suma ternura.

—Sé que os estoy decepcionando, pero no es lo que quiero. Los chicos son simpáticos, pero… algunos me incomodan un poco, y no sé si serán capaces de soportar la presión de este cargo. No pienso comprometerme por un simple titular en los periódicos.

Papá se levantó de la silla.

—Eadlyn, nosotros tampoco queremos eso para ti.

—Entonces, por favor —y alcé las manos a modo de escudo—, dejad de presionarme para que me enamore; ni siquiera he elegido a los candidatos.

Entrelacé las manos.

—La Selección está siendo una experiencia traumática. Me han arrojado fruta podrida en público, me han juzgado por un beso. Uno de los pretendientes me tocó contra mi propia voluntad y otro me arrojó al suelo. Gracias a todo el esfuerzo que estoy invirtiendo en este proceso, los periódicos están haciendo su agosto, humillándome cada dos por tres.

Mis padres se miraron algo intranquilos.

—Cuando os prometí que ayudaría a distraer a la gente, no pensé que podría llegar a ser tan degradante.

—Cariño, nunca quisimos hacerte daño —murmuró mamá, compungida, como a punto de echarse a llorar.

—Lo sé. Y no estoy enfadada. Tan solo quiero mi libertad. Y, si esto es lo que debo hacer para conseguirla, lo haré. ¿Queréis un pasatiempo? Yo os lo daré. Pero, por favor, no pongáis tantas expectativas en mí. No quiero fallaros otra vez.

Capítulo 25

Llamé a la puerta de Fox con la esperanza de que estuviera sumido en un profundo sueño y no me oyera. Había sido una noche agotadora; lo único que quería era meterme en la cama y esconderme bajo las sábanas.

Pero, por supuesto, su mayordomo particular abrió la puerta. No hizo falta que el lacayo me anunciara. Fox me vio.

El guardia no había exagerado al decir que había salido malherido de la pelea. Tenía un ojo hinchado y media cara teñida de distintas tonalidades de morado. También advertí un vendaje en un costado de la cabeza y alrededor de los nudillos de la mano derecha.

—¡Eadlyn! —exclamó, y se levantó de la cama de un brinco. De inmediato, hizo una mueca de dolor y se palpó las costillas—. Lo siento. Alteza.

—Puedes retirarte —le murmuré al mayordomo, y me acerqué a Fox—. Siéntate —le pedí—. ¿No deberías estar en el hospital?

Sacudió la cabeza y volvió a acomodarse en la cama.

—Me han dado la medicación que debo seguir y hemos considerado que descansaría mejor en mi habitación.

—¿Cómo estás? —pregunté, aunque era evidente que el dolor debía de ser insoportable.

—¿Aparte de las magulladuras? —respondió—. Humillado.

—¿Te importa? —dije, y señalé el otro lado de la cama.

—Claro que no.

Me senté en el borde de la cama, sin saber cómo empezar. No quería expulsarle y enviarle a casa en ese momento, en parte por caridad. Antes de reunirme con papá, decidí echar un último vistazo a las inscripciones de Burke y Fox. Descubrí que Fox me había dado muchas pistas sobre su vida familiar en el formulario que presentó. Por una cuestión de conveniencia, siempre buscaba intereses mutuos o temas de los que charlar, así que, en su caso, había descuidado detalles muy importantes.

Vivía en Clermont y trabajaba como socorrista en la playa, lo que explicaba esa tez bronceada y la cabellera rubia. Intuí que el sueldo no le llegaba para mantener al resto de su familia, aunque tampoco lo había dejado muy claro en el papel. Su madre no vivía en casa, pero no logré averiguar si había fallecido o seguía viva. Su padre padecía una enfermedad terminal, de modo que dudaba de que pudiera contribuir a la economía doméstica.

Es más, si le hubiera prestado la más mínima atención, me habría percatado de que, desde que estaba en palacio y comía como era debido, se le habían suavizado aquellos pómulos tan afilados. En la fotografía parecía un cadáver.

Quería que se quedara, que siguiera recibiendo su estipendio. De hecho, incluso deseé que, antes de irse, robara los elementos decorativos de su habitación para poder venderlos en su pueblo.

Sin embargo, pedirle que permaneciera en la Selección era alimentar su ilusión.

—Escuche —empezó—, si debo ser eliminado del proceso, lo entiendo. No quiero irme, pero conozco las normas. Es solo que… no quiero marcharme con la sensación de que la princesa me considera un chico como Burke o Jack. No me recuerde como alguien despreciable, ¿de acuerdo?

—No lo haré. Te lo prometo.

Fox apartó la mirada y esbozó una sonrisa llena de tristeza.

—No he tenido la oportunidad de decirle, alteza, todo lo que pienso. Me encantaría aprender a ganarme al público a su manera. Es impresionante. Nunca olvidaré cómo le brillan los ojos cuando gasta una broma.

—¿Ah, sí? Espera, ¿yo gasto bromas?

Él se rio entre dientes.

—Sí. Son comentarios muy sutiles, pero su mirada siempre la delata. Y creo que le encanta tomarnos el pelo. Como durante el concurso de preguntas del otro día.

Sonreí.

—Fue divertido. Y esta noche, salvo el final, también ha sido inolvidable.

—Siempre recordaré la cara que puso cuando mordió ese espárrago.

Apreté los labios, convencida de que a él le había disgustado tanto como a mí. En cierto modo, me cautivó el hecho de que, a pesar de todo el esfuerzo invertido, Fox no se mostrara ofendido o molesto. Lo único que le dolía y le preocupaba era que le recordara como un don nadie desalmado y violento.

—Fox, voy a hacerte algunas preguntas. Necesito que seas sincero conmigo. Si, por lo que fuera, creyera que estás mintiendo, se acabó. Tendrás una hora para recoger tus cosas e irte.

Se le hizo un nudo en la garganta y, de repente, le cambió la cara.

—Tiene mi palabra.

Asentí. Le creía.

—De acuerdo. ¿Qué puedes contarme de tu padre?

Dejó escapar un suspiro; no esperaba que la conversación fuera a tomar ese rumbo.

—Bueno, está enfermo, aunque supongo que eso ya lo sabe. Tiene cáncer, pero lo lleva bastante bien. Ahora mismo solo puede trabajar media jornada porque necesita muchas horas de sueño. Cuando cayó enfermo, mi madre nos abandonó, de modo que… En realidad, preferiría no hablar de ella.

—Está bien.

Clavó la mirada en el suelo y prosiguió:

—Tengo un hermano y una hermana; no dejan de pensar en mamá porque están convencidos de que algún día regresará, pero yo sé que eso no va a ocurrir. De hecho, si se atreviera a volver, me marcharía.

—No tienes que hablar de ella, Fox, de veras.

—Lo siento. Cuando vine aquí, pensé que lo peor sería la distancia, pero estaba equivocado. Lo que verdaderamente me parte el alma es verla con su familia —admitió, y se rascó la cabeza—. Sus padres siguen enamorados, sus hermanos la miran como si fuera su paraíso terrenal particular. La envidio. Mi familia y la suya son dos polos opuestos.

Apoyé una mano en su espalda.

—No somos perfectos, créeme. Y, por cómo hablas de él, intuyo que mantienes una relación muy especial con tu padre.

—La verdad es que sí —susurró, y me miró por el rabillo del ojo—. No pretendía ponerme así. No suelo hablar de mi familia.

—No pasa nada. Tengo otras preguntas.

Se incorporó y, al hacerlo, se doblegó de dolor. Aparté la mano y entrecerré los ojos.

—Me acabo de dar cuenta de que quizá no sea lo más oportuno ahora mismo.

Fox dibujó una sonrisa.

—Adelante.

—De acuerdo… ¿Viniste aquí por mí o para alejarte de ellos?

Fox se quedó callado unos segundos.

—Ambas cosas. Adoro a mi padre. Es un pilar fundamental en mi vida. No me importa cuidar de él, lo juro. Pero es un trabajo muy fatigoso. Reconozco que la estancia aquí ha sido como unas vacaciones. Creo que mis hermanos empiezan a valorar todo lo que hago por la familia, y eso me reconforta. Y luego, bueno, luego está usted, alteza —dijo meneando la cabeza—. Yo vivo al día, con lo justo. Vengo de una familia desestructurada. No hace falta ser muy astuto para darse cuenta de que soy del montón —añadió, y luego se llevó una mano al pecho; de repente, le asaltó la timidez—. Pero llevo observándola toda mi vida. Siempre he creído que es una chica ingeniosa, además de bella. No sé si tengo la más mínima posibilidad de que estemos juntos…, pero tenía que intentarlo. Pensé que, si venía a palacio y la conocía en persona, encontraría el modo de demostrar que valgo la pena. Y entonces, torpe de mí, me enzarzo en una pelea —murmuró, y se encogió de hombros—. Así que puedo imaginarme cómo acaba la historia.

Odiaba oír esa voz de decepción. No quería que me afectara

porque sabía que, si dejaba que Fox me conociera, aquello no acabaría bien. No lograba explicarme por qué, pero estaba segura de que si alguno de mis pretendientes cruzaba esa fina línea de intimidad, sería un completo desastre. Entonces, ¿por qué —por qué— no podía impedirlo?

—Tengo otra pregunta.

—Adelante —respondió dándose por vencido.

—¿Cómo es trabajar en la playa todo el día?

No pudo contener la sonrisa.

—Es maravilloso. El océano tiene algo que me fascina. A veces me da la sensación de que, dependiendo del día, tiene un humor distinto. Hay días en que el agua está tranquila y parece una balsa de aceite; otros, se vuelve salvaje. Y no sabe cuánto agradecí que en Angeles siempre hiciera calor. De lo contrario, creo que no lo habría soportado.

—A mí también me encanta el tiempo que hace aquí, aunque no suelo ir a la playa. Mis padres no son grandes amantes del mar; si voy con Ahren, al final siempre acabamos rodeados de gente que nos atosiga. Es un incordio, la verdad.

Me dio un suave empujón con el hombro.

—Si alguna vez viene a Clermont, búsqueme. Puede alquilar una playa privada y nadar, y tomar el sol todo lo que le apetezca.

Suspiré como si estuviera soñando.

—Suena perfecto.

—Hablo en serio. Es lo mínimo que puedo hacer.

Miré a Fox, que parecía no rendirse.

—Te propongo un trato. Si consigues ser, por decir algo, uno de los tres finalistas, podríamos viajar hasta allí, alquilar una playa y, ¿por qué no?, conocer a tu padre.

Supo leer entre líneas y se quedó estupefacto.

—¿No tengo que hacer las maletas?

—Lo que ha pasado esta noche no ha sido culpa tuya. Y valoro que hayas sido sincero al hablar de tus motivaciones. Y bien, ¿qué te parece si te quedas un poco más y vemos cómo va?

—¿Dónde tengo que firmar?

—Perfecto, entonces —dije, y me puse en pie. Sentí un torbellino de emociones distintas. Fox siempre me había parecido el típico chico guapo, sin más. Pero ahora, tras esa conversación, me moría de ganas de verlo por palacio—. Perdóname, pero tengo que irme pitando. Todavía me quedan asuntos por atender, cosas que no pueden esperar a mañana.

—Me lo imagino —respondió, y me acompañó hasta la puerta—. Gracias, alteza, por esta oportunidad.

—Es lo que querías, ¿verdad? —le recordé con una sonrisa—. Y tutéame y llámame Eadlyn, por favor.

Él esbozó una gran sonrisa y me cogió de la mano. Me dio el más delicado de los besos.

—Buenas noches, Eadlyn. Y gracias una vez más.

Asentí y me escabullí de su habitación a toda prisa. Ese era uno de los asuntos que requería mi atención…, pero sabía que por la mañana habría un millón más.

La fotógrafa había hecho un trabajo excepcional; había logrado mimetizarse a la perfección con la cocina y, a decir verdad, ni siquiera me fijé en si seguía ahí cuando estalló la discusión. Burke y Fox colmaban las portadas de todos los periódicos; los titulares pregonaban que se había expulsado al primero de ellos; al segundo se le había perdonado. Por suerte, había otras fotografías. En una aparecía yo, junto a Kile, moliendo el azafrán; en otra, estaba junto a Erik, que parecía traducirle algo a Henri. Pero todas esas instantáneas quedaban eclipsadas por la cara de rabia de Burke al abalanzarse sobre Fox.

Traté de evitar mirar esa foto; me centré en las otras. Las arranqué para guardarlas y documentarlas. Sin embargo, intuía que acabarían tiradas en el mismo cajón donde estaba la horripilante corbata de Kile.

Fui a desayunar y sentí el peso de todas las miradas sobre mis espaldas. En circunstancias normales, eso no me habría supuesto un problema. Pero los candidatos estaban locos por conocer todos los detalles de la pelea y mis padres no dejaban de observarme con preocupación. Aquel silencio tácito acabó por abrumarme.

Me pregunté si la noche anterior había hablado demasiado,

o si había sonado demasiado amenazante. Había procurado explicar lo agotadora e hiriente que estaba resultando la Selección y no culparles por ello. Sin embargo, aunque hubiera preferido no participar, sabía que había hecho lo correcto. Los puños de Burke habían ensombrecido cualquier otra noticia del país, al menos durante ese día.

—¿Qué ha ocurrido? —preguntó Kaden en voz baja.

—Nada.

—Mentirosa. Papá y mamá están hechos polvo.

Los miré de reojo. Papá no dejaba de masajearse las sienes; mamá estaba jugando con la comida que tenía sobre el plato, intentando disimular su tristeza.

Suspiré.

—Son cosas de adultos. No lo entenderías.

Kaden puso los ojos en blanco.

—No me hables así, Eadlyn. Tengo catorce años, no cuatro. Leo los periódicos a diario y presto atención a todos los *Report*. Hablo más idiomas que tú y estudio infinidad de temas distintos sin que nadie me obligue a hacerlo. No actúes como si fueras mejor que yo. Soy un príncipe.

Suspiré de nuevo.

—Sí, pero yo seré reina —corregí, y tomé un sorbo de café. Lo que menos me apetecía en aquel momento era discutir con mi hermano.

—Algún día, tu nombre aparecerá en los libros de historia. Seguramente, los niños de diez años no tendrán más remedio que memorizarlo para un examen y después se olvidarán de ti para siempre. Tienes un trabajo, como cualquier otra persona del mundo, así que deja de comportarte como si fueras mejor que el resto del planeta.

Me dejó sin palabras. ¿Eso era lo que Kaden pensaba de mí? ¿Esa era la opinión que mi propio pueblo tenía de mí?

Ese día me había propuesto ser fuerte, demostrar a mis padres que iba a seguir adelante con el proceso y dar a entender a los candidatos que incidentes como el del día anterior no podían romperme. Sin embargo, las palabras de mi hermano Kaden echaron por tierra todos mis propósitos y me hicieron sentir vulnerable.

Me levanté dispuesta a marcharme. Elaboré una lista mental del material que necesitaba del despacho, pues, de repente, se me habían quitado las ganas de trabajar ahí.

—Hola, Eadlyn, espérame.

Era Kile, que corría detrás de mí intentando alcanzarme. Ni siquiera le había visto al entrar en el comedor a primera hora de la mañana. Tenía el labio ligeramente hinchado, pero, por lo demás, parecía estar sano y salvo.

—¿Estás bien? —preguntó.

Asentí con la cabeza... y luego recapacité.

—La verdad, no lo sé.

Apoyó las manos sobre mis hombros.

—Todo está bien.

Estaba tan agobiada, tan hastiada, que solo fui capaz de ver una vía de escape: sin previo aviso, le besé. En el fondo, sabía que, durante esos momentos, el mundo dejaría de girar.

—¡Au! —gritó, y retrocedió.

—¡Lo siento! Yo solo...

Y entonces Kile me sujetó por la cintura y me llevó hasta la habitación más cercana. Cerró de un portazo y me empujó hacia la pared. Me besó con pasión, con intensidad. Por lo visto, el labio no le dolía tanto como parecía.

—¿De qué va todo esto? —jadeó.

—No quiero pensar. Bésame.

Sin mediar palabra, Kile me atrajo hacia sí y sus manos se perdieron entre mi cabello. Le agarré de la camisa y le estreché entre mis brazos.

Y funcionó. Mientras balanceábamos nuestros cuerpos, todo a nuestro alrededor se detuvo y todas mis preocupaciones se desvanecieron. Sus labios me besaban la mejilla, el cuello. Poco a poco, los besos fueron cambiando. Se volvieron más salvajes, más exigentes. Perdí la concentración por completo. Y, sin pensármelo dos veces, le desabroché la camisa. Sin apartarse ni un centímetro, Kile soltó una carcajada maliciosa.

—De acuerdo, si empezamos a quitarnos la ropa, quizá debamos meternos en un dormitorio. Y no estaría mal que supieras cuál es mi segundo nombre.

—¿Es Ashton? ¿Arthur? Me suena que empieza por A.

—Frío, frío.

Suspiré y bajé los brazos.

—De acuerdo.

Él se separó, pero sin soltarme la cintura, y me sonrió con suficiencia.

—¿Estás bien? Lo de anoche fue espantoso.

—No lo vi venir. Fue el espárrago... Burke le dio un puñetazo a ese pobre muchacho por un mísero espárrago.

Kile se rio.

—¿Ves? Por eso tú te encargaste de la mantequilla.

—Oh, tú y tu estúpida mantequilla —protesté, y le acaricié el pecho—. Siento mucho lo de tu labio. ¿Te duele algo más?

—El estómago. Mientras le sujetaba, me dio varios codazos, pero lo cierto es que pensaba que sería peor. A Henri le debe de doler mucho el ojo. Menos mal que no le golpeó un centímetro más abajo.

Hice un mohín al imaginar hasta qué punto se habrían podido torcer las cosas.

—Kile, si estuvieras en mi lugar, ¿les habrías echado de una patada a los dos?

—Creo que incluso Henri y yo habríamos pendido de un hilo —contestó.

—Pero vosotros dos tratasteis de parar la pelea.

Él levantó un dedo.

—Cierto. Tú lo sabes porque estuviste ahí y lo presenciaste todo. Pero los demás candidatos han leído los periódicos. Todas las fotografías dan a entender que todos estábamos involucrados en la discusión.

—Entonces, al ver que Fox, Henri y tú os habéis quedado aquí creen que os habéis salido con la vuestra, ¿me equivoco?

—Y no solo eso, también creen que otros podrían haberse zafado de la expulsión.

—Este día no hace más que empeorar —farfullé. Me pasé los dedos por el pelo y apoyé la espalda en la pared.

—¿Tan mal beso?

Me eché a reír y recordé la última noche en que Kile vino a verme a mi dormitorio. Me extrañó muchísimo que quisiera charlar conmigo. Pero ¿por qué pensaba en eso ahora? Durante todo ese tiempo, podría haber tenido una nueva perspectiva.

—¿Por qué antes apenas nos dirigíamos la palabra? Hablar contigo es tan fácil.

Él se encogió de hombros.

—Tú eres la que manda aquí. ¿Qué crees?

Aparté la mirada porque me avergonzaba reconocerlo.

—Creo que, en cierto modo, te reprochaba tener una hermana como Josie. Esa constante imitación me pone de los nervios.

—Y yo creo que te recriminaba tener que vivir en palacio. Sé que es culpa de mis padres, no de los tuyos, pero desde que anunciaron que serías la futura reina, te acusé de todas mis miserias.

—Te entiendo.

—Y sé que no soportas a Josie. Pero piensa que para ella es muy duro estar siempre a tu sombra.

No quería añadir a Josie a la cada vez más larga lista de cosas que me hacían sentir culpable. Me recoloqué la ropa; centrarme en mi trabajo me ayudaría a distraerme.

—Hagamos algo uno de estos días. Nada de citas. Pasemos un buen rato juntos.

Eso le sacó una sonrisa de oreja a oreja.

—Me encantaría.

Se abotonó la camisa y, de repente, se me sonrojaron las mejillas. ¿Cómo había podido perder el control?

—Y, escucha —dijo—, no permitas que todo esto te desanime. Tú eres mucho más que la Selección.

—Gracias, Kile —susurré y, antes de irme, le di un beso en la mejilla.

Recordé el día en que leí su nombre en la papeleta. Me puse furiosa porque sentí que, en cierto modo, alguien me había tendido una trampa. Ahora me daba igual averiguar o no por qué su formulario había acabado ahí; tan solo me alegraba de que hubiera sido así.

Y esperaba que él sintiera lo mismo.

Capítulo 26

La entrevista de esa noche iba a ser todo un reto. Sí, las fotografías junto a Ean eran de postal, y sí, los vídeos del concurso de preguntas habían cautivado a los espectadores, pero sospechaba que Gavril pudiera sentirse obligado a preguntarme sobre las recientes expulsiones de Jack y Burke en lugar de centrarse en los candidatos que seguían en palacio.

Sin embargo, lo que más me angustiaba era que no sabía qué información podía revelar y cuál debía ocultar. Papá había puesto en marcha todo un dispositivo de seguridad, así que, a menos que los guardias se movieran a la velocidad del rayo, esa semana no tendría ninguna cita..., lo que significaba que, en el *Report* de la semana siguiente, no tendría nada interesante que contar. Esta noche debía marcar un antes y un después, pero no estaba segura de cómo hacerlo. Tenía la impresión de que algo no encajaba, de que me faltaba una pieza del rompecabezas para que aquello pudiera funcionar de una vez por todas.

En mi opinión, el desastre no era tan absoluto, ya que había tenido la oportunidad de conocer un poco más a Kile, Henri, Hale y Fox. Sin embargo, a ojos del público, la Selección se estaba desmoronando por momentos.

Ese día, preferí no leer los periódicos. Aun así, recordé las portadas del día del desfile: en todas aparecía una princesa asustada y vulnerable. Tampoco lograba quitarme de la cabeza a todas esas personas que me señalaban con el dedo mientras se burlaban de mí. Esta semana habíamos expulsado a dos candidatos por mala conducta pero su marcha solo había servido para eclipsar todos los gestos románticos.

Aquello tenía muy, pero que muy mala pinta.

Me encerré en mi habitación y empecé a hacer un boceto para organizar mis ideas. Tenía que haber un modo de darle la vuelta a la Selección y sacar algo bueno de ella.

El lápiz bailaba sobre el papel; cada vez que trazaba una línea, resolvía un dilema. Lo más sensato sería no comentar nada sobre las citas que había tenido esa semana, pues, si describía una, no tendría más remedio que hablar de todas, y no quería recordar otra vez el episodio con Jack.

Quizás, en lugar de explicar los acontecimientos de la semana, podía explicar lo que sabía de mis candidatos. A todos los admiraba por algo; si fingía estar enamorada de todos sus talentos y virtudes, el público creería que estaba confundida, que todavía no tenía ni idea de a quién elegir. La Selección no estaba viniéndose abajo; sencillamente, las opciones eran demasiado buenas.

Cuando por fin tramé la estrategia, me di cuenta de que había dibujado un diseño precioso: un vestido palabra de honor, muy ajustado y un pelín corto, pero encima había dibujado una falda abombada para que pareciera más recatado. Utilicé un color borgoña para el vestido y un marrón dorado para la falda, lo que le daba un aire otoñal delicioso.

Ya podía imaginarme el peinado que luciría con ese vestido. Incluso sabía qué joyas resaltarían más con el modelo.

Sin embargo, cuánto más miraba el boceto, más me daba cuenta de que era más apropiado para una estrella de la alfombra roja que para una princesa.

Era un vestido maravilloso, pero me preocupaba lo que pudiera opinar la gente. Ahora, más que nunca, sus críticas eran fundamentales para mí.

—¡Oh, señorita! —exclamó Neena al vislumbrar el dibujo.

—¿Te gusta?

—Es el vestido más glamuroso que he visto en mi vida.

Observé el traje.

—¿Crees que podría ponerme algo así para el *Report*?

Hizo una mueca, como si acabara de hacerle una pregunta obvia.

—Es un vestido que la tapa de pies a cabeza. A menos que pretenda cubrirlo de diamantes de imitación, no veo por qué no.

Acaricié el boceto.

—¿Quieres que me ponga con ello?—se ofreció Neena con una pizca de emoción en la voz.

—De hecho, ¿te importaría que te acompañara al taller? Me encantaría echarte una mano con este. Lo quiero para esta misma noche.

—Desde luego que sí—contestó Neena.

Cerré la libreta y la seguí por el pasillo; nunca había estado tan ilusionada.

Aquella maratón de patrones y costuras mereció la pena. Cuando entré en el plató, lo primero que vi es a Josie, que enseguida se puso verde de envidia. Me había calzado unos zapatos de tacón dorados. Neena me había ondulado el pelo. Me sentía la mujer más bella del universo. Las miradas de descaro de los seleccionados confirmaron que esa noche estaba despampanante. Me quedé tan sorprendida que tuve que darles la espalda para contener la sonrisa.

Y fue entonces cuando noté que algo andaba mal. Se respiraba una tensión extraña en el ambiente, más fuerte que el orgullo con el que lucía mi vestido o la admiración que transmitían los pretendientes. Sentí un escalofrío.

Miré a mi alrededor en busca de pistas. Papá y mamá se habían retirado a una esquina para pasar desapercibidos. Advertí que mi padre tenía una ceja arqueada; además, mi madre hacia unos gestos muy poco típicos de ella. Ahí estaba pasando algo. Pero no sabía si debía hablar con ellos. Llevábamos un par de días sin dirigirnos la palabra. ¿Era el momento de retomar la relación?

—Eh—saludó Baden, que logró acercarse hasta mí.

—Hola.

—Perdona, ¿te he asustado?

Recuperé la compostura.

—No, tranquilo. Estaba pensando en otra cosa. ¿Puedo hacer algo por ti?

—Bueno…, quería invitarte a cenar o a pasar un rato a solas esta semana. ¿Qué te parece otra *jam session*? —propuso, y se puso a tocar una guitarra invisible mientras se mordía el labio inferior.

—Todo un detalle por tu parte, pero la tradición dicta que soy yo quien propone las citas.

Encogió los hombros.

—¿Y? ¿No preparasteis la famosa cena en la cocina porque ellos te lo propusieron?

Entorné los ojos e hice memoria.

—Técnicamente, sí.

—Entonces, como no me crie en un palacio no puedo invitarte, pero Kile sí.

—Te aseguro que Kile no recibe ningún trato de favor por mi parte, sino más bien todo lo contrario —respondí con una sonrisa, y rememoré todos esos años de malas caras.

Baden optó por el silencio, pero su expresión era de incredulidad.

—Ya, claro.

Me quedé estupefacta; Baden se dio media vuelta, con las manos en los bolsillos, y paso decidido. ¿Había dicho algo ofensivo? Tan solo había querido ser sincera. Y, en realidad, tampoco le había rechazado.

Traté de restar importancia al desaire de Baden y me concentré para cumplir con mi labor de hoy: ser una chica encantadora y refinada e intentar convencer a todo el mundo de que me estaba enamorando.

Papá pasó por mi lado y, con suma discreción, le agarré por el brazo.

—¿Qué ocurre?

Él sacudió la cabeza y me dio una suave palmadita en la mano.

—Nada, cariño.

Aquella mentira me impactó más que el desdén que había mostrado Baden. La gente pululaba por todo el estudio, dando órdenes, comprobando libretas de notas. Oí a Josie reírse, pero alguien la mandó callar de inmediato. Los candidatos cuchicheaban entre sí, quizá más alto de lo normal. Baden se había sentado al lado de Henri. Estaba enfurruñado e ignoraba a todo el mundo. Apoyé las manos en el estómago y traté de calmarme.

Junto a Henri, entre bambalinas, advertí una mano que me saludaba. Era Erik. Estaba, como siempre, en segunda fila, esperando a que se apagaran las luces para tomar su asiento. Cuando se percató de que había llamado mi atención, levantó ambos pulgares; sin embargo, por la expresión de su rostro, no supe discernir si era una señal de ánimo o una pregunta. Encogí los hombros y él apretó los labios antes de articular las palabras «lo siento». Le dediqué una sonrisa, lo cual no fue lo más apropiado dadas las circunstancias, pero era la único que podía hacer. Erik meneó la cabeza; sorprendentemente, me sentí consolada. Al menos había alguien que parecía entender cómo me sentía.

Respiré hondo y tomé mi asiento, entre mamá y Ahren.

—Algo anda mal —le murmuré a mi hermano.

—Lo sé.

—¿Sabes de qué se trata?

—Sí.

—¿Me lo dirás?

—Después.

Resoplé. ¿Cómo se suponía que iba a aguantar ahí sentada con esa bomba en la cabeza?

Anunciaron todas las actualizaciones y papá dio un breve discurso, aunque no oí ni una de sus palabras. Solo me fijé en su expresión angustiada: algo le preocupaba.

En un momento dado, Gavril se colocó en el centro del escenario y declaró que tenía varias preguntas para los seleccionados. Todos se ajustaron las corbatas y los puños de la camisa, preparándose para lo que se avecinaba.

—Entonces, veamos… ¿Señor Ivan?

Ivan, que estaba sentado en primera fila, alzó la mano y Gavril se dirigió hacia él.

—¿Qué te está pareciendo la Selección hasta hoy?

El joven se rio por lo bajo.

—Bien, pero creo que, si lograra que la princesa me concediera una cita a solas, estaría mucho mejor —contestó, y me guiñó un ojo.

Me puse como un tomate.

—Supongo que a la princesa le cuesta una barbaridad hacer un hueco en su apretada agenda para todos sus pretendientes —replicó Gavril con gentileza.

—¡Por supuesto! No me quejo. Todavía no he perdido la esperanza —añadió con tono jocoso.

—En fin, quizás esta noche tengas la oportunidad de convencer a su alteza real para que te de una cita. Cuéntanos: en tu opinión, de las funciones que debería desempeñar el futuro príncipe, ¿cuál consideras la más importante?

Ivan se puso serio.

—No lo sé. Creo que ser un buen compañero es importante. Por su trabajo, la princesa Eadlyn se ve obligada a codearse con muchísimas personas. Y, justo por eso, sería genial que me viera como alguien con quien merece la pena compartir muchos momentos. Aunque solo sea, no sé, por pura diversión.

Fingí una sonrisa. «Tú entras en el saco de las relaciones por obligación, cariño.»

—Interesante —comentó Gavril—. ¿Qué opina el señor Gunner?

Al lado del corpulento Ivan, Gunner parecía poca cosa. Cuadró los hombros para no parecer tan enjuto, pero no sirvió de nada.

—Creo que el futuro príncipe debería estar disponible siempre. Usted mismo ha mencionado que la princesa está muy ocupada, así que, en mi opinión, la gente de su entorno debería ayudarla. Desde luego, no puedo hacerme una idea de cómo debe de ser la vida en palacio, pero es importante empezar a pensar en cómo puede cambiar mi vida… y mis prioridades.

Gavril le miró con aprobación y, de repente, papá se puso a aplaudir, seguido de todos los presentes. Yo también aplaudí, pero no estaba convencida.

Era una pregunta importante y no me gustó que las respuestas se tomaran como un puro entretenimiento.

—Kile, llevas toda la vida viviendo en palacio —dijo Gavril, y se dirigió de nuevo hacia el centro del escenario—. ¿Cómo crees que cambiaría tu día a día si, por casualidad, fueras el elegido?

—Tendría que cuidar mucho más mi higiene, eso está claro.

—¡Pfffft! —solté, y me cubrí la boca. Estaba abochornada y no podía parar de reír.

—¡Oh! Al parecer no eres el único que lo piensa.

Detrás de Kile, Henri se estaba desternillando de risa. No había pillado el chascarrillo de inmediato, pero en cuanto Erik se lo tradujo, explotó a reír. Gavril enseguida le localizó y se acercó a él.

—Eres Henri, ¿verdad?

Él asintió, pero su mirada le delataba. Estaba aterrado.

—¿Qué piensas de todo esto? ¿Cuál es la función más importante de un futuro príncipe?

Trató de disimular el miedo y ladeó ligeramente la cabeza para oír la traducción. Al comprender la pregunta, asintió.

—Ah, ah, sí. El *príncipeeeee* debería estando para *princesaaaaa*.... Ejem....

Me puse en pie porque no podía soportarlo ni un segundo más.

—¿Henri? —llamé. Todos me miraron un tanto atónitos y le indiqué que se levantara y se reuniera conmigo en el centro del plató. Él comprendió el gesto a la primera—. ¿Erik? Tú también.

Henri esperó a que su intérprete saliera de detrás del escenario. Erik parecía nervioso; no estaba acostumbrado a ser el centro de atención. Henri le susurró algo al oído para tranquilizarle; los tres, con Gavril a la cabeza, llegaron a mi lado.

Entrelacé mi brazo con el de Henri. Erik se quedó en la retaguardia, convirtiéndose, de nuevo, en una sombra invisible.

—Gavril, Henri creció en Swendway. Su lengua materna es el finlandés; por eso necesita un traductor —aclaré, y señalé a Erik, que asintió ligeramente con la cabeza y luego dio un paso atrás—. Estoy segura de que a Henri le encantaría responder a tu pregunta, pero sería mucho más fácil si Erik dejara de esconderse tras la tarima.

Henri dibujó una sonrisa y Erik le tradujo el mensaje. Alargó el brazo y me acarició la mano; un gesto que, para mi asombro, me agradó.

Se tomó unos segundos para meditar la respuesta. Estaba

rumiando qué palabras escoger y, aunque la cuestión le hubiera descolocado un poco, al hablar lo hizo de forma serena y prudente. Cuando acabó, todas las miradas se fijaron en Erik.

—Asegura que el futuro príncipe debería ser consciente de que no solo debe cumplir una función, sino varias: marido, asesor, amigo y un largo etcétera. Debería estar preparado para estudiar y trabajar día y noche, como su alteza, y saber que, tarde o temprano, tendrá que dejar su orgullo de lado para servir a su pueblo —declaró Erik, y se colocó las manos detrás de la espalda. Me percaté de que estaba repasando las últimas palabras de Henri—. Y, según Henri, también debería comprender que la princesa soporta una carga muy pesada y que, en ocasiones, tan solo debe ser un payaso.

Me reí entre dientes cuando advertí la enorme sonrisa de Henri. Todos los presentes estallaron en aplausos y aproveché el momento para ponerme de puntillas y susurrarle al oído:

—Bien, bien.

A Henri se le iluminó el rostro.

—¿Bien, bien?

Asentí con la cabeza.

—Alteza, que el señor Henri no comprenda nuestro idioma debe de ser una gran complicación en el proceso de la Selección —comentó Gavril—. ¿Cómo puede comunicarse con él?

—Ahora mismo, gracias a dos cosas: paciencia y Erik.

El público se echó a reír.

—Pero ¿cómo podría funcionar algo así? En algún momento, algo tendría que cambiar.

Fue la primera vez en mi vida que, en mitad de un *Report*, deseé coger la silla y lanzársela a Gavril Fadaye.

—Sí, seguramente tienes razón, pero hay cosas muchísimo peores que una barrera lingüística.

—¿Podrías darnos algunos ejemplos?

Sin articular palabra, indiqué a Henri y a Erik que volvieran a sus asientos. Al ver con qué rapidez Erik atravesaba el escenario, tuve que contenerme para no soltar una carcajada. Henri me regaló una sonrisa llena de cariño, y eso me sirvió para inspirarme.

—Bueno, ya que la pregunta ha venido por Henri, déjame que le utilice como ejemplo. Es cierto que nos cuesta comunicarnos, pero es una persona extraordinaria, amable y educada. Por su parte, Jack y Burke hablaban mi idioma con perfecta fluidez y se comportaron como seres mezquinos y desagradecidos.

—Sí, todos hemos leído en los periódicos lo que pasó con Burke y, si me permite decirlo, me alegro de que saliera intacta de aquella horrible pelea.

¿Ilesa? Desde luego. ¿Intacta? Eso era cuestionable, pero no quise profundizar en el tema.

—Sí, pero Burke es la excepción, no la norma. Podría presumir de la mayoría de mis pretendientes.

—¿Ah, sí? ¡Pues hazlo, por favor!

Esbocé una sonrisa y miré de reojo a los chicos.

—El señor Hale tiene un gusto increíble y trabaja en una sastrería. No me extrañaría ver a todas las mujeres de Illéa luciendo sus diseños algún día.

—¡Me encanta ese vestido! —exclamó desde la grada.

—¡Lo he hecho yo! —contesté, incapaz de contener lo orgullosa que me sentía.

—Es pura perfección.

—¿Lo ves? —dije, dirigiéndome de nuevo a Gavril—. Ya te he dicho que tenía buen gusto —añadí, y me di la vuelta—. Ya he comentado en alguna ocasión el talento musical del señor Baden, desde luego, pero merece la pena volver a repetirlo. Tiene un don para la música.

Baden asintió y, aunque seguía un tanto enojado conmigo, tuvo la deferencia de disimularlo.

—Durante estos días también he descubierto que el señor Henri es un cocinero estupendo. Y créeme cuando digo que no es fácil impresionarme; como tú bien sabes, los *chefs* de palacio no tienen rival en el mundo. Confía en mí, Gavril. Si supieras las exquisiteces que prepara, le pedirías de rodillas que te cocinara algo.

El estudio se llenó de carcajadas y, por el rabillo del ojo, vislumbré a papá en un monitor. Estaba la mar de contento.

—El señor Fox..., a ver, muy poca gente valora esta virtud, pero él es capaz de sacar lo mejor de cada situación. La Selección puede ser estresante; sin embargo, él siempre se muestra optimista y alegre. Es un placer tenerle cerca.

Miré a Fox con sumo cariño; a pesar del vendaje que le cubría parte de la cabeza y del ojo amoratado, no suponía ninguna amenaza. De hecho, me alegré de haber permitido que se quedara en palacio.

—¿Alguien más? —preguntó Gavril, y escudriñé a todos los pretendientes.

Sí, había uno más.

—A mucha gente le cuesta creer que apenas conozco al señor Kile porque hemos vivido bajo el mismo techo desde que nacimos, pero es verdad. Gracias a la Selección, he tenido la oportunidad de conocerle de verdad. He descubierto que es un arquitecto prometedor. Si algún día me veo en la obligación de construir un segundo palacio, no dudaré en contratarle a él.

Ante la idea de que dos amigos de la infancia pudieran enamorarse, a muchos de los espectadores se les enterneció la mirada.

—Aunque confirmo sus palabras: necesita una ayudita en el tema de la higiene —añadí, provocando un sinfín de carcajadas.

—Por lo que cuenta, alteza, entre nuestros candidatos hay jóvenes maravillosos —resumió Gavril, y les dedicó un aplauso.

—Desde luego.

—Puesto que está rodeada de tantos caballeros de cuento, déjeme que le pregunte algo: ¿alguno de los seleccionados le ha robado un pedacito de su corazón?

Empecé a juguetear con un mechón de cabello.

—No sé.

—¡Uy, uy, uy!

Me reí como una tonta, con la mirada clavada en el suelo. Eso no podía estar pasándome a mí.

—¿Quizás alguien que acaba de mencionar?

—¡Oh, por el amor de Dios, Gavril!— exclamé, y le di un golpecito en el brazo.

El presentador soltó una risita, como la mayoría del público. Me abaniqué con la mano para sofocar el calor.

—Reconozco que me cuesta una barbaridad hablar de estos temas en público, pero espero poderte contar algo más en un futuro.

—Qué noticia tan maravillosa, alteza. Todos los habitantes de Illéa, y yo entre ellos, le deseamos toda la suerte del mundo.

—Gracias —susurré y, en un acto de modestia, agaché la cabeza.

Por casualidad, atisbé a papá. Su expresión era de escepticismo, pero me dio la sensación de que quería creerse lo que acababa de oír. Fue una sensación agridulce; por un lado, dudaba de que mi estrategia pudiera funcionar; por otro, me alegraba que aquella mínima posibilidad aliviara a mi padre.

Por ahora, ya había tenido suficiente.

Capítulo 27

—No pinta bien.

Me tumbé en la cama de Ahren y me hice un ovillo. Él se quedó sentado a los pies de la cama, dispuesto a contarme todo lo que mamá y papá no habían querido desvelarme.

—Escúpelo de una vez.

Él tragó saliva.

—Por lo visto, ha empezado en las provincias más pobres. No se están rebelando, como cuando papá y mamá eran niños..., pero sí que se están sublevando.

—¿Y cuál es la diferencia exactamente?

—Pretenden acabar con la monarquía. La disolución de las castas no ha servido de nada y muchos creen que a nosotros nos importa un rábano.

—¿De verdad? —pregunté, atónita—. Papá se está dejando la piel para encontrar una solución. ¡Y yo tengo citas a diario con un montón de desconocidos! ¡Y todo, por ellos!

—Lo sé. Por cierto, no tengo ni la más remota idea de cómo se te ocurrió lo de hoy, pero ha sido espectacular.

Arqueé una ceja y acepté el cumplido. Sin embargo, empezaba a dudar de si todo lo que había pasado durante el *Report* había sido planeado, auténtico o espontáneo.

—Pero, entonces, ¿qué se supone que debemos hacer? ¿Actuar de por vida?

—¡Ajá! —me mofé—. Lo dices como si hubieras tenido que actuar alguna vez. De eso siempre me he encargado yo y, a decir verdad, estoy harta.

—Podríamos abdicar —sugirió—. ¿Y qué ocurriría después? ¿Quién tomaría las riendas del país? Y si optamos por aferrarnos al trono, ¿crees que acabarán por echarnos?

—¿Los ves capaces de llegar a ese extremo? —pregunté con un nudo en el estómago.

—No lo sé, Eady —respondió con la mirada perdida—. La gente, cuando tiene hambre, o está agotada, o vive en la pobreza más extrema, no tiene límites.

—Pero no podemos alimentar a todo el mundo. Ni tampoco hacer que todos ganen el mismo sueldo. ¿Qué esperan que hagamos?

—Nada —respondió con un suspiro—. Solo quieren más. Y no los culpo, la verdad. Están desconcertados. Creen que sus vidas dependen de nosotros, pero se equivocan.

—Dependen de sí mismos.

—Exacto.

Nos quedamos en silencio un buen rato, rumiando nuestro futuro. Si el pueblo seguía rebelándose, sabía que yo sufriría más que el resto de la familia, que mi figura quedaría en entredicho. No lograba comprender qué empujaba a la gente a hacer este tipo de cosas, pero los Gobiernos cambiaban. Los reinos pasaban por mejores o peores momentos. Aparecían nuevas ideologías que arrasaban con todas las demás.

¿Serían capaces de arrojarme a los leones?

Me estremecí.

—Ya me han tirado comida podrida —murmullé.

—¿Qué?

—He sido tan estúpida —contesté meneando la cabeza—. He crecido creyendo que Illéa me adoraba…, pero no es así, no me quieren. Cuando papá y mamá abdiquen, no habrá nada que les impida librarse de mí.

Era terrible. Desde bien pequeña, todos habían tratado de ocultármelo. Ahora ya sabía que todo era mentira.

Ahren parecía preocupado. Esperaba que me contradijera, pero no pudo.

—No puedes obligarlos a que te quieran, Eadlyn.

—No soy tan encantadora como tú, ni tan ingeniosa como

Kaden, ni tampoco tan revoltosa y adorable como Osten. No hay nada de especial en mí.

Sin querer se dio un cabezazo contra el cabecero de la cama.

—Eadlyn, estás de broma, ¿verdad? Eres la primera mujer que heredará el trono. Y, solo por eso, ya eres diferente. Tan solo debes aprender a utilizar eso a tu favor y recordarles quién eres.

«Soy Eadlyn Schreave, y nadie sobre la faz de la Tierra es más poderoso que yo.»

—Dudo que, si realmente me conocieran, me quisieran.

—Si vas a ponerte a lloriquear como una niña, tendré que darte una buena tunda.

—Sabes que saldrías perdiendo. Te daría una paliza.

—Llevas amenazándome con eso desde que teníamos seis años.

—El día llegará. Hazme caso.

Ahren soltó una risita.

—No te preocupes, Eady. Las posibilidades de que el pueblo se organice para derrocarte son ínfimas. Están desahogándose, eso es todo. Cuando logren deshacerse de ese viejo y anticuado sistema de castas, todo volverá a la normalidad, hazme caso.

Asentí con la cabeza. Quizás estaba atormentándome por nada, pero seguía oyendo los desagradables gritos que me dedicaron durante el desfile y no lograba olvidar los comentarios que suscitó mi beso con Kile. Sabía que no era la primera ni la última vez que salía a la luz la idea de abolir la monarquía.

—No les cuentes a papá y a mamá que sé todo esto, ¿de acuerdo?

—Si insistes.

Me levanté de la cama y le di un beso en la mejilla. Sentí compasión por las chicas que no tenían hermanos como Ahren.

—Hasta mañana.

—Intenta dormir un poco —contestó con una gran sonrisa.

Salí de su dormitorio con la clara intención de encerrarme en el mío. Pero mientras avanzaba por el pasillo, me percaté de que me rugía el estómago. Mi visita a las cocinas me dejó un buen sabor de boca. Recordé haber visto algo de fruta y una amplia variedad de quesos en la nevera. Era tarde y el personal hacía horas que se había acostado, así que bajé las escaleras corriendo.

Mi lógica me falló; la cocina no estaba desierta. Había un puñado de jóvenes trabajando a destajo: mientras unos estiraban una masa con el rodillo, otros cortaban verduras. Me quedé observando aquella escena durante unos momentos, embelesada por la eficiencia con la que trabajaban. A pesar de la hora que era, todos parecían despiertos y contentos. Charlaban con sus compañeros; cada dos por tres, alguien soltaba una broma que provocaba las risas de los demás.

Lo que estaba presenciando me resultó tan interesante que tardé varios minutos en percatarme de esos rizos rubios que se meneaban en una de las esquinas de la habitación. Henri había colgado la camisa en un gancho y tenía la camiseta interior manchada de harina. Caminé con sigilo, pero, en cuanto el personal me reconoció, dejó lo que estaba haciendo para realizar una reverencia, lo que alertó a Henri de mi presencia.

Al verme, trató de sacudirse la harina, pero le fue imposible. Se retiró unos cuantos tirabuzones y me dedicó la mejor de sus sonrisas, como siempre.

—¿No está Erik?

—Él dormir.

—¿Y qué haces despierto a estas horas?

Henri bizqueó los ojos y trató de descifrar mi pregunta.

—Umm. Lo siento. ¿Yo cocinar?

Asentí.

—¿Puedo cocinar yo también?

Él me señaló un montón de manzanas y una bola de masa que reposaba sobre la encimera.

—¿Tú querer? ¿Tú cocinar?

—Sí.

Me repasó de pies a cabeza y se quedó pensativo. Luego cogió su elegante camisa, me la colocó alrededor de las caderas y anudó las mangas a mi espalda. Un delantal. Acababa de confeccionarme un delantal.

Sonreí para mis adentros. Después de todo, no era más que un vestido de cóctel que, con toda probabilidad, no volvería a ponerme jamás. Sin embargo, nuestro vocabulario no nos permitía discutir sobre algo así.

Henri cogió una manzana y la peló. Quedó una espiral perfecta. Después dejó la fruta sobre la encimera y tomó un cuchillo distinto.

—*Pidäveitsi näin* —dijo, y me señaló el modo en que sujetaba el mango del cuchillo—. *Pidäomena huolellisesti* —añadió.

Encogió los dedos de la mano que le quedaba libre mientras sostenía la manzana.

Y tras esa breve demostración, empezó a cortarla en láminas muy finas.

A pesar de mi inexperiencia en la cocina, me fijé en que apenas tenía que hacer fuerza para cortar la manzana. Y entonces comprendí por qué había encogido los dedos, para protegerlos.

—Tú —ordenó, y me ofreció el cuchillo.

—De acuerdo. ¿Así? —pregunté, y doblé los dedos, tal y como él había hecho.

—Bien, bien.

No conseguí cortar la manzana con la misma agilidad que Henri y las láminas no eran ni la mitad de uniformes que las suyas, pero, a juzgar por cómo me miraba, cualquiera habría pensado que estaba elaborando un plato exquisito.

Henri se encargó de la masa: añadió un poco de canela y azúcar y encendió una de las freidoras que había en el fondo de la cocina.

Me pregunté si, en su casa, él se ocupaba de todos los postres o si, simplemente, le chiflaba prepararlos. Ayudé a rellenar la masa de manzana y, aunque el aceite hirviendo me aterrorizaba, me tragué el miedo y sumergí uno de los saquitos. Chillé cuando el aceite empezó a chisporrotear por toda la cocina. Henri se contuvo y apenas se burló de mí; todo un detalle por su parte.

Finalmente, Henri colocó los saquitos de manzana en una bandeja. Para entonces, ya estaba muriéndome de hambre e impaciente. Pero mantuve la compostura y esperé a que dispusiera la bandeja delante de mí. Me invitó a probar uno con un gesto, así que, sin más dilaciones, cogí uno de esos pastelitos fritos y le di un bocado.

Fue como subir al séptimo cielo. Aquel dulce estaba incluso más bueno que los rollitos de canela que preparó el otro día.

—¡Oh, qué rico! —exclamé mientras saboreaba el postre.

Tras una carcajada, el experto no dudó en probar el resultado. Parecía satisfecho, aunque, a juzgar por su mirada, algo había fallado.

En mi opinión, el postre era perfecto.

—¿Cómo se llaman?

—¿Eh?

—Umm, ¿nombre? —dije, señalando los pasteles.

—Ah, *omenalörtsy*.

—¿*Ohmenalortsii?*

—¡Bien!

—¿Seguro?

—Bien.

Sonreí para mis adentros. Al día siguiente buscaría a Kaden para explicarle que ya dominaba los nombres de varios postres finlandeses.

Me comí dos saquitos más; reconozco que, al acabar el segundo, sentí un ligero ardor de estómago. Luego Henri pasó la bandeja al resto del personal de cocina para que saborearan aquella exquisitez. Todos le felicitaron y le dedicaron varios elogios. Sentí una punzada de rabia al darme cuenta de que Henri apenas entendía nada de lo que le estaban diciendo: «Delicioso. Un postre magistral. La perfección hecha pastel».

En cierto modo, intuía que si Henri comprendiera nuestro idioma, les habría dicho que estaban siendo muy generosos. Aunque tampoco lo sabía a ciencia cierta. Esa era mi percepción, pero, en realidad, no estaba segura.

«Y —me recordé una vez más— no quieres estarlo.»

Había momentos en que me olvidaba de eso y me dejaba llevar por la situación.

Henri acabó su ronda por las cocinas y regresó con la bandeja vacía, salvo por algunas migas. Le sonreí con timidez.

—Debería irme a dormir.

—¿Tú dormir?

—Sí.

—Bien, bien.

—Ejem. ¿Esta noche? ¿En el *Report*? —pregunté, tratando de utilizar palabras sencillas.

Él asintió.

—*Report*, sí.

Apoyé una mano en su pecho.

—Has estado muy dulce.

—¿Dulce? Mmmm, ¿azúcar?

No pude contener la risa.

—Sí. Como el azúcar.

Henri me envolvió la mano con la suya. Bajo mi palma notaba el latido de su corazón. Me miró fijamente y, poco a poco, su sonrisa fue desapareciendo. Me apretó la mano con más fuerza para alargar ese momento.

Advertí que estaba pensando; quizá estaba repasando todo el vocabulario que había aprendido durante estos días para dar con las palabras más adecuadas….

Pero se quedó callado.

Quería decirle a Henri que sabía lo que sentía por mí. Me había dado cuenta de que le importaba por cómo me miraba, por cómo me sonreía. Y, aunque me había empeñado en lo contrario, él también significaba algo para mí. Solo había un modo de expresar ese sentimiento, aunque me preocupaba que luego pudiera arrepentirme de ello.

Acorté la distancia que nos separaba y le acaricié la mejilla. Él me seguía mirando con detenimiento, como si acabara de descubrir algo valioso, algo mágico que quizá jamás volviera a ver. Entrecerré los ojos, invitándole a besarme.

Henri estaba asustado. Lo presentía. Le aterrorizaba tocarme, abrazarme, hacer un movimiento en falso. Quizá fuera porque yo era una princesa, o porque nunca se había encontrado en esa tesitura, pero aquel beso fue vulnerable.

Y justamente por eso me gustó mucho más.

Alargué el beso porque quería decirle, sin utilizar palabras, que se tranquilizara, que podía abrazarme.

Al fin, tras unos momentos de vacilación, Henri respondió. Me sostuvo como si fuera una figurita de cristal. Sus besos seguían siendo delicados, pero esta vez, en lugar de transmitirme su miedo, me trató con veneración. Sentí un cariño casi demasiado hermoso como para ser real.

Me aparté. El beso me había dejado un poco mareada. Le miré y me percaté de que parecía dolido, pero también aprecié una pequeña sonrisa.

—Debería irme —murmuré.

Él asintió con la cabeza.

—Buenas noches.

—Buenas noches.

Me marché lentamente y, cuando me aseguré de que no podía verme, eché a correr. En mi cabeza se había arremolinado un sinfín de pensamientos que no lograba comprender. ¿Por qué me molestó tanto que Gavril eligiera a Henri? ¿Por qué decidí mantener a Fox en palacio si las normas dictaban que debía marcharse? ¿Por qué no podía quitarme a Kile —¡Kile, por el amor de Dios!— de la cabeza?

¿Y por qué me aterraba tanto hacerme esas preguntas?

Cuando llegué a mi habitación, me tiré en la cama. Estaba desorientada. Y estaba furiosa; furiosa con Gavril por haberme obligado a hablar del tema, por no ser capaz de mantener una conversación normal con Henri, por no poder comunicarme con él y por lo incómodo que debía de sentirse Erik cada día. Y, aunque la situación me exasperaba, en el fondo sabía que, si quería contarle a alguien algo personal, seguramente sería a Henri. A su lado me sentía a salvo; sabía que era un chico listo, y admiraba la pasión que le ponía a las cosas que hacía. Henri era un buen chico.

Pero no hablaba ni una palabra de finlandés. Y eso no era bueno.

Frustrada, di un par de vueltas en la cama; de repente, noté que algo se me clavaba en la espalda. Era el nudo de la camisa de Henri. Seguía llevándola puesta.

Desaté el nudo y, aunque sabía que era una ridiculez, me llevé la camisa a la nariz. Por supuesto. Por supuesto que olía a canela, a miel y a vainilla. Olía a repostería.

Ese estúpido pastelero finlandés con sus estúpidas especias. ¡Me estaba volviendo una necia!

Se confirmaron mis sospechas; siempre había creído que el amor te volvía más vulnerable; por eso enamorarse era un terrible error.

Además, nadie sobre la faz de la Tierra era más poderoso que yo.

Capítulo 28

Durante el desayuno me percaté de varias cosas. Primero, Henri se encargó de poner a su intérprete al día de los últimos acontecimientos. Erik no dejaba de lanzarme miraditas mientras trataba de calmar el entusiasmo de Henri. Este, por su lado, estaba eufórico, exultante. Y es que se había ganado el título de ser el segundo pretendiente de la Selección en recibir un beso.

Kile, que estaba justo enfrente de Henri, parecía aturdido. Sospechaba que había ocurrido algo, pero no sabía suficiente finlandés como para comprender la conversación. A una velocidad de tortuga, iba metiéndose cucharadas de cereales en la boca para evitar interrumpirlos.

También me fijé en Baden, que hizo mil maniobras para llamar mi atención. Me saludó con la mano y señaló la puerta. Articulé la palabra «luego» e intenté que su falta de protocolo no me irritara en lo más mínimo.

Sin embargo, los peores fueron papá y mamá. Me miraban de reojo y cuchicheaban entre ellos. Ni siquiera tuvieron la decencia de mostrar discreción. No me costó adivinar qué era lo que se traían entre manos: pretendían averiguar qué sabía acerca de los disturbios.

Me aclaré la garganta.

—Y bien, ¿qué os parecí anoche?

Papá dibujó una sonrisa.

—Quedé impresionado, Eadlyn. Pese a la semana tan ajetreada y abrumadora que tuviste, te mostraste serena, tranquila. Fue maravilloso verte tan generosa con Henri. Me alegra saber que algunos de los candidatos te... resultan atractivos. Eso me da esperanzas.

—Ya veremos cómo acaba todo esto —espeté—. Te prometí tres meses, y creo que es justo lo que tardaré en tomar una decisión.

—Sé a qué te refieres —comentó, como si le hubieran invadido miles de recuerdos—. Gracias.

—De nada —suspiré. Observé aquella sonrisa tierna y melancólica. La Selección había sido, y seguía siendo, algo muy importante para él—. Si pasados los tres meses, no hay ningún compromiso a la vista, ¿te habré fallado?

—No, cielo. No me fallarás —respondió, pero hubo algo en su tono de voz que no me convenció y, de repente, me preocupé.

Suponiendo que ese plazo de tres meses hubiera vencido y yo siguiera siendo una mujer soltera, ¿qué sucedería? El Gobierno no solo intentaba resolver la confusión creada por la eliminación de castas, sino que también pretendía sofocar una rebelión abierta, así que tres meses no bastarían para lograrlo. De hecho, las dos últimas semanas habían pasado volando.

La Selección no sería suficiente para arreglar los problemas del país.

Y entonces comprendí por qué se empeñaban tanto en ocultarme cualquier información que pudiera inquietarme: si pensaba que la Selección sería inútil, ¿para qué continuar? Y, si decidía dejarles en la estacada, ya no les quedaría nada.

—No te preocupes, papá —dije, y le acaricié la mano—. Todo saldrá bien.

Él me cogió de la mano y la apretó.

—Estoy seguro de que tienes razón, cariño —respondió. Respiró hondo y tomó un sorbo de café—. Ah, quería comentarte algo. Hemos revisado todos los antecedentes de los chicos. Si hubiéramos realizado un par de llamadas antes de la Selección, habríamos sabido que a Burke le cuesta controlar su ira y que, en una ocasión, a Jack le denunció una compañera de clase por comportamiento inapropiado. También hemos averiguado que Ean pasa la mayor parte del tiempo solo. No creo que sea un motivo de peso para expulsarle ya, pero no deberíamos quitarle el ojo de encima.

—De hecho, Ean me ha parecido un tipo bastante generoso.

—¿Oh?

—Sí. Ya he notado que es un chico un poco solitario, aunque no sé por qué; es muy buen conversador.

Papá dejó la taza de café encima de la mesa y miró a Ean.

—Qué raro.

—¿Alguien más por quien deba preocuparme? —pregunté; no quería que papá se obsesionara con Ean. Solitario no era sinónimo de problemático o alborotador.

—Hay uno cuyo expediente académico deja mucho que desear, pero nada escandaloso.

—De acuerdo. Lo peor ya ha pasado —añadí con cierto optimismo.

—Eso espero, aunque he contratado a un equipo especial para que continúe investigando. No fui tan precavido como debía, y lo siento mucho —confesó.

—Miremos el lado positivo de esto. Si no hay ningún lunático más, podría concertar algunas citas y así tener algo de que hablar el viernes.

Mi padre se rio entre dientes.

—Cierto. Quizá deberías verte con los pretendientes que apenas conoces. Tendrás tiempo de quedar con todos ellos, te lo prometo.

Repasé a todos mis candidatos.

—Puede que esta semana no me veas mucho por el despacho.

Él sacudió la cabeza.

—Ningún problema. Conócelos. Confío en que puedas encontrar a alguien especial, aunque a ti te parezca absurdo.

—Permíteme que te recuerde que, cuando me propusiste la Selección, ese no era el objetivo.

—Da lo mismo.

—Pero es que son muchísimos. ¿Hay alguno que te dé mala espina?

Papá repasó a los seleccionados uno a uno.

—De hecho… —murmuró y, con los ojos entornados, buscó a uno en particular.

—Ese. El de la camisa verde.

—¿Y cabello oscuro?

—Sí.

—Se llama Julian. ¿Qué tiene de malo?

—Puede que parezca una trivialidad, pero anoche, mientras alababas a los demás candidatos, no sonrió en ningún momento, ni siquiera aplaudió. No es la actitud más adecuada. Si no puede soportar que un puñado de chicos le hagan sombra durante unos días, ¿cómo aguantará vivir en la sombra durante el resto de su vida?

Llevaba años preguntándome si mi padre era sincero al asegurar que sería una líder estupenda. Menuda pérdida de tiempo. Mi padre confiaba ciegamente en mí.

—Y esto también puede parecer otra trivialidad, pero creo que vuestros hijos no serían muy guapos.

—¡Papá! —grité, lo que provocó un pequeño revuelo.

Avergonzada, me cubrí la cara con las manos y papá se echó a reír a carcajadas.

—¡Deberías tenerlo en cuenta!

—De acuerdo. Me voy. Muchas gracias.

Ojalá hubiera podido desaparecer del comedor sin más. Crucé el salón lo más rápido que pude, pero sin perder mi feminidad. Cuando doblé la esquina, salí disparada como un rayo hacia mis aposentos. Me encerré en mi habitación y decidí mirar todas las solicitudes con lupa. Traté de buscar algo que despertara mi interés, mi entusiasmo. Al ver la fotografía de Julian, hice una pausa. Papá tenía razón. Daba igual cómo combinara su nariz, mi boca, mis labios o sus mejillas; en mi cabeza, todas las variaciones eran horrendas.

Pero poco importaba.

Le enviaría a casa tarde o temprano, aunque quizá esperaría a tener varias citas para que se marchara acompañado. Todas las eliminaciones en solitario habían sido desastrosas. Por ahora, debía trazar un plan. Diez citas. Ese era mi objetivo hasta el próximo *Report*. Y, además, tres de ellas deberían aparecer en los periódicos. ¿Cómo iba a conseguirlo?

Y

Mamá estaba en la Sala de las Mujeres con la señorita Lucy. Estaban reunidas con una alcaldesa. Puesto que las mujeres no solían ocupar ese tipo de cargos, a las pocas que había las conocía muy bien. Milla Warren, alcaldesa de Calgary, había venido a honrarnos con su presencia. Mi agenda del día no había previsto ninguna visita oficial, pero no tuve elección. Hice una reverencia para anunciar que estaba ahí y saludarlas.

—¡Alteza! —exclamó la señora Warren, y se levantó para darme la bienvenida con una pomposa reverencia—. Es un verdadero placer verla, ¡y más en este momento tan emocionante!

—Nos alegra mucho tenerla por aquí. Por favor, siéntese.

—¿Cómo estás, Eadlyn? —preguntó mamá.

—Bien. Luego me gustaría hacerle un par de preguntas —añadí en voz baja.

—¿Necesita unos consejos sobre chicos? —bromeó la Sra. Warren, y me guiñó el ojo.

Mamá y la señorita Lucy le rieron la gracia, pero yo me limité a sonreír.

Y luego recapacité: aquella mujer debería saber la verdad.

—Créame, la Selección no es lo que se imagina.

Arqueó las cejas, atónita.

—Por favor, ¡regáleme un día con treinta y cinco hombres peleándose por mí!

—Para ser honesta, es más bien un asunto de trabajo —prometí—. Le ponemos mucha emoción, pero lo cierto es que es todo un desafío.

—Yo lo corroboro —intercedió mamá—. Da igual en qué lado del proceso estés; es muy duro. Hay días que se te hacen eternos y aburridos, y otros en los que apenas tienes tiempo de respirar —explicó—. Me canso con solo pensarlo.

Mamá reposó la cabeza sobre la mano y me miró de reojo. Percibí algo en ella, en aquella mirada maternal e indulgente, que me hizo sentir apoyada y comprendida. Sin embargo, también vislumbré un ápice de inquietud, un rastro del estrés que esa misma mañana había abrumado a papá. De pronto, parpadeó y centró toda su atención en la señora Warren.

—Y bien, Milla, según lo que tengo entendido, las cosas van muy bien por Calgary.

—Ah, sí. Bueno, es que somos muy tranquilos.

Por lo visto, la alcaldesa tan solo había venido a socializar un poco, así que me quedé ahí sentada, manteniendo una postura perfecta, hasta que decidió marcharse. Y todo gracias a mí, porque había pasado una nota a una doncella pidiéndole que entrara en la sala y le dijera a mamá que la necesitaban con urgencia.

En cuanto la señora Warren salió por la puerta, mamá se estiró el vestido.

—Déjame ir a ver qué ha sucedido.

—Relájate, he sido yo —confesé, y me estudié las uñas. Necesitaba una manicura urgente.

Mamá y la señorita Lucy me observaban fijamente.

—Quería tener una conversación contigo, y ella no dejaba de parlotear, así que he concertado una cita. O algo parecido —comenté, y esbocé una sonrisa insolente.

Mamá sacudió la cabeza.

—Eadlyn, a veces puedes ser un poco manipuladora —dijo, y suspiró—. Y a veces es toda una suerte. Uf, no creo que hubiera podido aguantarla mucho más.

Las tres nos pusimos a reír con complicidad.

—Me siento un poco culpable —declaró mamá—. No sale mucho, y para ella es muy difícil desempeñar su trabajo sola. Pero no me ha gustado el modo en que se ha dirigido a ti.

Hice una mueca.

—Las hay peores.

—Cierto —murmuró—. ¿De qué querías hablarme?

Miré a la señorita Lucy por el rabillo del ojo.

—Desde luego —susurró, respondiendo así a mi petición tácita—. Si me necesitan, andaré por aquí.

Me besó en la frente y, tras una reverencia, nos dejó a solas. Fue un gesto muy cariñoso por su parte.

—Es tan buena conmigo —dije—. Y con mis hermanos también. A veces me da la sensación de que tengo dos madres.

Sonreí y mamá asintió.

—Me gusta mantener a la gente que quiero cerca de mí; la verdad es que ha cuidado de ti desde el momento en que viniste al mundo.

—Ojalá hubiera podido tener hijos —lamenté.

—A mí también me habría gustado —confesó mamá—. Supongo que, a estas alturas, todo el mundo sabe que lo ha intentado por todos los medios, pero no ha funcionado. Haría todo lo que estuviera en mi mano para ayudarla.

—¿Lo has intentado?

Me daba la impresión de que no había nada que los Schreave no pudieran conseguir.

Mamá pestañeó varias veces; estaba al borde de las lágrimas.

—No debería contarte esto porque es privado. Pero sí, he hecho todo lo posible. Incluso llegué a ofrecerme como vientre de alquiler, para que así pudiera tener un bebé —confesó, y apretó la mandíbula—. Fue el único momento en mi vida en que me reproché, e incluso me arrepentí de ser reina. Al parecer, mi cuerpo no me pertenece, así que hay cosas que no se me permiten hacer.

—¿Quién lo dice?

—Todo el mundo, Eadlyn. No es algo muy tradicional, y nuestros consejeros pensaron que el pueblo de Illéa no lo comprendería. Incluso hubo quien aseguró que todo bebé que creciera en mi vientre debería ser incluido en la línea de sucesión al trono. Era ridículo, así que tuve que retirar mi oferta.

Me quedé en silencio durante unos instantes, observando a mi madre; todavía no se había recuperado de un disgusto de hacía varios años, un pesar que, además, era de otra persona.

—¿Cómo lo haces?

—¿El qué?

—Nunca me dejas indiferente. ¿Cómo es posible que todavía haya historias de tu vida que no conozca? Me da la sensación de que siempre has sido una mujer entregada a los demás.

Ella sonrió.

—Cuando estás rodeada de gente a la que adoras, dar tu brazo a torcer, resignarte o darte por vencida no se percibe como un sacrificio. Hay personas por las que daría mi vida sin pensármelo dos veces. Sin olvidar al pueblo de Illéa, nuestros súbditos, por los que, en cierto sentido, también di mi vida.

Bajó la cabeza y se arregló el vestido, aunque estaba perfecto.

—Estoy convencida de que hay gente por la que morirías, pero todavía no lo sabes. Algún día te darás cuenta de ello, ya verás.

Por un momento, temí que no fuéramos familia. Las personas a las que mamá podía estar refiriéndose —papá, Ahren, la señorita Lucy, la tía May— también eran un pilar muy importante en mi vida, y precisamente por eso necesitaba que me ayudaran, y no al revés.

—De todas formas —resumió—, ¿de qué querías hablarme?

—Ah, sí. Bueno, ahora que papá se ha cerciorado de que los candidatos que quedan no están chiflados, he decidido centrarme en las citas —contesté, y me incliné hacia delante—. Necesito ideas sencillas, pero que, en pantalla, se vean magníficas.

—Oh —suspiró, y clavó la mirada en el techo, pensativa—. No sé si podré echarte una mano con ese tema. Casi todas las citas que tuve con tu padre durante la Selección fueron paseos por el jardín.

—¿De veras? ¿Cómo es posible que os enamorarais? ¡Qué aburrimiento!

Mamá soltó una carcajada.

—Bueno, era la oportunidad perfecta para charlar. O para discutir, claro. Siempre que nos quedábamos a solas, hacíamos lo uno o lo otro.

Entorné los ojos.

—¿Os peleabais?

—Todo... el... tiempo —respondió, y luego dibujó una sonrisa.

—En serio, cuantas más cosas me explicas sobre tu Selección, menos os entiendo. Ni siquiera puedo imaginarte discutiendo con papá.

—Lo sé. Tuvimos que trabajar muchos aspectos de nuestra relación para conseguir que funcionara, pero la verdad es que fue una suerte conocernos; por fin ambos encontramos a alguien que nos apreciaba, que era sincero con nosotros, que nos felicitaba cuando lo merecíamos, pero que también nos amonestaba o reprendía cuando nos equivocábamos.

No me negaba a compartir mi vida con alguien que fuera sincero conmigo —dado el caso de que algún día decidiera casarme—, pero, si un chico quería conquistarme, debía aprender a medir sus palabras. De lo contrario, no duraría un telediario.

—De acuerdo, citas —dijo, y volvió a acomodarse en su asiento, meditabunda—. Nunca se me ha dado bien el tiro con arco, pero si alguno de tus pretendientes es un experto en ese arte, la cita podría ser un éxito.

—Creo que puedo hacerlo. Oh, y ya he montado a caballo, así que descartemos esa opción.

—Vale. Y cocinar tampoco —añadió. Sonrió, dándome a entender que no podía creerse que hubiera permitido esa cita.

—Pero acabó siendo un desastre.

—Bueno, ¡Kile y Henri lo hicieron fenomenal! Y Fox tampoco lo hizo tan mal.

—Es verdad —corregí. Y, de repente, recordé ese momento en que cociné a solas con Henri. Nadie se había enterado de esa cita.

—Cariño, creo que, en lugar de buscar una cita tan llamativa y vistosa, deberías probar algo más sencillo. Toma un té, pasea por los jardines. Una cena o un almuerzo en buena compañía siempre son bienvenidos; pero no puedes comer diez veces al día. En mi opinión, las citas más simples son más bonitas que las ostentosas.

Había tratado de evitar cualquier encuentro que pudiera ser demasiado personal. Pero ese tipo de citas transmitían cercanía, algo que el público ansiaba. Quizá mi madre llevaba razón. Si elaboraba una lista con temas y preguntas superficiales, reduciría el riesgo de que la cita se volviera demasiado íntima.

—Gracias, mamá. Creo que lo probaré.

—De nada, cariño. Ya sabes que aquí me tienes.

—Lo sé —murmuré mientras jugueteaba con el vestido—. Sé que estos días he sido peor que un dolor de muelas, y lo siento.

Mamá alargó el brazo y me cogió de la mano.

—Eadlyn, estás sometida a mucho estrés. Te comprendemos. Y, a menos que te transformes en una asesina que descuartiza a sus víctimas con un hacha, siempre te querré.

Me eché a reír.

—¿Una asesina que descuartiza a sus víctimas con un hacha? ¿Ese es tu límite?

—Bueno..., te querría de todas formas —dijo, y me guiñó el ojo—. Anda, vete. Si piensas tener tantas citas esta semana, deberías organizarte.

Asentí y, por razones que aún no logro comprender, me deslicé y me senté en su regazo.

—¡Uuuf! —se quejó en cuanto notó mi peso sobre las rodillas.

—Te quiero, mamá.

Ella me abrazó por la cintura.

—Yo también te quiero. Más de lo que imaginas.

Le di un beso en la mejilla y me levanté de un salto. Pensé en la semana que me esperaba y deseé que mi plan calmara los ánimos. Sin embargo, en cuanto salí al pasillo, desapareció mi alegría. Baden estaba ahí, esperándome

.

Capítulo 29

Baden irguió la espalda y se acercó a mí. El sol de mediodía se colaba por las ventanas, así que el palacio estaba sumido en una luz cálida que teñía todas las habitaciones de un dorado precioso. Incluso su tez oscura parecía más clara bajo aquel resplandor.

—¿Me persigues? —pregunté con cierta ironía.

Sin embargo, al mirarle a los ojos, me di cuenta de que no estaba para bromas.

—No sabía cómo dar contigo. Eres muy difícil de encontrar.

Me crucé de brazos.

—Ya veo que estás molesto. ¿Por qué no me dices qué ocurre y lo solucionamos de una vez por todas?

Baden hizo una mueca, disconforme con mi oferta.

—Quiero irme.

Fue como darme de bruces contra una pared.

—¿Perdón?

—Lo de anoche fue vergonzoso. Te pedí una cita, y tú me rechazaste.

Levanté una mano.

—Si no me falla la memoria, en ningún momento dije que no. De hecho, no me dejaste ni contestarte.

—¿Acaso ibas a aceptar? —preguntó con escepticismo.

Alcé las manos y luego las dejé caer.

—Pues no lo sé, porque de golpe y porrazo te pusiste de morros y luego te marchaste sin más.

—¿De veras piensas darme lecciones de comportamiento?

Ahogué un grito. ¿Cómo se atrevía a hablarme así?

Me acerqué a él y, a pesar de ponerme de puntillas, a su lado parecía enana.

—Sabes que puedo castigarte por dirigirte a mí en esos términos, ¿verdad?

—¿Ahora pretendes intimidarme? Primero me rechazas, luego me utilizas como un títere durante el *Report*... Y hoy me he pasado toda la mañana buscándote por el palacio. Fuiste tú quien me prometió que nos veríamos durante el desayuno.

—¡No estás solo! ¡Sois veinte candidatos! ¡Tengo mucho trabajo que hacer! ¿Cómo puedes ser tan egocéntrico?

Los ojos estaban a punto de salírsele de las órbitas.

—¿Yo? ¿Egocéntrico? —repitió señalándose el pecho.

Intenté proteger mi corazón; no quería que ese chico me hiciera daño.

—¿Sabes?, eras uno de mis favoritos. Quería conocerte, mantenerte en la Selección durante varias semanas más. Mi familia te adoraba, y sabes que siento admiración por tu talento.

—No necesito la aprobación de tu familia. Durante una hora, fuiste encantadora conmigo. Después, desapareciste y empezaste a actuar como si no hubiera ocurrido nada. Tengo el derecho y la libertad de irme, y estoy listo.

—¡Entonces vete!

Me di media vuelta. No tenía por qué soportar eso.

Desde el pasillo, él me lanzó una última puñalada:

—¡Todos mis amigos me lo advirtieron! ¡Me dijeron que estaba loco! ¡Tenían toda la razón!

Seguí avanzando, sin mirar atrás.

—¡Eres prepotente! ¡Y egoísta! ¿En qué estaría pensando?

Doblé una esquina al azar; obviamente, no era el camino más corto a mi habitación, pero me dio lo mismo. Seguí adelante, con la barbilla bien alta y con esa expresión valiente que tantas veces había practicado. Nadie podía imaginarse cuánto me había dolido la despedida de Baden.

Tras un largo rodeo, por fin llegué al tercer piso. Empecé a llorar en cuanto puse un pie en el rellano; no fui capaz de mantener la compostura ni un segundo más. Las palabras de Baden seguían retumbando en mi cabeza; me abracé la cintura y me doblé de dolor porque notaba un pinchazo horrible en el estómago.

Antes de que los pretendientes desembarcaran en palacio, había elaborado una lista con ideas para librarme de ellos. Planeé varias estrategias para ofenderlos, para que se enfadaran; había pensado que así me dirían cosas parecidas a las que Baden me había soltado... Sin embargo, tenía la sensación de que no había hecho nada para provocarle.

Y, aun así, las dijo. ¿Qué pasaba conmigo? ¿Por qué me habían dado calabazas, por ser yo misma?

Con su frase de despedida había conseguido lo que se había propuesto. Hacía un mes, cuando leí los nombres de los seleccionados, creí que tenía un millón de posibilidades. Pero ¿cuántos muchachos de Illéa no habían participado porque me despreciaban?

¿La gente me consideraba una niña mimada y malcriada? ¿Egoísta? Me pregunté qué parte de la Selección estaba deleitando más al público: ¿los momentos tiernos y románticos o los momentos en que parecía una patética fracasada?

Respiré hondo y decidí resguardarme en mis aposentos. Erik estaba esperándome junto a la puerta, así que me había visto sollozar.

Me sequé las lágrimas para disimular que había estado llorando, pero no pude ocultar aquellos ojos hinchados o la rojez de las mejillas. El hecho de que Erik me viera en ese estado tan lamentable me dolió tanto como las palabras de Baden, pero el único modo de restarle importancia era aparentar total normalidad.

Al acercarme a él me percaté de que me observaba con tristeza.

—Quizá no he venido en el mejor momento —dijo con un ápice de sarcasmo.

Sonreí.

—¿Por qué lo dices? —respondí también en tono jocoso—. Pero si puedo ayudarte en algo, por favor, dímelo. Lo haré encantada.

Erik se quedó pensativo.

—Quería hablarle sobre Henri. ¡Pero él no sabe nada! —añadió—. Él vendría a verla personalmente si pudiera desenvolverse en su idioma. Pero le da vergüenza —reconoció—. Él…, bueno, me contó lo del beso.

Asentí.

—No me sorprende.

—Teme haber cruzado una línea. Según su versión, él la estaba abrazando y quizá no debió hacerlo, pero lo hizo, y entonces…

Sacudí la cabeza.

—Tal y como lo estás contando, parece mucho peor de lo que fue. Él…. Nosotros… —farfullé—. Intentamos comunicarnos y, cuando nos quedamos sin palabras, en fin, nos besamos.

Por algún motivo, me abochornaba admitirlo delante de Erik, aunque era consciente de que ya sabía toda la historia.

—Entonces, ¿no va a expulsarlo?

Abrí los ojos como platos y a punto estuve de echarme a reír. En ningún momento se me había pasado tal cosa por la cabeza.

—No. Es una de las personas más amables y tiernas que conozco. No estoy, en absoluto, molesta con él.

Erik asintió.

—¿Sería inapropiado que le transmitiera su opinión a Henri?

—Desde luego que no —respondí. Me sequé los ojos de nuevo, aunque esta vez dejé un rastro de lápiz negro por toda la ojera—. Buf.

—¿Está bien, alteza? —preguntó Erik con ternura y, afortunadamente, sin compasión.

Me apetecía contarle todo lo ocurrido, pero confesarle mis penas rozaba lo inapropiado. Una cosa era hablarle sobre Henri; otra muy distinta explicarle mis reparos y temores respecto a los demás candidatos.

—Lo estoy. O lo estaré. No te preocupes por mí; cuida de Henri y vela por él.

Noté un ligero cambio en su expresión.

—Hago todo lo que puedo.

Le observé durante unos instantes.

—Intuyo que Henri está deseando volver a repetirlo, ¿verdad?

Erik negó con la cabeza.

—No se equivoque, alteza. Él la quiere.

Tras la despedida de Baden, que me rompió el corazón, no concebía que algo así pudiera ser posible, pero Erik me lo confirmó:

—Habla de usted sin parar. Cada mañana, en el Salón de Hombres, le traduzco libros de ciencias políticas porque se ha empeñado en entender las diferencias entre la monarquía absoluta que reina aquí y la monarquía constitucional con la que creció en Swendway. Incluso… —Erik hizo una pausa para reírse entre dientes—. Incluso estudia los andares y el ademán de sus hermanos. Quiere ser merecedor de su mano, alteza.

Tragué saliva. Me sentía un poco abrumada. Traté de dibujar una sonrisa para encubrir mis verdaderos sentimientos.

—Pero ni siquiera puede hablar conmigo.

—Lo sé —respondió con solemnidad—. Y por eso me asombra…

—¿El qué?

Se acarició la barbilla un tanto dubitativo.

—Aprender una lengua extranjera siempre es más fácil cuando se es un niño. Cualquiera puede intentar aprenderla de mayor, por supuesto, pero el acento siempre le delatará. A Henri le cuesta retener el vocabulario y, al ritmo que va, tardará años en ser capaz de mantener una conversación básica. Por no mencionar los matices que puede tomar un idioma, como la jerga y los coloquialismos. ¿Entiende lo que significa eso?

Que no lograría comunicarme con Henri durante quién sabe cuánto tiempo. Que, con toda probabilidad, cuando acabara la Selección, apenas nos conoceríamos.

—Sí, lo entiendo. —Tres palabras que sentí como un mazazo, que retumbaron en el pasillo y que me aplastaron como a una mosca.

—Creía que debía saberlo. Alteza, yo solo quería que fuera

consciente de cómo puede avanzar la relación si usted también siente algo por él.

—Gracias —susurré.

—¿Y? —preguntó de repente—. ¿Siente algo por él?

Aquella pregunta me cayó como un jarro de agua fría.

—Con el corazón en la mano, Erik, no sé lo que siento.

—Eh —murmuró, y apoyó una mano sobre mi hombro—. Lo siento. Ha sido un comentario inapropiado. No es asunto mío y es evidente que no está teniendo un buen día. Qué bobo.

Me sorbí la nariz.

—No. Tan solo estás siendo un buen amigo. Tanto de Henri como mío. No pasa nada.

Él entrelazó las manos tras la espalda.

—Bueno, es que lo soy, ¿o no lo sabía?

—¿Eh?

Erik suspiró y, de pronto, se le sonrojaron las mejillas.

—Su amigo. Si necesita uno.

Fue una oferta muy sencilla y, sin embargo, muy generosa.

—No se me ocurre nadie mejor.

Él sonrió satisfecho, pero no dijo nada. Siempre disfrutaba de esos momentos de silencio con Erik.

Pasados unos instantes, se aclaró la garganta.

—Estoy seguro de que tiene mucho trabajo por hacer, pero no me gustaría dejarla sola si está triste.

—No. De hecho, lo prefiero.

Me dedicó una sonrisa un tanto cohibida.

—Si es lo que desea —musitó, y se inclinó ante mí—. Espero que su día mejore.

—Ya lo ha hecho —prometí, y le rodeé para poder entrar en mi dormitorio.

—¿Señorita? —llamó Neena en cuanto abrí la puerta.

Debía de tener un aspecto terrible.

—Hola, Neena.

—¿Está bien?

—No, pero lo estaré. ¿Puedes pasarme los formularios de la Selección, por favor? Tengo un montón de trabajo.

Aunque Neena se quedó un poco desconcertada, obedeció

sin rechistar. Además del papeleo, también me trajo una cajita de pañuelos.

—Gracias.

Pensé que lo peor ya había pasado, pero, cuando vi las fotografías de los pretendientes, no pude contener las lágrimas. Dudé de todos. ¿Quién seguiría concursando, luchando por mi mano, a pesar de odiarme?

—Neena, ¿podrías traerme papel en blanco?

En cuestión de segundos tenía una taza de té y una libreta sobre el escritorio. Era una doncella maravillosa, la verdad.

Intenté organizarme la semana. En el formulario de Apsel decía que tocaba el piano, así que al día siguiente por la mañana me reuniría con él para tocar algún dueto; a primera hora de la tarde, daría un paseo por los jardines con Tavish. El lunes tomaría el té con Gunner y luego saldría con Harrison a dar una vuelta; algún fotógrafo retrataría el momento. A papá le encantaría la idea.

Acabé de elaborar aquel minucioso horario y dejé la pila de papeles a un lado. Sin cruzar una sola palabra, Neena empezó a prepararme un baño. Me acabé el té y dejé la taza sobre la mesa que había al lado de la tetera, para que luego no tuviera que buscarla por toda la habitación.

El cuarto de baño estaba envuelto en una nube de vaho. Me planté delante del espejo y empecé a quitarme todas las horquillas del cabello. La presencia de Neena siempre era como un bálsamo para mí. Después de aquel baño tan relajante, casi había logrado librarme de las duras palabras de Baden.

—¿Quiere hablar del tema?—preguntó Neena en voz baja, y empezó a cepillarme el pelo.

—No hay mucho que decir. La gente seguirá arrojándome comida podrida, lanzándome palabras hirientes, así que, si quiero sobrevivir, tendré que aprender a ser más fuerte.

Se le escapó un suspiro de desaprobación. A través del reflejo, observé que tenía una expresión afligida.

—¿Qué?

Neena dejó de peinarme y me miró compungida.

—Por muy complicados que sean mis problemas, nunca los cambiaría por los suyos. Lo siento.

Erguí la espalda.

—No lo sientas, Neena. Nací con esta cruz, este es mi destino.

—Pero es injusto, ¿no cree? El hecho de que ya no vivamos según un sistema de castas significa que nadie nace con un destino marcado, ni con una cruz. ¿Acaso eso no la incluye a usted?

—Eso parece.

Poco importó que Apsel fuera un pianista impecable, o todos los elogios que le regalé. Tampoco sirvió de nada que las fotografías que tomaron de Tavish paseando a mi lado en el jardín fueran propias de una revista de moda. A pesar del trabajo y los esfuerzos que dediqué a aquellas citas, ninguna apareció en los titulares del lunes por la mañana.

Sobre las instantáneas de mis citas, la historia que se narraba era completamente distinta.

«¡Es trabajo!», exclamaba el titular que acompañaba una fotografía en que aparecía yo bostezando. Por lo visto, una «fuente de primera mano» había compartido con los medios de comunicación mi opinión sobre el proceso de la Selección, asegurando que era «más bien un asunto de trabajo» y que «le ponemos mucha emoción». Solo deseaba una cosa: matar a Milla Warren.

Aunque tampoco podía culparla. El hecho de que Baden hubiera sacado a la luz que la Selección era un paripé no es que hubiera ayudado en nada.

Según su descripción, yo era una chica fría, hipócrita y distante. Reveló nuestro único y encantador momento a solas y aseguró que, a partir de entonces, me había alejado de él. Y esa fue la gota que colmó el vaso. Repitió varias veces que no era capaz de quedarse en palacio y contribuir a esa mentira. Sabía que le habían pagado una cantidad exorbitada de dinero por aquellas declaraciones e intuía que a Baden le preocupaba, y mucho, la deuda académica que había acumulado a lo largo de los últimos años. Aunque, por otro lado, estaba convencida de que también lo habría hecho gratis.

Comparar esas noticias con mis citas de fin de semana era absurdo, ya que habían eclipsado por completo cualquier momento romántico. Había sido una total pérdida de tiempo y, peor aun, papá estaba sufriendo todas las consecuencias. Ya habían pasado varias semanas y todavía no se le había ocurrido ninguna idea para redirigir el problema de las castas ni para calmar a los alborotadores que exigían el fin de la monarquía.

No estaba logrando ninguno de mis cometidos.

Después de desayunar decidí aislarme en mi habitación. Eché un vistazo a mis planes del día. ¿Merecía la pena acudir a las citas? ¿Había algún modo de mejorar la perspectiva?

Oí que alguien llamaba a la puerta. Al volverme, advertí la silueta de Kile. Sin pensármelo dos veces, me lancé a sus brazos.

—Eh —murmuró, y me estrechó con fuerza.

—No sé qué hacer. Las cosas no hacen más que empeorar.

Él se apartó un poco y me miró a los ojos.

—Algunos pretendientes están confundidos. No saben si los estás utilizando, Eadlyn —dijo, y luego continuó en voz baja, para que Neena no pudiera oírle—. Sé que nuestro primer beso fue una pantomima. Sé sincera, ¿todo es una pantomima? Si lo es, debes ser honesta y decirlo.

Le observé sin pestañear. ¿Cómo podía haber estado tan ciega? Nunca creí que Kile pudiera ser un chico tan listo, divertido, guapo y cariñoso. No quería mantener una conversación entre susurros, así que le pedí a Neena que nos dejara a solas. Cuando cerró la puerta, volví a centrarme en mi respuesta.

—Es muy complicado, Kile.

—Soy una persona inteligente. Explícamelo.

Estaba sereno, así que sus palabras sonaron más como una invitación que como una exigencia.

—Si me lo hubieras preguntado el día antes de que los pretendientes llegaran a palacio, te habría dicho que todo era puro teatro. Pero ya no lo es, al menos para mí —dije.

Había intentado por todos los medios que las citas no me afectaran y, de hecho, me aterraba romper esas distancias. En ese momento, Kile estaba a punto de salir de mi zona de confort y adentrarse en mi mundo más íntimo. No sabía cómo reaccionaría si cruzaba esa línea.

—Tú me importas —confesé—. Muchos me importáis —corregí—. ¿Si creo que voy a acabar casándome con uno de vosotros? No puedo asegurarlo —murmuré, encogiendo los hombros.

—Eso no tiene sentido. Es una cuestión de blanco o negro.

—No seas tan injusto. Cuando oíste tu nombre, ¿querías participar? ¿Dirías lo mismo ahora?

No me percaté de lo tenso que estaba hasta que soltó un suspiro y cerró los ojos.

—De acuerdo. Eso puedo entenderlo.

—Estas semanas han sido más difíciles de lo que pensaba. De hecho, han resultado desastrosas. Aunque sea una chica, no se me da muy bien expresar mis emociones, así que a veces muchos asumen que algo no me importa, cuando, en realidad, sí que me importa. Me gusta guardarme ciertas cosas para mí. Sé que no es bueno, pero soy así.

Kile llevaba muchos años viviendo en palacio y sabía que estaba diciendo la verdad.

—Eadlyn, tienes que tomar cartas en el asunto y hacer alguna declaración a la prensa —insistió sin pestañear.

Me masajeé las sienes.

—No sé si es buena idea. ¿Y si meto la pata?

Él me dio un golpecito en el estómago, algo que no hacía desde que éramos críos.

—Sé sincera. Eso nunca falla.

Aquello confirmó todas mis preocupaciones. Admitir que me había encariñado de muchos de los candidatos y que eso era lo más importante que tenía ahora mismo entre manos significaba revelar el punto de partida de esa Selección en particular. Y tal y como iban las cosas, con esa confesión no me ganaría su simpatía.

De pronto, Kile se giró y me señaló el escritorio.

—Ven. Sentémonos un minuto.

Me acomodé a su lado y aparté algunos bocetos de vestidos en los que había estado trabajando últimamente.

—Son impresionantes, Eadlyn —destacó.

Dibujé una tímida sonrisa.

—Gracias, pero no son más que cuatro garabatos.

—No hagas eso —dijo—. No desmerezcas tu trabajo.

Recordé esas palabras y me tranquilicé.

Kile cogió un puñado de lápices y empezó a hacer un esbozo propio.

—¿Qué estás dibujando? —pregunté tras distinguir unas cajas pequeñas.

—Una idea que llevo tiempo queriendo probar. He estado leyendo muchísimos artículos sobre las provincias más pobres del país. Ahora mismo, su mayor problema es la vivienda.

—¿Por el boom industrial?

—Sí —murmuró, y continuó trazando líneas prácticamente perfectas.

Papá había hecho todo lo que estaba en su mano para fomentar el crecimiento industrial en las provincias más agrícolas. Si lo que producía una zona podía fabricarse allí mismo, todo el mundo saldría ganando. Pero en cuanto empezó la industrialización, mucha gente se trasladó a esas zonas, a pesar de que no había viviendas para alojar a todos los recién llegados.

—Me he informado un poco sobre el coste de los suministros y, si mis cálculos no me fallan, creo que sería viable construir estas pequeñas cabañas. En términos básicos, son cubículos familiares y bastante asequibles. Llevo varias semanas jugando con esta idea. Si pudiera explicarle el diseño a alguien, quizá podrían implementarse.

Eché una ojeada a aquella diminuta estructura, del mismo tamaño que mi cuarto de baño y adosada a otra caja idéntica. Cada una tenía una puerta y una ventana lateral. Sobre el tejado advertí un tubo destinado a recoger el agua de lluvia que luego se acumulaba en un cubo que había frente a la puerta. También había pensado en los conductos de ventilación y, justo en la parte frontal, había diseñado un pequeño toldo para disfrutar de un poco de sombra.

—Pero son microscópicas.

—Para un sin techo será como vivir en una mansión.

Exhalé. Kile llevaba razón.

—Es imposible que haya suficiente espacio para un cuarto de baño.

—Sí, pero la mayoría de los trabajadores utiliza las instalaciones de la fábrica. Eso es lo que he leído. Estas chozas serían como un albergue; así la gente podría descansar mejor, no caería enferma tan a menudo…, a todos nos gusta tener nuestro propio hogar, por pequeño que sea.

Observé a Kile. Tenía los ojos pegados en el papel y seguía añadiendo detalles al boceto. Sabía que aquello le había tocado la fibra sensible; él siempre había añorado tener un hogar que le perteneciera. Con suma delicadeza, dejó el papel sobre la pila de mis diseños.

—No es tan emocionante como un vestido de noche, pero es lo único que sé dibujar —concluyó con una risa.

—Y lo haces de maravilla.

—Eh. Solo pretendía distraerte un poco. No sé qué más puedo hacer por ti.

Me acerqué a él y le cogí de la mano.

—El hecho de que estés aquí es suficiente. En lugar de ofuscarme y ponerme de morros, debería elaborar un plan de acción.

—¿Te apetece hablar de ello?

Encogí los hombros.

—Quizá, pero antes debería comentarlo con mi padre.

Kile debió de pensar que era una estúpida, pero no sabía lo que estaba sucediendo. Y, aunque se oliera algo, era muy difícil de comprender.

—Gracias por haber venido a verme, Kile. Te debo una.

—Me debes dos. Todavía estoy esperando a que tengas esa charla con mi madre —puntualizó, y me guiñó el ojo.

Por suerte, no sonó a reproche.

No había olvidado la promesa que le hice y, a decir verdad, había tenido más de una oportunidad de sacar el tema con la señorita Marlee. El problema ahora no era ella, sino yo. No quería imaginarme el palacio sin Kile.

—Desde luego. Lo tengo *in mente*.

Me soltó otro golpecito en el estómago y me reí como una tonta.

—Lo sé.

—Voy a hablar con mis padres ahora mismo. Necesito solucionar este tema.

—De acuerdo. —Me rodeó la cintura con el brazo y me acompañó hasta la puerta.

Cuando llegamos a las escaleras, nuestros caminos se separaron. Fui directa al despacho, un tanto nerviosa por cómo me recibiría papá al entrar.

Antes de cruzar el umbral, me aclaré la garganta. Él levantó la nariz de un montón de papeles y enseguida los recogió y los guardó en un cajón, bajo llave, para evitar que pudiera verlos.

—Hola, cielo. Pensé que esta semana te centrarías únicamente en la Selección.

—Bueno, esa era la intención, pero se me ha ocurrido que quizá podría echarte una mano.

Papá parecía alicaído.

—Todavía no me explico cómo ha podido ocurrir, Eadlyn. Lo siento.

—Yo soy quien debería pedir disculpas. Baden exageró las cosas, pero no es un embustero. No ha dicho ninguna mentira. Y reconozco que solté esas cosas delante de la alcaldesa. Tan solo dije que la Selección suponía mucho trabajo. Pregúntaselo a mamá; ella también estaba allí. Mis palabras se malinterpretaron.

—Ya he hablado con ella, cariño, y no estoy enfadado. Pero no entiendo qué ha llevado a Milla a hacer algo así. Me da la sensación de que somos el blanco de todas las críticas… —murmuró. Abrió la boca, dispuesto a decir algo más, pero estaba tan perplejo, tan confuso por la insatisfacción de su propio pueblo, que no supo por dónde empezar.

—Lo estoy poniendo todo de mi parte, papá, pero no es suficiente. He pensado que quizá deberíamos probar algo distinto.

Él se encogió de hombros.

—Estoy dispuesto a casi cualquier cosa.

—Desviemos la atención. Ahora mismo, la gente ha perdido la confianza en mí, así que invitemos a Camille a pasar unos días a palacio. Ahren está perdidamente enamorado de ella y, además, domina los medios de comunicación. La adoran, no nos engañemos. Después podría decir que tenerles revoloteando por aquí me ha marcado y me ha hecho recapacitar. Y, a partir de ahí, podemos retomar la Selección e intentar que esa historia de amor dé paso a otra.

Papá tenía los ojos clavados en su escritorio.

—No sé de dónde sacas esas ideas, Eadlyn, pero son brillantes. Y creo que a Ahren le encantará la propuesta. Déjame hacer un par de llamadas para ver si puede viajar hasta aquí, antes de hacerlo oficial, ¿de acuerdo?

—Por supuesto.

—También quiero que organices una fiesta en su honor. Si me permites la indiscreción, deberías intentar conocerla más.

Como si no tuviera bastantes preocupaciones.

—Me pondré con ello enseguida.

Papá levantó el teléfono y volví a mi habitación. Albergaba la esperanza de que aquello bastara para encauzar las cosas.

Capítulo 30

Dos días después, estaba en la pista de aterrizaje, junto a mi hermano, que estaba hecho un manojo de nervios. Sostenía un gigantesco ramo de flores entre sus manos.

—¿Por qué nunca me regalas ramos así?

—Porque no pretendo impresionarte.

—Eres peor que los candidatos —dije, sacudiendo la cabeza—. Será la próxima reina de Francia. No es fácil sorprender a chicas como nosotras.

—Lo sé —murmuró. Se le veía tan feliz que parecía idiota—. Supongo que tengo suerte.

La escalerilla del avión no tardó en descender. Primero bajaron dos guardias de seguridad y, después, Camille. Era una jovencita esbelta y grácil de cabellera rubia; su expresión transmitía serenidad y emoción. Jamás la había visto con un atuendo indiscreto o inapropiado, y eso que había visto infinidad de fotografías suyas publicadas en revistas sensacionalistas.

Había un protocolo que seguir, desde luego, pero Ahren y Camille se lo saltaron a la torera al fundirse en un tierno abrazo. Él la estrechó entre sus brazos mientras le besaba cada centímetro del rostro. El ramo de flores quedó destrozado. Camille se reía y Ahren seguía acribillándola a besos. Me sentí un poco fuera de lugar, pero esperé a que pararan antes de saludarla.

—¡Te he echado tanto de menos! —exclamó ella. Su acento francés hacía que cada palabra sonara como una sorpresa.

—Tengo tantas cosas que enseñarte. Le pedí a mis padres que reservaran una suite solo para ti, así siempre que vengas tendrás la mejor habitación de palacio.

—¡Oh, Ahren! ¡Eres tan generoso conmigo!

Él se dio la vuelta, con una sonrisa de oreja a oreja y, de repente, recordó que yo seguía allí.

—Estoy seguro de que no te has olvidado de mi hermana.

Nos saludamos con una reverencia. Aquella chica era la personificación de la elegancia.

—Alteza, me alegro de volver a verte. He traído algunos regalos para ti.

—¿Para mí?

—Sí. Ven, deja que te cuente un secreto —murmuró, y se inclinó hacia delante—. Te sentarán como un guante, ya lo verás.

Aquella noticia me animó enseguida.

—¡Maravilloso! Quizá pueda estrenar algo hoy mismo. Te he preparado una fiesta para esta noche.

Camille ahogó un grito y se llevó las manos al pecho.

—¿En mi honor? —preguntó, y desvió sus ojos azules hacia su prometido—. ¿De veras?

—De veras.

Ahren estaba irreconocible. Miraba a Camille como si la venerara, como si estuviera preparado para sacrificar cualquier cosa si eso complacía a su amada.

—Tu familia me trata muy bien. Vamos. Estoy deseando ver a tu madre.

De vuelta a palacio, traté de seguir la conversación, pero Ahren optó por hablar en francés para que Camille se sintiera más cómoda y, puesto que yo me había decantado por el español, no me estaba enterando de nada. Llegamos a casa y, como era de esperar, mamá, papá, Kaden y Osten estaban esperándonos a los pies de la escalinata principal. Detrás de las columnas, y claramente queriendo pasar desapercibidos, advertí la presencia de varios fotógrafos.

Ahren fue el primero en apearse del coche. Como buen caballero, se hizo a un lado y ofreció su mano para ayudar a Camille. Sin embargo, cuando busqué su mano para bajar del vehículo, me percaté de que había preferido acompañar a su amada. Al ver a mi madre, la princesa se lanzó a sus brazos.

Mamá, papá y Kaden hablaban un francés impecable y le dieron una cálida bienvenida. Me acerqué a Osten, el culo inquieto de la familia. Estaba impaciente por hacer alguna de sus travesuras.

—¿Qué has tramado para hoy?

—No he pensado en nada.

—Ve a buscar a los seleccionados y hazles preguntas raras. Y mantenme informada.

Él se echó a reír maliciosamente y se marchó corriendo.

—¿Adónde va tan deprisa? —preguntó papá en voz baja.

—A ningún lado.

—Entremos —dijo mamá—. Deberías dormir un poco antes de esta noche. Eadlyn lleva días organizando esta fiesta; será maravillosa.

Había pensado en todo. Habría música en directo, perfecta para bailar en pareja, y los cocineros habían elaborado una suerte de fusión gastronómica, mezclando recetas de Illéa y de Francia. Los reposteros habían preparado aquellos deliciosos saquitos de manzana con los que Henri nos había deleitado. Me moría de ganas de que los viera.

Mamá estaba radiante, como siempre, y papá no parecía tan agotado como en las últimas semanas. Josie se sentía como pez en el agua y, al verla, me alegró que, por una vez en su vida, no me hubiera robado una tiara. Kaden era como un pequeño embajador; se paseaba por el salón estrechando la mano a todo el mundo.

Me pegué como una lapa a la pareja feliz; resultaba cautivador a la par que extenuante. Ahren miraba a Camille como si gracias a ella saliera el sol cada mañana. Era bonito verle así, hechizado por aquella jovencita. Y eso hizo que me diera cuenta de que nunca nadie me había mirado de ese modo.

Estaba celosa de Camille. No por haberse ganado el amor de mi hermano —una de las personas más firmes del mundo—, sino porque hacía que todo fuera fácil. ¿Qué había hecho la reina francesa para educarla así? Camille era una chica delicada y dulce, pero, al mismo tiempo, nadie se atrevería a pisotearla. Estaba al día de los asuntos internacionales y sabía que su pueblo la adoraba. El año pasado, en el día de su cumpleaños, las calles se llenaron de fiestas improvisadas en su honor. Las celebraciones duraron tres días. ¡Tres días!

Consideraba que había recibido una buena educación, lo que me llevó a una conclusión: no podía seguir echando la culpa de mis defectos a cómo me habían educado. La culpa era solo mía.

Al darme cuenta de eso, me aparté un poco de Ahren y de Camille, porque estar cerca de esa chica solo me hacía sentir peor.

Sin embargo, antes de que pudiera dar otro paso, Ean se plantó delante de mí y me ofreció su brazo.

—Dichosos los ojos.

Menuda tontería.

—Te veo cada día —respondí, pero entrelacé mi brazo con el suyo de todas formas.

—Pero apenas podemos hablar. ¿Qué tal estás?

—Genial. ¿Cómo no estarlo? Voy corriendo como una loca de una punta a otra de palacio para poder disfrutar de un momento a solas con vosotros para que luego me acusen de que todo esto es un montaje. Y, por si fuera poco, mi hermano se ha enamorado de la chica perfecta. Sé que, en algún momento, me lo robará y se lo llevará.

—¿Te lo robará?

Asentí.

—Cuando se casen, después de que su madre dé el visto bueno a la boda y tras un tedioso y eterno compromiso para poder planear lo que será la boda más lujosa de la historia, Ahren tendrá que mudarse a Francia.

—Hmm —mascculló. Luego, me llevó hasta la pista de baile y me rodeó la cintura—. No puedo hacer nada respecto a tu hermano, pero si acaba mudándose al país vecino, recuerda que siempre podrás contar con alguien.

—¿Y con ese «alguien» no estarás refiriéndote a ti, verdad? —bromeé, y empecé a balancearme al ritmo de la música.

—Por supuesto —respondió—. Mi oferta sigue en pie.

—No lo he olvidado.

Miré a mi alrededor; el salón estaba abarrotado de personas de prestigio y conocidas, pero eso a Ean no parecía amedrentarle, sino más bien todo lo contrario. Se le veía cómodo; cualquiera habría jurado que se había criado en un palacio. Desde su llegada, mostraba una elegancia y una desenvoltura que poca gente tenía. De no haber sabido sus orígenes, hasta yo misma habría puesto la mano en el fuego de que pertenecía a alguna corte real.

—Aunque lo que digan los periódicos sea cierto, no te tortures. Esos críos no lo merecen. Yo puedo ser el marido perfecto. Seré fiel, amable y un buen asistente. Jamás te exigiré que me ames. Estar a tu lado es lo único que necesito para ser feliz.

Me costaba entender su motivación porque, en cierto modo, sabía que podía aspirar a una vida más placentera.

—Muchas gracias por tu oferta. Pero todavía no me he rendido.

Ean ladeó la cabeza, con cierta timidez, y sonrió.

—Ah, pues yo creía que sí.

—¿Y por qué? —respondí con su misma actitud de sabelotodo.

—Porque sigo aquí. Y, si de veras esperabas encontrar el amor en la Selección, no entiendo por qué me mantienes todavía por aquí.

Ante tal osadía, dejé de bailar y aparté las manos de sus hombros.

—Podría mandarte a casa ahora mismo, y lo sabes.

—Pero no lo harás —sentenció con aquella pícara sonrisa—. Tú sabes que puedo darte lo que necesitas, y, además, eres la única persona que puede darme lo que yo necesito.

—¿Y qué es?

—Comodidad. Comodidad a cambio de libertad —resumió, y se encogió de hombros—. Creo que es un trato justo —susurró, e inclinó la cabeza—. Hasta mañana, alteza.

No podía soportar que Ean fuera más calculador que yo. Unas cuantas semanas le habían bastado para adivinar qué quería y cuán lejos estaba dispuesta a llegar para conseguirlo. Eso me irritaba sobremanera.

Advertí una puerta lateral a mi derecha, así que me deslicé al pasillo. Necesitaba un momento a solas. Me froté las mejillas porque me dolían de tanto sonreír. Ahí fuera corría una suave brisa que me ayudaba a pensar con más claridad.

—¿Alteza?

Erik apareció por el pasillo; nunca le había visto tan elegante. Se había peinado de una forma distinta y, a decir verdad, le favorecía. Parecía más alto, más imponente. Me quedé boquiabierta. Estaba muy, pero que muy guapo.

—Hoy te has arreglado mucho —le felicité e intenté disimular mi asombro.

—Ah —susurró, y bajó la mirada—. No quería meter la pata.

—Pues has dado en el clavo —insistí, y me acerqué a él.

—¿Tú crees? Hale me ha aconsejado que utilice corbatas más estrechas.

Me reí por lo bajo.

—Bueno, Hale tiene un don con el estilo; estás estupendo.

Erik no cabía en sí de contento.

—Y bien, ¿está disfrutando de la fiesta?

Por el rabillo del ojo eché un vistazo al salón de baile.

—Está siendo un éxito, ¿no crees? Una comida exquisita, una música excelente, un montón de invitados…, quizá sea la mejor fiesta que jamás haya organizado.

—Muy diplomática —añadió.

Me volví hacia Erik y sonreí.

—Me da la sensación de que esta noche estoy compitiendo.

—¿Contra quién? —preguntó, atónito.

—Contra Camille, claro.

Volví a asomarme al salón e intenté esconderme tras las puertas para que nadie me pillara espiando. Erik se colocó a mi lado y los dos observamos a Camille y a Ahren, que se deslizaban delicadamente de un lado a otro de la pista de baile.

—Es ridículo.

—No te molestes. Ella encarna la perfección que yo pretendo alcanzar —musité. Era la primera vez que admitía algo así delante de alguien. Erik siempre se las ingeniaba para que le revelara ese tipo de confidencias.

—Pero ¿por qué se empeña en imitarla? Ha de ser usted misma, alteza: eso será suficiente.

Me giré con brusquedad; no daba crédito a lo que acababa de oír. Nunca podía bajar la guardia, siempre tenía que dar más de mí; ser yo misma no era suficiente.

Las palabras de Erik me rompieron los esquemas. Estaba a punto de echarme a llorar y busqué su mano, tal y como había hecho en mi dormitorio no hacía tanto tiempo.

—Me alegro muchísimo de haberte conocido. Da lo mismo cómo acabe todo esto; siempre estaré agradecida de que nuestros caminos se hayan cruzado.

No pudo contener la sonrisa.

—Nunca encontraré las palabras para expresar el privilegio que ha sido conocerla.

Si hubiera seguido el protocolo al pie de la letra, debería haberle estrechado la mano, pero nos quedamos ahí de pie, conectados en silencio durante unos instantes.

—¿Te inscribiste? —pregunté de forma súbita—. A la Selección, quiero decir.

Él sonrió y negó con la cabeza.

—No.

—¿Y por qué no?

Se quedó meditabundo unos segundos.

—Por.... Por ser quien soy.

—Eres Eikko.

Se quedó pasmado al oírme llamarle por su nombre de pila.

—Sí, soy Eikko. Pero apenas me conoce.

—Conozco a Eikko tan bien como él conoce a Eadlyn. Y, permíteme que te diga, que tú también eres suficiente —añadí con sarcasmo.

Noté que me acariciaba la palma de la mano. Fue un gesto delicado, casi imperceptible. Ambos estábamos haciéndonos la misma pregunta: ¿qué habría ocurrido si su nombre hubiera estado en aquellas cestas? Quizás ahora sería uno de los pretendientes, o puede que la suerte no hubiera jugado a su favor... Era imposible predecir si el riesgo habría merecido la pena.

—Debería volver a la fiesta —murmuré.

—Por supuesto. Hasta pronto.

Me concentré en mantener una postura rígida, pero grácil a la vez, lo cual resultaba más fácil subida en aquellos tacones que Camille me había regalado. Entré en el salón y saludé a todos los invitados con una inclinación de cabeza. Podría haberme parado una decena de veces, pero preferí continuar y buscar a Henri.

—Hola —saludó.

Esa semana había pensado en él un montón de veces, pero, entre organizar la fiesta, valorar los daños de las últimas declaraciones y el cúmulo de citas, no había tenido ni un minuto para hablar con él. Parecía un poco ansioso, aunque confiaba en que Erik le hubiera explicado todo lo que le había confesado. Pero, aun así, necesitaba hablar con él, y a solas.

—¿Estás bien? —pregunté.

Asintió con la cabeza.

—¿Bien?

Asentí.

Resopló, aliviado. Por fin se libró de aquella expresión de ansiedad y recuperó el optimismo que le caracterizaba. Intenté pensar en todos los desacuerdos y malentendidos y llegué a la conclusión de que era imposible resolverlos con menos de cinco palabras. Sin embargo, con Henri compartía una complicidad especial y no necesitaba más palabras para saber que temía haberme ofendido.

Quizás Erik estuviera equivocado y podía comunicarme con Henri perfectamente.

—¿Bailamos? —le invité, señalando la pista.

—¡Por favor!

Con esos tacones de infarto era casi tan alta como él. Y, aunque no era un buen bailarín, compensaba su falta de destreza con su entusiasmo. Me dio varias vueltas e incluso hicimos alguna pirueta. Estaba siendo el mejor baile de mi vida. Y, de repente, advertí la presencia de Erik. Estaba justo detrás de Henri.

Quizá le malinterpreté, pero aquella sonrisa tímida desprendía cierta tristeza.

Capítulo 31

Camille acaparó todas las portadas de los periódicos y de las revistas del corazón que solían equipararnos a estrellas de cine y cantantes. Y en todas salía espectacular. Su presencia bastó para animar el ambiente de la Sala de las Mujeres. La tía May vino de visita únicamente para ver a la princesa francesa.

Sabía por qué no soportaba a Josie. Era una jovencita consentida e infantil que hacía todo lo posible por parecerse a mí, así que, cuando ella rondaba cerca, siempre tenía que estar alerta. Pero con Camille era más complicado. Era perfecta, pero no presumía de ello. Así que por mucho que deseara odiarla, no podía, pues eso me haría quedar a la altura del betún.

—¿Cómo está tu madre? —le preguntó mamá a Camille. A juzgar por el tono que utilizó, intuí que se había sentido obligada a preguntar por la reina Daphne. Al parecer, era un tema delicado.

Mamá le ofreció una taza de té que Camille aceptó encantada. Tardó unos segundos en responder.

—Muy bien. Le envía recuerdos.

—Últimamente sale mucho en las revistas. Y en todas las fotografías se la ve muy contenta —prosiguió mamá. Apoyó las manos en su regazo y sonrió con cordialidad. Aquello sonó más sincero que lo anterior.

—Y lo está —acordó Camille—. No sé qué le ha pasado, pero nunca ha estado más radiante. Me encanta verla así de feliz.

Al hablar de su madre, su expresión se volvió más tierna,

más dulce. Y eso me hizo pensar en cómo sería la vida en el palacio francés.

—Y bien —irrumpió Josie, y se cruzó de piernas con un gesto dramático—. ¿Oiremos campanas de boda pronto?

Camille se sonrojó y apartó la mirada. Todas nos echamos a reír.

—Quizá —contestó—. Sé que Ahren es el elegido, pero no queremos apresurarnos. Preferimos esperar al momento apropiado.

La señorita Marlee suspiró.

—Y supongo que ahora, en el punto más álgido de la Selección, no lo es.

—¡Claro que no! —exclamó Camille, y apoyó una mano sobre mi regazo—. ¡Nunca le arrebataría ese momento tan especial a una amiga!

La señorita Marlee y la señorita Lucy se pusieron a aplaudir.

—Lo que me recuerda... —continuó Camille—. Eadlyn, todavía no me has contado nada. ¿Qué tal los pretendientes?

Solté una risita.

—Me traen muchos quebraderos de cabeza.

—Ah, para —bromeó mamá.

—¡Por favor, no me cuentes nada de Kile! ¡Ecs! —protestó Josie, que no tardó en recibir una palmadita en la pierna como reprimenda.

—¡Tienes que ponerme al día! —insistió la tía May—. Me he perdido un montón de cosas. ¡He leído que hubo una pelea!

—Así es —dije, y puse los ojos en blanco—. La verdad es que todavía les estoy conociendo —admití—. Hay un puñado que destaca sobre los demás, pero las cosas cambian cada día, así que me cuesta elegir un favorito.

—¿Elegir? —repitió Camille con tono triste—. El amor no se elige. ¿No hay ningún pretendiente que te haya robado el corazón? ¿Alguien en quien no puedes dejar de pensar?

En cuanto formuló su pregunta, un nombre me vino a la cabeza. El mero hecho de que alguien pudiera cumplir tales requisitos me dejó tan asombrada que ni siquiera pude asimilar quién era.

Me obligué a centrarme en la conversación.

—Supongo que no soy tan romántica.

—Eso es evidente —murmuró Josie entre dientes.

O bien Camille no la oyó, o bien prefirió ignorarla.

—Estoy convencida de que encontrarás a un marido maravilloso. ¡Estoy impaciente por conocerle!

La conversación tomó otro rumbo y me limité a escuchar en silencio. No sabía si quedarme con ellas todo el día o si trabajar un poco. Al parecer, últimamente no había hecho más que meter la pata y no pretendía añadir otra torpeza a mi lista de errores.

Me gustaban las charlas de chicas, pero necesitaba un descanso. Me disculpé y salí al pasillo. Quince minutos. Me prometí que, pasado ese tiempo, regresaría a la Sala de las Mujeres llena de energía y optimismo.

Por casualidad, vi a Hale. Se dirigía hacia los jardines y arrastraba un carrito repleto de garrafas de agua. Al verme, dibujó una sonrisa enorme.

—¿Adónde vas? —preguntó.

—A ninguna parte, en realidad. Estaba tomándome un respiro, eso es todo.

—Algunos chicos estamos jugando al béisbol en el jardín, por si te apetece venir.

Me asomé por la ventana y comprobé que había unos ocho chicos tratando de batear la pelota.

—¿De dónde han sacado todo el material?

—Osten.

Desde luego. Osten tenía de todo. Todos se habían descalzado y se habían enrollado el bajo de los pantalones.

—Nunca he jugado al béisbol —admití.

—Razón de más para apuntarte.

—¿Sabes jugar?

—Se me da más bien hacer de pitcher que de bateador, pero me defiendo bastante bien. Puedo enseñarte —propuso Hale. Sabía que, si salía al jardín, me cuidaría en todo momento.

—De acuerdo. Pero piensa que no daré ni una. Soy un poco patosa.

—¿Desde cuándo eres patosa? —bromeó, y me acompañó hasta la puerta.

Kile también estaba ahí, junto a Apsel, Tavish y Harrison. Vi a Alex y, aunque me negaba a admitirlo, desde que Milla se había ido de la lengua con ciertos periodistas, había estado tentada a enviarle a Calgary. De hecho, todavía me lo estaba planteando.

Henri estaba haciendo flexiones junto a Linde y, de forma instintiva, busqué a Erik. Enseguida le encontré; estaba sentado en uno de los bancos de piedra.

—¡Alteza! —llamó Edwin—. ¿Ha venido a ver el partido?

—No, señor. Quiero jugar.

La mayoría de los chicos me vitoreó y aplaudió, aunque dudaba que alguno de ellos me quisiera en su equipo.

—De acuerdo, de acuerdo —grité, alzando los brazos—. Recordad que tengo que volver ahí dentro de unos minutos y que es la primera vez que juego al béisbol. Pero me apetece probarlo antes de volver al trabajo.

—¡Será pan comido! —aseguró Tavish—. Quítese los zapatos, alteza. Los dejaré al lado de los míos.

Me quité los tacones y se los entregué como si de un tesoro se tratara.

—Vaya, cómo pesan. ¿Debe de costar hasta levantar los pies?

—Hace falta tener unas piernas fuertes.

Él soltó unas carcajadas y se marchó con mis zapatos en la mano.

—De acuerdo, empezará Eadlyn —decidió Kile.

En términos generales, conocía las normas del juego. Tres intentos, cuatro bases. Pero en cuanto a la mecánica, estaba perdida.

Hale se colocó en el centro del diamante y empezó a practicar sus lanzamientos con Apsel. Raoul, que sería el receptor, apareció a mis espaldas.

—Esto es lo que tiene que hacer —dijo. Tenía un acento español bastante marcado, pero le agradecí que me explicara la dinámica del juego de una forma fácil y clara—. Se ha de agarrar el bate por aquí… y por aquí. —Me hizo una pequeña demostración y sujetó el bate por la base—. Separe ligeramente las piernas y no mueva el pie de delante, ¿de acuerdo?

—De acuerdo.

—Y observe la bola, alteza.

—Observar la bola…, vale.

Raoul me entregó el bate. Pesaba mucho más de lo que parecía.

—Buena suerte.

—Gracias.

Me coloqué sobre aquella base improvisada e intenté hacer todo lo que Raoul me había indicado. Puesto que Hale era el pitcher, asumí que estábamos en equipos distintos. Aunque, al verme ahí plantada, no pudo contener la sonrisa.

—Te la lanzaré suave, ¿vale?

Asentí.

Él lanzó la bola y fallé. Lo mismo ocurrió la segunda vez. No sé muy bien qué pasó la tercera, pero acabé girando como una peonza.

Hale se echó a reír, al igual que Raoul. Aunque en otras circunstancias me hubiera sentido abochornada, me lo tomé a broma.

—¡Eadlyn! ¡Eadlyn!

Reconocí la voz de mi madre de inmediato. Los ventanales de la Sala de las Mujeres estaban abiertos de par en par. Todo el mundo estaba mirándome. Mamá no tardaría en ordenarme que volviera dentro.

—¡A por ellos! —chilló—. ¡Batea con fuerza!

La tía May no dejaba de mover los brazos.

—¡Vamos, Eady!

El resto de las chicas también se puso a gritar y a aplaudir. Solté una carcajada y me volví hacia Hale.

Él asintió con la cabeza.

Agarré el bate con fuerza y me preparé.

Por fin logré batear la bola. La envié hacia la izquierda. Chillé enloquecida, dejé caer el bate, me arremangué la falda del vestido y salí disparada hacia la primera base.

—¡Corre, Eady, corre! —animó Kile.

Vi a Henri correr detrás de la pelota, así que decidí intentar alcanzar la segunda base, sin quitarle el ojo de encima. No iba a lograrlo, así que me propulsé hacia delante y aterricé sobre la base.

¡Lo había conseguido!

Todo el público estalló en vítores. No había ganado, pero me sentí muy satisfecha. De pronto, Edwin me levantó del suelo y me abrazó con fuerza.

Un minuto después, mamá, Josie y las demás mujeres salieron al jardín. Todas se quitaron los zapatos y exigieron ser las siguientes en batear.

Alguien debió de avisar a papá y a mis hermanos de aquel partido espontáneo. Kaden aprovechó la ocasión para demostrar el gran atleta que era. Mis padres prefirieron quedarse como meros espectadores. Los seleccionados se animaban los unos a los otros, dándose palmaditas en la espalda. Ahren, al ver a su amada en el jardín, se escabulló hacia ella, cubriéndola de besos.

—¡Vamos, Henri! —grité cuando vi que cogía el bate.

Erik se deslizó a mi lado para contemplar el espectáculo. A ambos nos dio un poco de reparo empezar a saltar por el jardín, así que, sin perder la dignidad, chocamos los puños.

—¿No es genial? —dije—. Me encanta que pueda jugar sin tener que preocuparse por el idioma.

—A mí también —acordó Erik—. ¡No puedo creer que haya bateado esa bola, alteza!

Me eché a reír.

—¡Lo sé! Ha merecido la pena mancharme el vestido.

—Toda la razón. ¿Hay algo de lo que no sea capaz? —preguntó divertido.

—Un montón de cosas —respondí, y repasé toda mi lista de defectos.

—¿Por ejemplo?

—Umm... ¿Hablar finlandés?

Erik se rio.

—De acuerdo. Solo una cosa. Se puede perdonar.

—¿Y tú?

Él miró a su alrededor.

—No sería capaz de gobernar un país.

—Créeme, si yo he aprendido a hacerlo, todo el mundo puede.

Mamá vino corriendo y me abrazó por la espalda.

—Qué idea tan maravillosa.

—Se les ha ocurrido a los chicos —expliqué—. Ha sido pura casualidad. Me han invitado porque me han visto sola en el pasillo.

De pronto, vi que papá se colocaba sobre la base.

—¡Ánimo, papá!

Él levantó la mano y saludó a su querida esposa. Mamá sacudió la cabeza.

—No lo va a conseguir —murmuró.

Y tal como mamá había predicho, papá falló la primera bola. Le aplaudimos de todas formas, celebrando que el partido seguía vivo, aunque nadie hubiera conseguido una carrera.

Durante ese breve instante solo se respiró felicidad. Estaba rodeada de mi familia, de mis amigos; todos estábamos disfrutando del partido, del sol, de las bromas. Mi madre volvió a abrazarme, me besó en la cabeza y me aseguró que estaba muy orgullosa de cómo había bateado. Osten no dejaba de correr en círculo, arrasando con todo lo que encontraba en su camino y provocando las risas de todos los presentes. Josie se había apropiado de una camisa de los pretendientes y la llevaba desabrochada sobre el vestido. A pesar de que parecía una auténtica estúpida, se la veía feliz.

Era como una burbuja de pura alegría.

No había cámaras pululando por el jardín para capturar el momento, ni reporteros que pudieran describir aquella felicidad al mundo entero. Y, por algún motivo, eso hizo que fuera aún más especial.

Capítulo 32

No quería que esa burbuja explotara; así, podría olvidarme de todos los problemas que hostigaban a mi familia. Pero la paz no perduró mucho tiempo. Durante la cena, algunos de los pretendientes que se habían perdido el partido de béisbol empezaron a quejarse, ya que consideraban que alguien debería haberlos avisado. Sostenían que era injusto que un puñado de sus compañeros hubieran podido pasar un tiempo a solas conmigo, así que reclamaban una cita grupal para ellos.

Eligieron a Winslow como representante, así que él fue el encargado de transmitirme su descuerdo. Se presentó ante mí con cara de cordero degollado y me comunicó las quejas del grupo. Esperó a que saliera del comedor para poder hablar conmigo.

—Tan solo pedimos una cita grupal para equilibrar la balanza.

Me masajeé las sientes.

—Técnicamente no fue una cita. Nadie lo planeó, y mi familia también estuvo ahí, incluidos mis hermanos pequeños.

—Lo entendemos y, si acepta el ofrecimiento, alteza, estamos dispuestos a organizar la cita.

Suspiré, frustrada.

—¿Cuánta gente seríamos?

—Tan solo ocho. Ean se mantiene al margen.

Sonreí para mis adentros. Por supuesto, Ean no quería que se le relacionara con un grupito de chicos que se arrastraba por unos minutitos conmigo. Eso me llevó a preguntarme si debería tenderle una emboscada y pillarle a solas para dejarle cuatro cosas bien claras. Aunque, por otro lado, sospechaba que ese había sido su plan desde el principio.

—Vosotros organizad la cita, y yo ya me encargaré de encontrar un hueco.

Winslow sonrió.

—Muchas gracias, alteza.

—Pero —me apresuré a añadir—, por favor, coméntales a tus compañeros que estas pataletas no mejoran la opinión que tengo sobre vosotros. De hecho, lo considero un comportamiento algo infantil. Así que os aconsejo que preparéis la mejor cita de la historia.

Me di media vuelta, no sin antes advertir la expresión de terror en el rostro de Winslow.

Dos meses más. Podía hacerlo. Había tenido altibajos, pero presentía que lo peor ya había pasado. Después del partido, ya no me sentía tan intimidada por los chicos. De hecho, estaba convencida de que daría a papá el tiempo que necesitaba.

De lo que no estaba tan segura era de qué hacer con mi corazón.

Subí las escaleras hasta el tercer piso y vi que Ahren salía de su habitación. Se había cambiado de traje; supuse que debía de ir a visitar a Camille a su nueva suite.

—¿Alguna vez dejas de sonreír? —pregunté. Me parecía increíble estar así tantos días seguidos.

—No, si ella está por aquí —dijo, y se estiró el chaleco del traje—. ¿Estoy bien?

—Claro que sí. Estoy segura de que Camille te ve guapo de cualquier forma. Está loca por ti, Ahren.

Él suspiró.

—Eso creo. Y eso espero.

En cierto modo, Ahren ya había volado del nido. En su mente, estaba en París, cubriendo a Camille de besos y discutiendo el nombre de sus hijos. Sentí que estaba a punto de abandonarme… y no estaba preparada.

Tragué saliva y me armé de valor para decir lo que llevaba mucho tiempo rumiando y que nunca me había atrevido a confesarle.

—Ahren, Camille es fantástica. No puedo negarlo. Pero quizá no sea la chica perfecta para ti.

Su sonrisa se desvaneció.

—¿A qué te refieres?

—Quizá deberías considerar otras opciones. Hay muchísimas chicas solteras en Illéa que has ignorado por completo. Es un asunto muy delicado, y no deberías precipitarte. Piensa que si un día Camille y tú rompierais vuestro matrimonio y decidierais divorciaros, pondríais en peligro las alianzas entre los dos países.

Ahren me observaba sin pestañear.

—Eadlyn, sé que tienes tus reservas respecto al amor, pero sé muy bien lo que siento por Camille. Que a ti te asuste…

—¡No estoy asustada! —grité—. Tan solo pretendo ayudarte. Te quiero más que a nadie en el mundo. Haría cualquier cosa por ti, y pensaba que era algo recíproco.

Aquel comentario le llegó al alma.

—Sabes que sí.

—Entonces piénsalo, por favor. Es lo único que te pido.

Asintió. Se pasó los dedos por la boca, por las mejillas, preocupado, nervioso…, casi perdido.

De repente, me miró, me dedicó una pequeña sonrisa y extendió los brazos, invitándome así a abrazarle. Me sostuvo entre sus brazos durante un buen rato, como si necesitara ese abrazo como agua de mayo.

—Te quiero, Eady.

—Y yo a ti.

Me dio un beso en la cabeza, y luego se marchó a la habitación de Camille.

Neena estaba esperándome, con el camisón preparado.

—¿Algún plan para esta noche? ¿O prefiere vestirse para meterse en la cama?

—Cama —respondí—. Pero vas a alucinar cuando te cuente la última.

Le expliqué que algunos candidatos me habían propuesto una cita en grupo, sin olvidar el detalle de que Ean había preferido mantenerse al margen.

—Chico listo —comentó mi doncella.

—Lo sé. Creo que se ha ganado una cita especial por ello.

—¿Una cita real o una cita de despecho?

Me reí.

—Ni idea. Puf, ¿qué se supone que debo hacer con esos chicos?

—¡Echarlos a todos! ¡Ajá! He encontrado otro trozo de césped en el vestido —dijo, y me mostró un puñado de briznas antes de tirarlas a la papelera.

—El partido ha sido tan divertido —dije—. Nunca olvidaré la cara que puso mamá cuando se asomó por el ventanal y me animó a batear. ¡Pensé que iba a regañarme!

—Ojalá hubiera podido estar ahí.

—Neena, no tienes que quedarte encerrada en mi habitación todo el día. Siempre está impoluta y no tardo tanto tiempo en vestirme por la mañana. Deberías acompañarme a los sitios y conocer algo más de palacio.

Ella encogió los hombros.

—Quizá.

Pero distinguí una nota de entusiasmo en su voz. Me planteé la posibilidad de formarla para que pudiera viajar conmigo. Me encantaría que Neena pudiera acompañarme en mi próximo viaje. Sin embargo, hacía semanas había dejado caer que, tarde o temprano, dejaría el palacio, así que no merecía la pena. Sabía que no podía mantener a una doncella para siempre, pero me aterraba pensar que un día Neena no estaría a mi lado.

Al día siguiente, cuando bajé a desayunar, me llamó la atención que Ahren no estuviera ahí. Me preocupaba que se hubiera enfadado conmigo. No soportaba discutir con él. Era mi hermano mellizo, y compartíamos algo especial, algo inexplicable.

Tardé un poco más en darme cuenta de que Camille tampoco estaba. Solo podían haber ocurrido dos cosas: o Ahren había recuperado la cordura y le había dicho que quería considerar otras opciones y, por tanto, estaban evitando encontrarse…, o habían pasado la noche juntos y todavía seguían en la cama.

Me pregunté qué opinaría papá sobre eso.

Y entonces me fijé en que varios de mis pretendientes tampoco habían bajado a desayunar. Quizás Ahren y Camille no estuvieran retozando bajo las sábanas. A lo mejor todos se habían contagiado de algún virus estomacal. Sí, sería eso. Era más probable… y bastante menos emocionante.

Al salir del comedor, me topé con Leeland y con Ivan, que estaban esperándome. Los dos me saludaron con una gran reverencia.

—Alteza —murmuró Ivan—, se requiere su presencia en el Gran Salón. Le espera la mejor cita de su vida.

Sonreí con cierta superioridad.

—¿Ah, de veras?

Leeland se rio por lo bajo.

—Hemos estado trabajando en ella toda la noche. No hemos pegado ojo. Así que, por favor, no nos diga que está ocupada, alteza.

Comprobé la hora en el reloj de la pared.

—Tengo una hora, más o menos.

Ivan pareció animarse.

—Eso es mucho tiempo. Vamos —dijo.

Los dos me ofrecieron el brazo. Acepté y les permití que me escoltaran hasta el Gran Salón.

En la pared del fondo habían dispuesto un pequeño escenario que habían cubierto con lo que parecían ser los manteles de Navidad. En el centro del escenario vi los focos que solíamos utilizar en las fiestas. En cuanto cruzamos el umbral, todos los candidatos se quedaron en silencio y se colocaron en fila india.

Me guiaron hacia el único sillón que había frente al escenario. Tomé asiento, un tanto curiosa y confusa.

Winslow extendió los brazos de par en par.

—Bienvenida al primer espectáculo de variedades de la Selección, protagonizado por un puñado de perdedores que compiten por llamar la atención de la princesa.

Me reí a carcajadas.

Calvin apareció de repente y se sentó ante el piano; empezó a tocar una canción de jazz y, acto seguido, todos abandonaron el escenario, salvo Winslow.

Hizo una pomposa reverencia y, cuando se levantó, esbozó

una amplia sonrisa y mostró tres pelotas de semillas. Y empezó a hacer malabares. Era un numerito tan absurdo que no pude contener la risa. Winslow se hizo a un lado y alguien, desde bambalinas, le lanzó una cuarta pelota. Seguida de una quinta y una sexta. Se las apañó bastante bien durante dos segundos; después, todas se desplomaron sobre el suelo, menos una, que le golpeó la cabeza.

Todos lamentamos aquel final, pero le aplaudimos por el esfuerzo.

Lodge apareció con un arco y varias flechas, y deslizó una especie de tronco recubierto de globos. Empezó a lanzar flechas; cuando un globo estallaba, se producía una lluvia de purpurina. Durante todo ese tiempo, Calvin no dejó de tocar el piano. Iba alternando las canciones, tratando de encontrar la mejor melodía para cada acto.

Fox fue el siguiente en subir al escenario. Me costó creer que se hubiera dejado enredar, pero ahí estaba. Se puso a pintar. Estaba segura de que Osten dibujaba mejores monigotes que él, pero, puesto que el espectáculo consistía en resaltar sus cualidades de una forma divertida o en mostrar sus flaquezas en forma de parodia, al final resultó ser algo gracioso. Me habría encantado robarle el retrato que había hecho de mí: una cabeza en forma de huevo con unas ondas marrones que hacían las veces de mi cabello. Me habían retratado un millón de veces..., pero jamás de una forma tan dulce.

Leeland cantó. Julian bailó con un hula-hoop. Ivan estuvo un montón de tiempo sosteniendo una pelota de fútbol sobre la punta del pie. Gunner leyó un poema.

—Querida princesa Eadlyn, no hay palabra que rime con su nombre y, aunque nos enfadamos mucho con su alteza, la querremos eterna.

Me desternillé de risa, al igual que la mayoría de los candidatos.

Para el número final, los ocho pretendientes se reunieron en el escenario para bailar. Bueno, para intentar bailar. En realidad, se dedicaron a mover los brazos y a menear las caderas, aunque hubo momentos en que incluso yo me ruboricé. Estaba impresionada. Habían organizado todo aquel show en una noche. Y todo para entretenerme y, en cierto modo, pedirme perdón.

Había sido todo un detalle por su parte.

Aplaudí hasta el final. Me puso de pie para hacerlo.

—De acuerdo, debería volver al trabajo… Pero ¿qué tal si nos tomamos algo y charlamos un rato?

A todos les pareció una idea estupenda, así que mandé traer algo de té, agua y refrescos.

No nos molestamos en colocar las mesas en su lugar y optamos por sentarnos en el suelo. Debía reconocer que, a veces, esos plastas podían ser un verdadero encanto.

Ahren tampoco vino a cenar. Me fijé en todos los candidatos, en los invitados… Mamá llegó unos minutos tarde, pero no había rastro de mi hermano.

Papá se acercó y me susurró al oído:

—¿Dónde está Ahren?

Encogí los hombros y pinché un trozo de pollo con el tenedor.

—No lo sé. No le he visto en todo el día.

—No es algo propio de él.

Eché un vistazo a la mesa donde estaban sentados los diecinueve seleccionados. Kile me guiñó un ojo y Henri me saludó con la mano. Cada vez que miraba a Gunner, recordaba aquel poema ridículo y me echaba a reír. Fox asintió con la cabeza cuando cruzamos las miradas. Al ver a Raoul desperezarse, me vino a la memoria la delicadeza con que me había tratado al enseñarme a agarrar el bate.

Oh, no.

Había ocurrido. Aunque había candidatos con los que aún no había compartido momentos a solas, todos, a su manera, habían logrado hechizarme. Sabía que algunos se habían ganado un pedacito de mi temeroso corazón, pero ¿cómo era posible que me hubiera encariñado de los diecinueve?

Sentí una fuerte opresión en el pecho. Al final, acabaría echando de menos a esa panda de chicos gritones y estrafalarios. Y es que, aunque por milagro divino acabara encontrando al amor de mi vida entre ellos, no podía quedarme con todos.

Pensé en lo preocupada que había estado semanas atrás. Me apenaba perder la tranquilidad que se respiraba en casa. De repente, Gavril entró en el comedor, con uno de los reporteros que habíamos contratado para el *Report*.

Se detuvo frente a la mesa principal y miró a papá.

—Siento molestarte, majestad.

—En absoluto. ¿Qué ocurre?

Gavril miró a su alrededor.

—Es un asunto privado. ¿Puedo acercarme?

Papá asintió y Gavril le murmuró algo al oído.

La reacción de mi padre no se hizo esperar: entornó los ojos con una expresión incrédula.

—¿Casado? —preguntó en voz baja, pero mamá y yo lo escuchamos. Se apartó para poder mirar a Gavril a los ojos.

—Su madre les ha dado el consentimiento. Ya está hecho… y de forma legal. Ahren se ha marchado.

Me quedé petrificada. En cuanto salí de mi estupor, salí corriendo del comedor.

—No, no, no —farfullé mientras subía los peldaños de dos en dos.

Primero comprobé la habitación de Ahren. Nada. Estaba en perfecto orden. No había indicio alguno de que hubiera hecho las maletas o de que se hubiera ido de forma apresurada. Y lo más importante de todo: no había rastro de mi hermano.

Después me dirigí hacia la suite de Camille. Confieso que el día antes me asomé y vi las maletas abiertas de par en par, con todos los modelitos que había traído desde Francia bien expuestos. Las maletas seguían en la habitación, a excepción de las más pequeñas. Pero ninguna señal de la princesa francesa.

Me apoyé en la pared del pasillo; estaba tan conmocionada que apenas podía entender qué había pasado. Ahren se había ido. Se había fugado con su amada y me había abandonado a mi suerte.

Estaba aturdida y era incapaz de pensar con claridad. ¿Qué debía hacer? ¿Rogarle que volviera? Gavril mencionó algo sobre que era legal. ¿Qué significaba eso? ¿Había algún modo de deshacer aquel lío?

El mundo se me vino encima. ¿Cómo iba a seguir con mi vida sin Ahren a mi lado?

De repente, aparecí en mi dormitorio, aunque no recuerdo haber caminado hasta allí. Neena me entregó un sobre.

—Hace una media hora, el mayordomo de Ahren me ha dado esto.

Le arranqué el papel de las manos.

Eadlyn:

Supongo que te habrás enterado de la noticia antes de leer esta carta, pero, aun así, déjame explicarme. Me he marchado a Francia, junto a Camille y, aunque estamos pendientes de la aprobación de sus padres, pretendo casarme con ella de inmediato. Siento haberme ido sin ti y te pido perdón por haberte excluido del que siempre pensé que sería el día más feliz de mi vida. Pero no he tenido otra opción.

Después de la conversación que mantuvimos anoche, por fin los últimos años cobraron sentido. Siempre asumí que despreciabas a Camille porque las dos estabais en la misma situación. Sois dos chicas jóvenes y hermosas que, en breve, heredaréis un trono. Pero las dos manejáis esa situación de una forma bien distinta. Ella es extrovertida, y tú, en cambio, prefieres mantener las distancias. Camille ejerce su poder con humildad, y tú proteges el tuyo con una espada afilada. Odio ser tan directo y contundente, pero intuyo que tú también te habías dado cuenta de esto. Aunque, no me gusta decirlo.

Sin embargo, ese no es el motivo por el que desprecias a Camille. No te gusta porque sabes que es la única persona en el mundo capaz de separarnos.

No sabes cuánto me duele decir esto, Eadlyn. Siempre he creído en ti. Soy tu hermano y por eso tengo en cuenta tus consejos, tus ideas. Pero también sé que, si lo hago, algún día acabarás por convencerme y lo dejaré todo por ti.

Así que antes de que me pidas que te entregue mi vida, he decidido entregársela a Camille.

Ojalá un día encuentres el amor, Eadlyn. Deseo que conozcas ese amor temerario, insensato e implacable que te consume por dentro. Quizás entonces me comprendas. Espero que algún día lo hagas.

Solo hay una cosa que puede mancillar mi felicidad con Camille: que no me perdones y, por lo tanto, que nuestros caminos se separen para siempre. No podría soportarlo.

Todavía no me he ido y ya te echo de menos. No puedo imaginar mi vida sin ti. Por favor, encuentra el modo de perdonarme y recuerda que te quiero. Quizá no del modo en que te gustaría, pero te quiero.

Y para demostrarte mi apoyo incondicional, no quiero despedirme sin decirte algo que puede serte de gran ayuda en los próximos meses.

Más provincias de las que imaginas se han unido a la protesta contra la monarquía. No son todas, pero sí la mayoría. Aunque me duele muchísimo decirte esto, mereces saberlo. El país pretende acabar con la monarquía porque odia a una única persona: a ti.

No logro entender por qué; quizá sea porque eres joven, porque eres una mujer o por motivos que no imaginamos, pero tu pueblo está preocupado. Papá está envejeciendo a marchas forzadas. Está sufriendo una presión terrible, a pesar de todos los éxitos logrados. Los ciudadanos de Illéa creen que no tardarás en ascender al trono, y no están preparados.

Odio decirte todo esto, pero creo que ya lo sospechabas. Si no te lo he contado antes es porque no quería que te obsesionaras o que te culparas. Pero estoy convencido de que puedes hacerles cambiar de opinión. No seas tan estricta con quienes te rodean, Eadlyn. Puedes ser valiente sin dejar de ser femenina. Puedes dirigir un país y que te gusten las flores. Y, lo más importante, puedes ser reina y esposa.

Te pones una coraza y no permites que la gente te conozca tan bien como yo. Pero sé que, al final, esos chicos captarán un destello de lo que se esconde en tu interior. Quizá me equivoco, pero por si esta es la última vez que hablamos, ese es mi consejo.

Espero que puedas perdonarme.

Tu hermano, tu mellizo, tu otra mitad,

AHREN

Capítulo 33

Releí aquella carta de despedida varias veces. Me había abandonado. Me había dejado por ella. Cuando por fin digerí sus palabras, sentí una rabia salvaje e incontrolable. Cogí lo primero que vi que pudiera romperse y lo arrojé contra la pared con todas mis fuerzas.

Oí que Neena ahogaba un grito cuando el cristal se hizo añicos, y eso me devolvió a la realidad. Había olvidado por completo que ella también estaba ahí.

Entre jadeos, logré balbucear:

—Lo siento.

—Yo me encargo.

—No quería asustarte. Es que... se ha ido. Ahren se ha marchado.

—¿Qué?

—Se ha fugado con Camille —le aclaré, y me pasé los dedos por el cabello. La noticia me había dejado trastornada—. No logro entender cómo la reina de Francia ha autorizado algo así, pero es evidente que lo ha hecho. El mismo Gavril ha comentado que ha sido una boda legal.

—¿Y qué quiere decir eso?

Tragué saliva.

—Puesto que Camille es la heredera al trono de Francia y Ahren ya es su príncipe consorte, su obligación es vivir en Francia. Illéa ya no es más que el país en el que nació.

—¿Sus padres lo saben?

Asentí con la cabeza.

—Aunque no sé si también les ha escrito una carta. Debería ir a verlos.

Neena se acercó para arreglarme el pelo y atusarme el vestido. También me pasó un pañuelo por el rostro para limpiar cualquier imperfección.

—Ahora. Así es como mi futura reina debería estar.

No pude contenerme, y la abracé.

—Eres tan buena conmigo, Neena.

—Chis. Vaya a buscar a sus padres. La necesitan.

Me sequé las lágrimas que amenazaban con caer. Bajé al vestíbulo y llamé a la puerta de los aposentos de papá, que solía compartir con mamá.

Nadie respondió, pero, aun así, me arriesgué y asomé la cabeza.

—¿Papá? —llamé, y me adentré en aquel gigantesco salón.

Hacía muchísimo tiempo que no entraba ahí, quizá desde que era niña; no lograba recordar si siempre había tenido aquel aspecto. Me daba la sensación de que mamá había tenido algo que ver en la decoración. Las paredes estaban pintadas en colores cálidos y había libros por todas partes. Si ese era su refugio particular, ¿por qué no lo reconocía?

Pulular por ese salón sin papá ni mamá me hacía sentir como una intrusa, así que decidí dar media vuelta e irme. Pero hubo algo que me detuvo: detrás de mí advertí varias fotografías enmarcadas que cubrían toda una pared.

En una aparecían mis padres a mi edad; él con un traje elegante y un fajín; ella con un vestido de color crema exquisito. Era el día de su boda y tenían la cara manchada de nata del pastel. En otra vi a mamá, cubierta en sudor, y con dos bebés entre los brazos. Papá le besaba la frente y reparé en la lágrima que se deslizaba por su mejilla. También había instantáneas más cándidas, llenas de besos y sonrisas, que habían revelado en blanco y negro para hacerlas parecer más clásicas.

En aquel momento, me percaté de dos cosas. No reconocía a mi padre en aquella habitación porque no era suya. La había transformado en un santuario dedicado a mamá, o mejor dicho, en un santuario dedicado al profundo amor que se profesaban.

Los veía a diario, pero me chocó observar todas las imágenes que, con toda probabilidad, miraban cada noche antes de irse a dormir. Estaban hechos el uno para el otro. A pesar de los obstáculos, les gustaba recordarlo.

También me sirvió para darme cuenta de por qué Ahren se había desentendido de mí... y de todos nosotros: por amor. Si conseguía encontrar un amor como el de mis padres, su fuga estaría más que justificada.

Debía encontrar a mis padres y contarles lo que Ahren decía en su carta. Ellos entenderían mejor que nadie qué le había empujado a irse. Sin duda alguna, lo comprenderían mejor que yo.

No les encontré en el comedor, ni en el despacho de papá, ni tampoco en los aposentos de mamá. De hecho, los pasillos estaban desiertos, lo cual no era habitual a esas horas. No vi ni un solo guardia de seguridad.

—¿Hola? —llamé cuando llegué al vestíbulo—. ¿Hola?

Por fin, dos guardias doblaron la esquina y vinieron corriendo hacia mí.

—Gracias a Dios —dijo uno—. Avisa al rey de que la hemos encontrado.

El segundo guardia salió disparado como una flecha. El otro respiró profundo y se acercó a mí.

—Debe acompañarme al hospital, alteza. Su madre ha sufrido un infarto.

Cada palabra sonó como un bombazo en mi cabeza. Sentí que se me nublaba la mente. No sabía qué decir ni qué hacer, pero necesitaba verla. A pesar de llevar unos tacones de aguja, eché a correr lo más rápido que pude.

Solo podía pensar en una cosa: en las veces que me había equivocado y en lo grosera que había sido con ella cuando había querido salirme con la mía. Estaba segura de que mamá sabía que la quería, pero necesitaba decírselo una vez más.

Delante de la puerta del hospital, la tía May estaba sentada junto a la señorita Marlee. Tenía los ojos cerrados y farfullaba algo, como si estuviera rezando. Osten, por suerte, no estaba allí, pero Kaden sí. Estaba haciéndose el valiente, pero intuía que, en cualquier momento, rompería a llorar. La señorita

Bryce también había venido. No podía estarse quieta y caminaba de un lado al otro del pasillo. Sin embargo, el más aterrorizado de todos era papá.

Se había aferrado al general Leger, como si su vida dependiera de ello: le agarraba de la manga del uniforme. Lloraba desconsoladamente. Nunca había oído un sonido que transmitiera tanto dolor. Y esperaba no volver a oírlo nunca.

—No puedo perderla. No lo sé… No…

El general Leger le cogió por los hombros.

—No pienses en eso ahora. Debemos confiar en que se va a recuperar. Y piensa en tus hijos.

Papá asintió, pero no se veía capaz.

—¿Papá? —llamé con voz temblorosa.

Él se giró y abrió los brazos. Me lancé sobre él y le abracé con todas mis fuerzas. Por una vez en mi vida, dejé mi orgullo de lado y rompí a llorar.

—¿Qué ha ocurrido?

—No lo sé, cariño. Creo que la marcha de tu hermano ha sido demasiado para ella. En su familia hay antecedentes de problemas cardiacos… Lleva varios meses ansiosa. —De pronto, su voz cambió y caí en la cuenta de que ya no estaba hablando conmigo—. Debería haberla obligado a descansar. Últimamente le exigía demasiado. Ha tenido que aguantar mucho… y todo por mí.

El general Leger le sacudió el brazo.

—Ya sabes lo testaruda que es —dijo con tono amable—. ¿De veras crees que habría permitido que no la incluyeras en todos tus asuntos?

Los dos compartieron una sonrisa llena de tristeza.

Papá agachó la cabeza.

—De acuerdo, ahora toca esperar.

El general le soltó.

—Debo volver a casa. Le diré a Lucy que os traiga ropa limpia. Llamaré a su madre, si es que todavía no lo has hecho.

Papá suspiró.

—Ni siquiera lo he pensado.

—Yo me encargo. Estaré de vuelta dentro de una hora. Para lo que necesites, aquí me tienes.

Papá abrazó al general Leger una última vez.

—Muchas gracias.

Me alejé de aquella improvisada sala de espera y me acerqué a la puerta. Me pregunté si podía percibir que estaba cerca. Estaba furiosa. Con todo el mundo... y también conmigo misma. Si la gente no la hubiera atosigado tanto... No estaba preparada para perder a mi madre.

Seguía pensando que no podía vivir la vida por y para los demás, y que el amor, al fin y al cabo, conllevaba unas cadenas inquebrantables. Pero, por Dios, necesitaba esas cadenas más que nada en el mundo. No me veía capaz de soportar el peso de la ausencia de Ahren, el de las preocupaciones de papá y, más importante todavía, el de la vida de mi madre, que en esos momentos pendía de un hilo. Esas cosas no me convertían en una mujer débil; me mantenían viva. Así que decidí que no huiría de ellas nunca más.

Oí varias pisadas y me di la vuelta. Al ver a los diecinueve seleccionados doblar la esquina, me quedé sin palabras, emocionada.

Kile fue el primero en hablar.

—Hemos venido a rezar.

Los ojos se me llenaron de lágrimas. Los candidatos se fueron dispersando, algunos se quedaron en una esquina y otros se sentaron en los bancos. Todos bajaron la cabeza y empezaron a murmurar oraciones. Esos chicos habían puesto mi vida patas arriba... y no podía estarles más agradecida.

Hale no dejaba de morderse los nudillos y movía el pie con nerviosismo. Ean, como era de esperar, ni se inmutó. Se cruzó de brazos, sumido en sus pensamientos. Henri, que se había sentado en un banco, estaba inclinado hacia delante, los rizos le tapaban los ojos. Me alegré al ver que Erik también había venido, a pesar de no estar obligado.

Kile buscó a su madre y se fundieron en un tierno abrazo. Aquella tragedia también le había conmocionado. Por extraño que pudiera parecer, aquella ternura me hizo sentir más fuerte.

Observé a Kile y al resto de los pretendientes. Todos se habían ganado un pedacito de mi corazón... Luego miré a papá. Tenía la cara roja de tanto llorar: su traje estaba completamente arrugado. Cada parte de su cuerpo dejaba ver esa angustia, ese terror por perder a su esposa.

Papá había estado en mi lugar y, de eso, no hacía tanto tiempo. Por aquel entonces, mamá no era más que otra chica que debía conocer antes de decidir su futuro. Y, sin embargo, a pesar de los impedimentos y de los años, seguían enamorados hasta los huesos.

Y ese amor era palpable; se veía en la habitación que compartían, en cómo se preocupaban el uno por el otro, en cómo coqueteaban incluso después de tanto tiempo casados. Si un mes atrás alguien me hubiera dicho que tendría esa posibilidad, le habría ignorado y tomado por lunático. ¿Ahora? Bueno, no me parecía una idea tan descabellada. No esperaba encontrar el amor que compartían mis padres, o lo que Ahren sentía por Camille. Pero… quizá podía conocer a alguien especial. Una persona que deseara besarme incluso cuando tuviera un resfriado o que estuviera dispuesta a darme un masaje después de un largo día de reuniones. A lo mejor podía encontrar a alguien que no me asustara, a quien pudiera abrirle las puertas de mi alma. Pero eso ya sería pedir demasiado.

De todos modos, ahora no podía permitirme el lujo de echarme atrás. Por mi propio bien y por el de mi familia, tenía que acabar la Selección.

Y, cuando lo hiciera, tendría un anillo en el dedo.

Agradecimientos

Gracias a ti, por ser una persona tan maravillosa, pero, sobre todo, por haber comprado un cuarto libro cuando creías que solo habría tres.

Gracias a Callaway, por todo, pero en especial por encargarte de los platos y de las matemáticas.

Gracias a Guyden y a Zuzu, por ser los niños más fabulosos del mundo entero, pero sobre todo por abrazarme cuando sabéis que no he tenido un buen día.

Gracias a mamá, a papá y a Jody, por todo vuestro apoyo, pero, sobre todo, por ser unos bichos raros, como yo.

Gracias a Mimi, Papa y Chris, por animarme en todo momento, y, en especial, por cuidar de los niños durante las vacaciones de Navidad para que yo pudiera dormir.

Gracias a Elana, por ser un agente tan increíble, y por convencerme de que si alguien intentara ridiculizarme, tú te encargarías de darles una paliza.

Gracias a Erika, por ser una editora con tanto talento, pero, sobre todo, por dejar que te llamara unas dieciocho veces a la semana y no quejarte.

Gracias a Olivia, a Christina, a Kara, a Stephanie, a Erin, Alison, Jon y a tropecientas personas más de HarperTeen por ser tan encantadoras, y, en especial, por hacerme la vida más fácil, aunque nunca hemos tenido la oportunidad de vernos cara a cara.

Gracias a Dios, por ser Dios, pero, sobre todo, por haber creado un mundo en el que cosas como los gatitos con pajarita son una realidad.

Y gracias a todo el mundo a quien he olvidado —sin duda deben de ser muchísimas personas— porque soy un poco despistada, pero, sobre todo, porque estoy agotada y estoy tecleando esto con los ojos cerrados.

¡Os quiero a todos!